추천도서

한자급수자격검정시험대비서

대한검정회

KB079136

漢字 4급

✔ 이 한권으로 4級 합격보장 !!

✔ 심화학습문제 5회 수록 !!

✔ 실전대비문제 15회 수록 !!

한출판
WWW.hanjanara.co.kr

한자급수자격검정시험대비서

대한검정회

漢字 4급

| 초판 발행 | 2021년 08월 27일
| 4쇄 인쇄 | 2024년 12월 24일
| 발행인 | 한출판 편집부
| 발행처 | 한출판
| 디자인·삽화 | 윤지민
| 등   록 | 05-01-0218
| 전   화 | 02-762-4950

ISBN : 978-89-88976-81-4

전국한문실력경시예선대회를 겸한

한 자 급 수 자 격 검 정
한자 · 한문전문지도사 시험시행공고

* 공인민간자격(제2021-3호) 한자급수자격검정 : 준2급, 2급, 준1급, 1급, 사범
* 공인민간자격(제2021 2호) 아동지도사급
* 공인민간자격(제2021-1호) 지도사2급, 지도사1급, 훈장2급, 훈장1급, 훈장특급
* 등록민간자격(제2008-0255호): 한자급수자격검정 8급, 7급, 6급, 준5급, 5급, 준4급, 4급, 준3급, 3급, 대사범

 (사)대한민국한자교육연구회   대한검정회 KTA 대한검정회

✽ 종목별 시행일정

시행일	자격검정 종목 및 등급			접수기간
	종 목	시행등급		
2월 넷째주 (토)	한자급수자격검정	전 15개 등급	8급~대사범	12월 넷째주 월요일~3주간
	한자 · 한문전문지도사	전 6개 등급	아동지도사~훈장특급	
5월 넷째주 (토)	한자급수자격검정	전 15개 등급	8급~대사범	3월 넷째주 월요일~3주간
	한자 · 한문전문지도사	부분 3개 등급	아동지도사~지도사1급	
8월 넷째주 (토)	한자급수자격검정	전 15개 등급	8급~대사범	6월 넷째주 월요일~3주간
	한자 · 한문전문지도사	전 6개 등급	아동지도사~훈장특급	
11월 넷째주 (토)	한자급수자격검정	전 15개 등급	8급~대사범	9월 넷째주 월요일~3주간
	한자 · 한문전문지도사	부분 3개 등급	아동지도사~지도사1급	

✽ 접 수 방 법
- 방문접수: 응시원서 1부 작성(본 회 소정양식 O.C.R카드), 칼라사진 1매(3*4cm)
- 인터넷접수: www.hanja.ne.kr
- 모바일접수: m.hanja.ne.kr (한글주소:대한검정회)
- ※ 단, 인터넷 및 모바일접수는 온라인 수수료 1,000원이 추가됨.

✽ 시험준비물
- 수험표, 신분증, 수정테이프, 검정색 볼펜, 실내화

✽ 합 격 기 준
- 한자급수자격검정 : 100점 만점 중 70점 이상
- 한자·한문전문지도사 : 100점 만점 중 60점 이상
- * 자격증 교부방법 : 방문접수자는 접수처에서 교부, 인터넷접수자는 우체국 발송
- * 환불규정 : 본회 홈페이지(www.hanja.ne.kr)접속 → 우측상단 자료실 참조
- * 유의사항 : 전 종목 전체급수의 시험 입실시간은 오후 1시 40분까지입니다.
  이후에는 입실할 수 없습니다.
- ※ 연필이나 빨간색 펜은 절대 사용 불가, 초등학교 고사장 실내화 필수 지참

한 자 를 알 면 세 상 이 보 인 다 !

이 책의 특징

이 책은 사단법인 대한민국한자교육연구회 · 대한검정회 한자급수자격검정시험을
준비하는 응시자를 위한 문제집이다.

1 최신 출제경향을 정밀 분석하여 실전시험에 가깝도록 문제 은행 방식
으로 편성하였다.

2 각 급수별로 선정된 한자는 표제 훈음과 장·단음, 부수, 총획, 육서,
간체자 등을 수록함으로써 수험생의 자습서 역할을 할 수 있도록
하였다. 단, 4급 시험에는 장·단음, 육서, 간체자는 출제 되지 않는다.

3 해당 급수 선정 한자 쓰기본과 한자의 훈음쓰기, 훈음에 맞는 한자
쓰기, 한자어의 독음쓰기, 낱말에 맞는 한자쓰기를 실어 수험
준비생이 자습할 수 있도록 하였다.

4 반의자, 유의자, 이음동자, 반의어, 유의어, 사자성어 등을 핵심 정리하여
학습의 효과를 높이는 역할을 할 수 있도록 하였다.

5 심화학습문제 5회, 실전대비문제 15회분을 실어 출제경향을 알 수
있도록 하였다.

6 연습용 답안지를 첨부하여 실전에 대비하게 하였다.

※더욱 깊이 있게 공부하고 싶거나 경시대회를 준비하고자 하면
해당급수의 길잡이 『장원급제Ⅳ』를 함께 공부하시기 바랍니다.

編·輯·部

한자를 알면 세상이 보인다

출제기준

한자자격 4급 출제기준

대영역	중영역		주 요 내 용	객관식	문항	계	%
			과목(분야)명			문제유형 및 출제문항수	
한문지식 한자 600	한자	한자	·한자의 훈음 알기	8	1~8	16	32
			·한자의 짜임을 통한 형·음·의 알기	1	16		
			·훈음에 맞는 한자 알기	7	9~15		
		활용	·한자의 다양한 훈음 알기	2	17~18	6	12
			·자전 활용하기	1	19		
			·유의자와 상대자의 한자 알기	2	20~21		
			·단어에 적용하기	1	22		
	어휘	단어	·단어의 독음 알기	9	23~31	16	32
			·단어의 뜻 알기	3	32~34		
			·낱말을 한자로 변환하기	3	35~37		
			·단어의 짜임 알기	1	45		
		활용	·문장 속의 단어 독음 알기	4	38~41	10	20
			·문장 속의 낱말을 한자로 변환하기	3	42~44		
			·유의어와 상대어 알기	2	46~47		
			·성어의 속뜻 알기	1	48		
	문화		·선인의 삶과 지혜를 이해하고 가치관 형성하기 ·전통문화를 이해하고 발전시키기 ·기타	2	49~50	2	4
합계				50		50	100

등급별 선정한자 자수표 및 응시지역

등급별	선정한자수	출제범위	응시지역	등급별	선정한자수	출제 범위	응시지역
8급	30字	교육부 선정 상용한자	전국지부별 지정고사장	준2급	1,500字	교육부 선정 상용한자 및 중·고등학교 한문교과	전국지부별 지정고사장
7급	50字			2급	2,000字		
6급	70字			준1급	2,500字	본회 선정 대학 기본한자 대법원 선정 인명한자 명심보감 등.	
준5급	100字			1급	3,500字		
5급	250字			사범	5,000字		
준4급	400字						
4급	600字			대사범	5,000字	사서고문진보사략 등 국역전문한자	지정고사장
준3급	800字						
3급	1,000字						

※선정 한자수는 하위등급 한자가 포함된 것임.

四級

목차

4급 한자(600字) 표제훈음

참고 * ※선정한자 표제훈음보다 자세한 것은 자전이나 교재 『장원급제IV』를 참고하시오.
ː : 장음, (ː) : 장·단음 공용한자　　　例) ❹ 4급, ④ 준4급을 표시함.

한자	표제훈음		장·단음	부수	총획	육서	간체자
④ 價	값	가		人,	15,	회·형,	价
④ 加	더할	가		力,	5,	회의	
④ 可	옳을	가	ː	口,	5,	형성	
❺ 歌	노래	가		欠,	14,	형성	
❺ 家	집	가		宀,	10,	회의	
④ 角	뿔	각		角,	7,	상형,	角
❺ 各	각각	각		口,	6,	회의	
❺ 間	사이	간	ː	門,	12,	회의,	间
④ 甘	달	감		甘,	5,	지사	
④ 減	덜	감	ː	水,	12,	형성,	减
④ 監	볼	감		皿,	14,	회의,	监
④ 感	느낄	감	ː	心,	13,	형성	

4급 한자(600字) 표제훈음

참고 ※선정한자 표제훈음보다 자세한 것은 자전이나 교재『장원급제Ⅳ』를 참고하시오.
： : 장음, (：) : 장·단음 공용한자　　　　例)❹ 4급, ④ 준4급을 표시함.

한자	표제훈음		장·단음	부수	총획	육서	간체자
❺ 强	강할	강	(：)	弓,	12,	형성	
❼ 江	강	강		水,	6,	형성	
❹ 改	고칠	개	：	攵,	7,	형성	
❹ 個	낱	개	(：)	人,	10,	형성,	个
❺ 開	열	개		門,	12,	형성,	开
④ 客	손님	객		宀,	9,	형성	
❹ 擧	들	거	：	手,	18,	회·형,	举
❺ 去	갈	거	：	厶,	5,	상형	
❺ 車	수레 수레	거 차		車,	7,	상형,	车
❹ 健	건강할	건	：	人,	11,	형성	
❹ 件	사건	건		人,	6,	회의	
❹ 建	세울	건	：	廴,	9,	회의	

4급 한자(600字) 표제훈음

참고 * ※선정한자 표제훈음보다 자세한 것은 자전이나 교재 『장원급제Ⅳ』를 참고하시오.
ː:장음, (ː):장·단음 공용한자 　　　 例)❹ 4급, ④ 준4급을 표시함.

한자	표제훈음		장·단음	부수	총획	육서	간체자
⑤巾	수건	건		巾,	3,	상형	
④格	격식	격		木,	10,	형성	
❺見	볼 뵐	견 현	ː	見,	7,	회의,	见
❻犬	개	견		犬,	4,	상형	
④決	결단할	결		水,	7,	형성,	决
④結	맺을	결		糸,	12,	형성,	结
❹競	다툴	경	ː	立,	20,	회의,	竞
❹景	볕	경	(ː)	日,	12,	형성	
④輕	가벼울	경		車,	14,	형성,	轻
④敬	공경할	경	ː	攵,	13,	회의	
❺京	서울	경		亠,	8,	회의	
❹季	철	계	ː	子,	8,	회의	

4급 한자(600字) 표제훈음

참고 ※선정한자 표제훈음보다 자세한 것은 자전이나 교재 『장원급제IV』를 참고하시오.
ː:장음, (ː):장·단음 공용한자   例) ❹ 4급, ④ 준4급을 표시함.

한자	표제훈음	장·단음	부수	총획	육서	간체자
④ 界	지경　계	ː	田,	9,	형성	
❺ 計	셀　계	ː	言,	9,	회의,	计
④ 固	굳을　고		口,	8,	형성	
④ 故	연고　고	(ː)	攴,	9,	형성	
④ 苦	괴로울　고		艸,	9,	형성	
④ 考	상고할　고	(ː)	老,	6,	형성	
④ 告	알릴　고 뵙고청할 곡	ː	口,	7,	회의	
❺ 高	높을　고		高,	10,	상형	
❺ 古	예　고	ː	口,	5,	회의	
④ 曲	굽을　곡		曰,	6,	상형	
④ 骨	뼈　골		骨,	10,	회의	
④ 公	공변될　공		八,	4,	회의	

4급 한자(600字) 표제훈음

참고 ※선정한자 표제훈음보다 자세한 것은 자전이나 교재 『장원급제IV』를 참고하시오.
　ː：장음, (ː)：장·단음 공용한자　　例) ❹ 4급, ④ 준4급을 표시함.

한자	표제훈음	장·단음	부수	총획	육서	간체자
❺ 功	공 공		力,	5,	형성	
❺ 空	빌 공		穴,	8,	형성	
❺ 共	함께 공	ː	八,	6,	회의	
⑤ 工	장인 공		工,	3,	상형	
❹ 課	매길 과		言,	15,	형성,	课
④ 果	과실 과	ː	木,	8,	상형	
④ 過	지날 과	ː	辵,	13,	형성,	过
❺ 科	과목 과		禾,	9,	회의	
❹ 關	관계할,빗장 관		門,	19,	형성,	关
④ 觀	볼 관		見,	25,	형성,	观
④ 廣	넓을 광	ː	广,	15,	형성,	广
❺ 光	빛 광		儿,	6,	회의	

600字

4급 한자(600字) 표제훈음

참고 * ※선정한자 표제훈음보다 자세한 것은 자전이나 교재 『장원급제Ⅳ』를 참고하시오.
: :장음, (:):장·단음 공용한자　　　　例) ❹ 4급, ④ 준4급을 표시함.

한자	표제훈음		장·단음	부수	총획	육서	간체자
❹橋	다리	교		木,	16,	형성,	侨
❺敎	가르칠	교	:	攵,	11,	회·형,	敎
❺交	사귈	교		亠,	6,	상형	
❺校	학교	교	:	木,	10,	형성	
❹具	갖출	구	(:)	八,	8,	회의	
❹救	구원할	구	:	攵,	11,	형성	
❹求	구할	구		水,	7,	상형	
❹舊	예	구	:	臼,	18,	형성,	旧
❹久	오랠	구	:	丿,	3,	지사	
④球	공	구		玉,	11,	형성	
❺區	나눌	구		匸,	11,	회의,	区
❽九	아홉	구		乙,	2,	지사	

4급 한자(600字) 표제훈음

참고 * ※선정한자 표제훈음보다 자세한 것은 자전이나 교재 『장원급제Ⅳ』를 참고하시오.
ː : 장음, (ː) : 장·단음 공용한자　　　　　　　　　例) ❹ 4급, ④ 준4급을 표시함.

한자	표제훈음		장·단음	부수	총획	육서	간체자
❼ 口	입	구	(ː)	口,	3,	상형	
❹ 局	판	국		尸,	7,	회의	
❺ 國	나라	국		囗,	11,	회의,	国
❹ 君	임금	군		口,	7,	회의	
④ 郡	고을	군	ː	邑,	10,	형성	
❺ 軍	군사	군		車,	9,	회의,	军
④ 貴	귀할	귀	ː	貝,	12,	형성,	贵
❹ 規	법	규		見,	11,	회의,	规
❹ 極	다할	극		木,	13,	형성,	极
④ 根	뿌리	근		木,	10,	형성	
❺ 近	가까울	근	ː	辶,	8,	형성	
❺ 今	이제	금		人,	4,	회의	

600字

4급 한자(600字) 표제훈음

참고 ※선정한자 표제훈음보다 자세한 것은 자전이나 교재 『장원급제Ⅳ』를 참고하시오.
ː:장음, (ː):장·단음 공용한자　　　　例) ❹ 4급, ④ 준4급을 표시함.

한자	표제훈음		장·단음	부수	총획	육서	간체자
❽ 金	쇠 성	금 김		金,	8,	형성	
❹ 給	줄	급		糸,	12,	형성,	给
④ 級	등급	급		糸,	10,	형성,	級
❺ 急	급할	급		心,	9,	형성	
❹ 其	그	기		八,	8,	상형	
❹ 器	그릇	기		口,	16,	회의	
❹ 期	기약할	기		月,	12,	형성	
❹ 汽	물끓는김	기		水,	7,	형성	
❹ 技	재주	기		手,	7,	형성	
❹ 基	터	기		土,	11,	형성	
❺ 旗	기	기		方,	14,	형성	
❺ 記	기록할	기		言,	10,	형성,	记

14 HANPUBLISHING

4급 한자(600字) 표제훈음

참고 ※선정한자 표제훈음보다 자세한 것은 자전이나 교재『장원급제Ⅳ』를 참고하시오.
ː：장음, (ː)：장·단음 공용한자　　　例) ④ 4급, ④ 준4급을 표시함.

한자	표제훈음		장·단음	부수	총획	육서	간체자
⑤ 氣	기운	기		气,	10,	형성,	气
⑥ 己	몸	기		己,	3,	상형	
④ 吉	길할	길		口,	6,	회의	
⑧ 南	남녘	남		十,	9,	형성	
⑧ 男	사내	남		田,	7,	회의	
⑦ 內	안 / 여관(女官)	내 / 나	ː	入,	4,	회의	
⑧ 女	여자	녀		女,	3,	상형	
⑦ 年	해	년		干,	6,	형성	
④ 念	생각	념	ː	心,	8,	형성	
⑤ 農	농사	농		辰,	13,	형성,	农
④ 能	능할	능		肉,	10,	형성	
⑤ 多	많을	다		夕,	6,	회의	

4급 한자(600字) 표제훈음

참고 ※선정한자 표제훈음보다 자세한 것은 자전이나 교재『장원급제Ⅳ』를 참고하시오.
ː: 장음, (ː): 장·단음 공용한자
例) ④ 4급, ④ 준4급을 표시함.

한자	표제훈음		장·단음	부수	총획	육서	간체자
④ 團	둥글,모일	단		囗,	14,	형성,	团
④ 端	바를	단		立,	14,	형성	
④ 壇	제단	단		土,	16,	형성,	坛
⑤ 短	짧을	단	ː	矢,	12,	형성	
④ 談	말씀	담		言,	15,	형성,	谈
⑤ 答	대답	답		竹,	12,	형성	
④ 堂	집	당		土,	11,	형성	
⑤ 當	마땅할	당		田,	13,	형성,	当
④ 待	기다릴	대	ː	彳,	9,	형성	
⑤ 對	대답할	대	ː	寸,	14,	회의,	对
⑤ 代	대신할	대	ː	人,	5,	형성	
⑦ 大	큰	대	(ː)	大,	3,	상형	

4급 한자(600字) 표제훈음

참고 * ※선정한자 표제훈음보다 자세한 것은 자전이나 교재 『장원급제IV』를 참고하시오.
 ˉ : 장음, (ˉ) : 장·단음 공용한자   例) ❹ 4급, ④ 준4급을 표시함.

한자	표제훈음		장·단음	부수	총획	육서	간체자
④ 德	덕	덕		彳,	15,	형성	
❹ 都	도읍	도		邑,	12,	형성,	都
❹ 島	섬	도		山,	10,	형성,	岛
❹ 到	이를	도	ˉ	刀,	8,	형성	
④ 圖	그림	도		囗,	14,	회의,	图
④ 度	법도 헤아릴	도 탁	ˉ	广,	9,	형성	
❺ 道	길	도	(ˉ)	辵,	13,	회의	
❺ 刀	칼	도		刀,	2,	상형	
❹ 獨	홀로	독		犬,	16,	형성,	独
❺ 讀	읽을 구절	독 두		言,	22,	형성,	读
④ 童	아이	동	ˉ	立,	12,	형성	
④ 動	움직일	동	ˉ	力,	11,	형성,	动

4급 한자(600字) 표제훈음

참고 ※선정한자 표제훈음보다 자세한 것은 자전이나 교재 『장원급제Ⅳ』를 참고하시오.
ː : 장음, (ː) : 장·단음 공용한자
例) ❹ 4급, ④ 준4급을 표시함.

한자	표제훈음	장·단음	부수	총획	육서	간체자
❺冬	겨울 동	(ː)	冫,	5,	회의	
❺洞	고을 동 꿰뚫을 통	ː	水,	9,	형성	
⑤同	한가지 동		口,	6,	회의	
⑧東	동녘 동		木,	8,	회의,	东
❺頭	머리 두		頁,	16,	형성,	头
❺等	무리 등	ː	竹,	12,	회의	
❺登	오를 등		癶,	12,	회의	
④落	떨어질 락		艹,	13,	형성	
❺樂	즐거울 락 풍류악/좋아할 요		木,	15,	상형,	乐
❹朗	밝을 랑	ː	月,	11,	형성,	朗
❺來	올 래	(ː)	人,	8,	상형,	來
④冷	찰 랭	ː	冫,	7,	형성	

4급 한자(600字) 표제훈음

참고 * ※선정한자 표제훈음보다 자세한 것은 자전이나 교재『장원급제Ⅳ』를 참고하시오.
ː : 장음, (ː) : 장·단음 공용한자
例) ❹ 4급, ④ 준4급을 표시함.

한자	표제훈음	장·단음	부수	총획	육서	간체자
❹ 兩	두 량	ː	入,	8,	회·형,	两
❹ 量	헤아릴 량		里,	12,	형성	
④ 良	어질 량		艮,	7,	상형	
❹ 旅	나그네 려		方,	10,	회의	
④ 歷	지낼 력		止,	16,	형성,	历
⑤ 力	힘 력		力,	2,	상형	
❹ 練	익힐 련	ː	糸,	15,	형성,	练
❹ 領	옷깃 령		頁,	14,	형성,	领
❹ 令	하여금,명령할 령	(ː)	人,	5,	회의	
④ 例	법식 례	ː	人,	8,	형성	
④ 禮	예도 례		示,	18,	회·형,	礼
❹ 料	헤아릴 료	(ː)	斗,	10,	회의	

4급 한자(600字) 표제훈음

참
고 ※선정한자 표제훈음보다 자세한 것은 자전이나 교재 『장원급제Ⅳ』를 참고하시오.
　ː : 장음, (ː) : 장·단음 공용한자
例) ④ 4급, ④ 준4급을 표시함.

한 자	표 제 훈 음	장·단음	부 수	총 획	육 서	간 체 자
④ 路	길 로	ː	足,	13,	형성	
④ 勞	수고로울 로		力,	12,	회의,	劳
⑤ 老	늙을 로	ː	老,	6,	상형	
④ 綠	푸를 록		糸,	14,	형성,	绿
④ 類	무리 류	ː	頁,	19,	형성,	类
④ 流	흐를 류		水,	10,	회의	
④ 陸	뭍 륙		阜,	11,	형성,	陆
⑧ 六	여섯 륙 여섯 뉴		八,	4,	지사	
④ 律	법 률		彳,	9,	형성	
④ 李	오얏 리	ː	木,	7,	형성	
⑤ 理	다스릴 리	ː	玉,	11,	형성	
⑤ 里	마을 리	ː	里,	7,	회의	

4급 한자(600字) 표제훈음

참고 ※선정한자 표제훈음보다 자세한 것은 자전이나 교재 『장원급제IV』를 참고하시오.
: : 장음, (:) : 장·단음 공용한자   例) ❹ 4급, ④ 준4급을 표시함.

한자	표제훈음		장·단음	부수	총획	육서	간체자
⑤ 利	이로울	리	:	刀,	7,	회의	
⑥ 林	수풀	림		木,	8,	회의	
⑤ 立	설	립		立,	5,	회의	
⑥ 馬	말	마	:	馬,	10,	상형,	马
⑤ 萬	일만	만	:	艸,	13,	상형,	万
⑤ 末	끝	말		木,	5,	지사	
❹ 望	바랄	망	:	月,	11,	회·형	
④ 亡	망할	망		亠,	3,	회의	
❹ 妹	아랫누이	매		女,	8,	형성	
④ 買	살	매	:	貝,	12,	회의,	买
④ 賣	팔	매	(:)	貝,	15,	회의,	卖
⑤ 每	매양	매	:	毋,	7,	형성	

4급 한자(600字) 표제훈음

참고 ※선정한자 표제훈음보다 자세한 것은 자전이나 교재『장원급제IV』를 참고하시오.
ː : 장음, (ː) : 장·단음 공용한자　　　　　例) ❹ 4급, ④ 준4급을 표시함.

한자	표제훈음		장·단음	부수	총획	육서	간체자
❺ 面	낯	면	ː	面,	9,	상형	
❺ 命	목숨	명		口,	8,	회의	
❺ 明	밝을	명		日,	8,	회의	
❻ 名	이름	명		口,	6,	회의	
❺ 毛	털	모		毛,	4,	상형	
❽ 母	어머니	모	ː	毋,	5,	상형	
❹ 牧	칠	목		牛,	8,	회의	
❽ 木	나무 모과	목 모		木,	4,	상형	
❼ 目	눈	목		目,	5,	상형	
❹ 武	굳셀	무	ː	止,	8,	회의	
❺ 無	없을	무		火,	12,	회의,	无
❺ 聞	들을	문	(ː)	耳,	14,	형성,	闻

4급 한자(600字) 표제훈음

참고 * ※선정한자 표제훈음보다 자세한 것은 자전이나 교재 『장원급제Ⅳ』를 참고하시오.
: : 장음, (:) : 장·단음 공용한자　　　　例) ❹ 4급, ④ 준4급을 표시함.

한자	표제훈음		장·단음	부수	총 획	육서	간체자
❺問	물을	문	:	口,	11,	형성,	问
⑤文	글월	문		文,	4,	상형	
❽門	문	문		門,	8,	상형,	门
❺物	물건	물		牛,	8,	형성	
④味	맛	미		口,	8,	형성	
④未	아닐	미	(:)	木,	5,	상형	
④美	아름다울	미	(:)	羊,	9,	회의	
❺米	쌀	미		米,	6,	상형	
❺民	백성	민		氏,	5,	회의	
④朴	순박할	박		木,	6,	형성	
④反	돌이킬	반	:	又,	4,	회의	
❺班	나눌	반		玉,	10,	회·형	

4급 한자(600字) 표제훈음

한자	표제훈음		장·단음	부수	총획	육서	간체자
❺ 半	절반	반	ː	十,	5,	회의	
④ 發	필	발		癶,	12,	형성,	发
❺ 放	놓을	방	(ː)	攵,	8,	형성	
❺ 方	모	방		方,	4,	상형	
④ 倍	갑절	배	ː	人,	10,	형성	
❻ 百	일백	백		白,	6,	형성	
❼ 白	흰	백		白,	5,	지사	
❺ 番	차례	번		田,	12,	상형	
④ 法	법	법		水,	8,	회의	
④ 變	변할	변	ː	言,	23,	형성,	变
❺ 別	다를	별		刀,	7,	회의	
④ 兵	군사	병		八,	7,	회의	

4급 한자(600字) 표제훈음

한자	표제훈음	장·단음	부수	총획	육서	간체자
④ 病	병 병	：	疒,	10,	형성	
❹ 報	갚을 보	：	土,	12,	회의,	报
❺ 步	걸음 보	：	止,	7,	회의	
④ 福	복 복		示,	14,	형성	
④ 服	옷 복		月,	8,	형성	
❺ 本	근본 본		木,	5,	지사	
④ 奉	받들 봉	：	大,	8,	회형	
❹ 富	부자 부	：	宀,	12,	형성	
❹ 婦	지어미,며느리 부		女,	11,	회·형,	妇
❺ 部	거느릴 부		邑,	11,	형성	
❺ 夫	지아비 부		大,	4,	회의	
❽ 父	아버지 부 남자미칭 보		父,	4,	회의	

4급 한자(600字) 표제훈음

참고 * ※선정한자 표제훈음보다 자세한 것은 자전이나 교재 『장원급제IV』를 참고하시오.
ː : 장음, (ː): 장·단음 공용한자
例) ❹ 4급, ④ 준4급을 표시함.

한 자	표제훈음		장·단음	부 수	총 획	육 서	간 체 자
❽ 北	북녘 달아날	북 배		匕,	5,	회의	
❺ 分	나눌 푼	분 푼	(ː)	刀,	4,	회의	
⑤ 不	아니 아니	불 부		一,	4,	상형	
❹ 備	갖출	비	ː	人,	12,	형성,	备
❹ 比	견줄	비	ː	比,	4,	상형	
❹ 費	쓸	비	ː	貝,	12,	형성,	费
❹ 鼻	코	비	ː	鼻,	14,	형성	
❹ 貧	가난할	빈		貝,	11,	형성,	贫
④ 冰	얼음	빙		冫,	6,	회의,	氷
❹ 寫	베낄,쓸	사		宀,	15,	형성,	写
❹ 謝	사례할	사	ː	言,	17,	형성,	谢
❹ 師	스승	사		巾,	10,	회의,	师

4급 한자(600字) 표제훈음

한자	표제훈음		장·단음	부수	총획	육서	간체자
④ 査	조사할	사		木,	9,	형성,	査
④ 仕	벼슬할	사	(ː)	人,	5,	형성	
④ 思	생각	사	(ː)	心,	9,	회의	
④ 史	역사	사	ː	口,	5,	회의	
④ 使	하여금	사	ː	人,	8,	회의	
⑤ 社	모일	사		示,	8,	회의	
⑤ 事	일	사	ː	亅,	8,	회의	
⑤ 死	죽을	사	ː	歹,	6,	회의	
⑤ 士	선비	사	ː	士,	3,	상형	
⑧ 四	넉	사	ː	口,	5,	지사	
④ 産	낳을	산	ː	生,	11,	형·회,	产
④ 算	셈	산	ː	竹,	14,	회의	

4급 한자(600字) 표제훈음

참고 ※선정한자 표제훈음보다 자세한 것은 자전이나 교재『장원급제IV』를 참고하시오.
: : 장음, (:) : 장·단음 공용한자

例) ❹ 4급, ④ 준4급을 표시함.

한자	표제훈음		장·단음	부수	총획	육서	간체자
❼ 山	메(뫼)	산		山,	3,	상형	
❽ 三	석	삼		一,	3,	지사	
❹ 賞	상줄	상		貝,	15,	형성,	赏
❹ 商	장사	상		口,	11,	회의	
❹ 常	항상	상		巾,	11,	형성	
④ 相	서로	상		目,	9,	회의	
❼ 上	위	상	:	一,	3,	지사	
❺ 色	빛	색		色,	6,	회의	
❻ 生	날	생		生,	5,	상형	
❹ 序	차례	서	:	广,	7,	형성	
❺ 書	글	서		曰,	10,	형성,	书
❽ 西	서녘	서		西,	6,	상형	

4급 한자(600字) 표제훈음

참고 ※선정한자 표제훈음보다 자세한 것은 자전이나 교재『장원급제Ⅳ』를 참고하시오.
ː : 장음, (ː) : 장·단음 공용한자　　　　　例) ④ 4급, ④ 준4급을 표시함.

한자	표제훈음	장·단음	부수	총 획	육서	간체자
④ 席	자리　　석		巾,	10,	형성	
⑥ 石	돌　　석		石,	5,	상형	
⑤ 夕	저녁　　석		夕,	3,	지사	
④ 選	가릴　　선	ː	辵,	16,	형성,	选
④ 鮮	고울　　선		魚,	17,	형성,	鲜
④ 船	배　　선		舟,	11,	형성	
④ 仙	신선　　선		人,	5,	회·형	
④ 善	착할　　선	ː	口,	12,	회의	
⑤ 線	줄　　선		糸,	15,	형성,	线
⑥ 先	먼저　　선		儿,	6,	회의	
④ 說	말씀　　설 달랠세/기쁠 열		言,	14,	형성,	说
④ 雪	눈　　설		雨,	11,	형성	

4급 한자(600字) 표제훈음

참고 * ※선정한자 표제훈음보다 자세한 것은 자전이나 교재 『장원급제Ⅳ』를 참고하시오.
: : 장음, (:) : 장·단음 공용한자
例) ❹ 4급, ④ 준4급을 표시함.

한자	표제훈음		장·단음	부수	총획	육서	간체자
❹ 星	별	성		日,	9,	형성	
❹ 聖	성스러울	성	:	耳,	13,	형성,	圣
❹ 盛	성할	성	:	皿,	12,	형성	
❹ 聲	소리	성		耳,	17,	형성,	声
❹ 城	재	성		土,	10,	형성	
❹ 誠	정성	성		言,	14,	형성,	诚
④ 省	살필 덜	성 생		目,	9,	회의	
❺ 性	성품	성	:	心,	8,	형·회	
❺ 成	이룰	성		戈,	7,	형성	
❻ 姓	성씨	성	:	女,	8,	회·형	
❹ 勢	권세	세	:	力,	13,	형성,	势
❹ 歲	해	세	:	止,	13,	형성,	岁

4급 한자(600字) 표제훈음

한자	표제훈음		장·단음	부수	총획	육서	간체자
④ 洗	씻을	세	ː	水,	9,	형성	
⑤ 世	세상	세	ː	一,	5,	지사	
④ 消	사라질	소		水,	10,	형성	
❺ 所	바	소	ː	戶,	8,	형성	
⑤ 少	적을	소	ː	小,	4,	형성	
❼ 小	작을	소	ː	小,	3,	회·지	
④ 束	묶을	속		木,	7,	회의	
④ 速	빠를	속		辵,	11,	형성	
④ 孫	손자	손	(ː)	子,	10,	회의,	孙
❹ 送	보낼	송	ː	辵,	10,	형성	
❹ 授	줄	수		手,	11,	형성	
❹ 守	지킬	수		宀,	6,	회의	

4급 한자(600字) 표제훈음

참고 * ※선정한자 표제훈음보다 자세한 것은 자전이나 교재 『장원급제IV』를 참고하시오.
 : : 장음, (:) : 장·단음 공용한자　　　　　　　　　例) ❹ 4급, ④ 준4급을 표시함.

한 자	표제훈음		장·단음	부수	총 획	육 서	간체자
④ 樹	나무	수		木,	16,	형성,	树
④ 數	셈수/자주 빽빽할	삭 촉	:	攵,	15,	형성,	数
❺ 首	머리	수		首,	9,	상형	
❽ 水	물	수		水,	4,	상형	
❼ 手	손	수	(:)	手,	4,	상형	
④ 宿	잠잘 별	숙 수	(:)	宀,	11,	형성	
④ 順	순할	순	:	頁,	12,	회·형,	顺
④ 術	재주	술		行,	11,	형성,	术
④ 習	익힐	습		羽,	11,	회의,	习
④ 勝	이길	승		力,	12,	형성,	胜
❹ 視	볼	시	:	見,	12,	형성,	视
❹ 試	시험	시	(:)	言,	13,	형성,	试

HAN 4급 한자(600字) 표제훈음

참고 * ※선정한자 표제훈음보다 자세한 것은 자전이나 교재 『장원급제IV』를 참고하시오.
ː : 장음, (ː) : 장·단음 공용한자　　　　　例) ❹ 4급, ④ 준4급을 표시함.

한자	표제훈음		장·단음	부수	총획	육서	간체자
❹ 是	옳을	시	ː	日,	9,	회의	
④ 始	처음	시	ː	女,	8,	형성	
❺ 詩	글	시		言,	13,	형성,	试
❺ 時	때	시		日,	10,	형성,	时
❺ 示	보일	시	ː	示,	5,	지사	
❺ 市	저자	시	ː	巾,	5,	회·형	
❹ 識	알 기록할	식 지		言,	19,	형성,	识
④ 式	법	식		弋,	6,	형성	
❺ 植	심을	식		木,	12,	형성,	柤
❺ 食	먹을 밥	식 사		食,	9,	회의	
❺ 臣	신하	신		臣,	6,	상형	
❺ 神	귀신	신		示,	10,	형성	

600字

4급 한자(600字) 표제훈음

한자	표제훈음		장·단음	부수	총획	육서	간체자
❺身	몸	신		身,	7,	상형	
❺信	믿을	신	ː	人,	9,	회의	
❺新	새로울	신		斤,	13,	회형	
④實	열매	실		宀,	14,	회의,	实
④失	잃을	실		大,	5,	형성	
❺室	집	실		宀,	9,	회·형	
❻心	마음	심		心,	4,	상형	
❽十	열 열	십 시		十,	2,	지사	
④氏	성씨 나라이름	씨 지		氏,	4,	상형	
④兒	아이	아		儿,	8,	상형,	儿
④惡	악할 미워할	악 오		心,	12,	형성,	恶
④眼	눈	안	ː	目,	11,	형성	

4급 한자(600字) 표제훈음

참고 ※선정한자 표제훈음보다 자세한 것은 자전이나 교재 『장원급제IV』를 참고하시오.
: : 장음, (:) : 장·단음 공용한자　　　例) ④ 4급, ④ 준4급을 표시함.

한자	표제훈음	장·단음	부수	총획	육서	간체자
④ 案	책상,생각　안	:	木,	10,	형성	
⑤ 安	편안할　안		宀,	6,	회의	
④ 暗	어두울　암	:	日,	13,	형성	
⑤ 央	가운데　앙		大,	5,	회의	
④ 愛	사랑　애	:	心,	13,	형성,	爱
④ 野	들　야	:	里,	11,	형성	
⑤ 夜	밤　야	:	夕,	8,	형성	
④ 約	맺을　약		糸,	9,	형성,	约
④ 藥	약　약		艹,	19,	형성,	药
⑤ 弱	약할　약		弓,	10,	회의	
④ 養	기를　양	:	食,	15,	형성,	养
④ 陽	볕　양		阜,	12,	형성,	阳

Exhibit A (cube)

4급 한자(600字) 표제훈음

참고 ※선정한자 표제훈음보다 자세한 것은 자전이나 교재 『장원급제IV』를 참고하시오.
ː:장음, (ː):장·단음 공용한자 　　　　例) ❹ 4급, ④ 준4급을 표시함.

한자	표제훈음		장·단음	부수	총획	육서	간체자
④ 洋	큰바다	양		水,	9,	형성	
❻ 羊	양	양		羊,	6,	상형	
④ 漁	고기잡을	어		水,	14,	형성,	渔
❺ 語	말씀	어	ː	言,	14,	형성,	语
❻ 魚	물고기	어		魚,	11,	상형,	鱼
④ 億	억	억		人,	15,	형성,	亿
❺ 言	말씀	언		言,	7,	회의	
④ 業	일	업		木,	13,	상형,	业
❹ 餘	남을	여		食,	16,	형성,	馀
④ 如	같을	여		女,	6,	형성	
④ 然	그럴	연		火,	12,	형성	
④ 熱	더울	열		火,	15,	형성,	热

4급 한자(600字) 표제훈음

참고 * ※선정한자 표제훈음보다 자세한 것은 자전이나 교재『장원급제Ⅳ』를 참고하시오.
：:장음, （ː）:장·단음 공용한자   例) ❹ 4급, ④ 준4급을 표시함.

한자	표제훈음		장·단음	부수	총획	육서	간체자
❹ 葉	잎 땅이름	엽 섭		艸,	13,	형성,	叶
❺ 永	길	영	：	水,	5,	상형	
❺ 英	꽃부리	영		艸,	9,	형성	
❹ 藝	재주	예	：	艸,	19,	회·형,	艺
❺ 午	낮	오	：	十,	4,	상형	
❽ 五	다섯	오	：	二,	4,	지사	
❹ 屋	집	옥		尸,	9,	회의	
❻ 玉	구슬	옥		玉,	5,	상형	
④ 溫	따뜻할	온		水,	13,	형성,	温
❹ 完	완전할	완		宀,	7,	형성	
❹ 往	갈	왕	：	彳,	8,	형성	
❺ 王	임금	왕		玉,	4,	지사	

4급 한자(600字) 표제훈음

참고 ※선정한자 표제훈음보다 자세한 것은 자전이나 교재 『장원급제IV』를 참고하시오.
ː : 장음, (ː) : 장·단음 공용한자   例) ❹ 4급, ④ 준4급을 표시함.

한자	표제훈음		장·단음	부수	총 획	육서	간체자
❼ 外	바깥	외	ː	夕,	5,	회의	
❹ 曜	빛날	요		日,	18,	형성	
④ 要	구할	요		襾,	9,	상형	
❹ 浴	목욕할	욕		水,	10,	형성	
④ 勇	날쌜	용	ː	力,	9,	형성	
❺ 用	쓸	용	ː	用,	5,	회의	
❹ 雨	비	우	ː	雨,	8,	상형	
❺ 友	벗	우	ː	又,	4,	회의	
❻ 牛	소	우		牛,	4,	상형	
❼ 右	오른	우	ː	口,	5,	회의	
④ 雲	구름	운		雨,	12,	형성,	云
④ 運	움직일	운	ː	辵,	13,	형성,	运

HAN 4급 한자(600字) 표제훈음

참고 ※선정한자 표제훈음보다 자세한 것은 자전이나 교재『장원급제제IV』를 참고하시오.
ː : 장음, (ː) : 장·단음 공용한자　　　　　　例) ❹ 4급, ④ 준4급을 표시함.

한 자	표제훈음		장·단음	부 수	총 획	육 서	간 체 자
❹ 雄	수컷	웅		隹,	12,	형성	
❹ 願	원할	원	ː	頁,	19,	형성,	愿
④ 園	동산	원		囗,	13,	형성,	园
④ 院	집	원		阜,	10,	형성	
❺ 遠	멀	원	ː	辵,	14,	형성,	远
❺ 原	언덕,근본	원		厂,	10,	회의	
❺ 元	으뜸	원		儿,	4,	회의	
❽ 月	달	월		月,	4,	상형	
❹ 偉	클	위		人,	11,	형성,	伟
❹ 爲	할	위		爪,	12,	상형,	为
❺ 位	자리	위		人,	7,	회의	
④ 油	기름	유		水,	8,	형성	

4급 한자(600字) 표제훈음

참고 ※선정한자 표제훈음보다 자세한 것은 자전이나 교재『장원급제IV』를 참고하시오.
ː:장음, (ː):장·단음 공용한자　　　　　　例) ④ 4급, ④ 준4급을 표시함.

한자	표제훈음	장·단음	부수	총획	육서	간체자
④ 由	말미암을 유		田,	5,	상형	
⑤ 有	있을 유	ː	月,	6,	회·형	
⑤ 肉	고기 육		肉,	6,	상형	
⑤ 育	기를 육		肉,	8,	회·형	
④ 恩	은혜 은		心,	10,	형성	
⑤ 銀	은 은		金,	14,	형성,	银
④ 飲	마실 음	ː	食,	13,	형·회,	饮
⑤ 音	소리 음		音,	9,	지사	
⑤ 邑	고을 읍		邑,	7,	회의	
④ 義	옳을 의	ː	羊,	13,	회의,	义
④ 醫	의원 의		酉,	18,	회의,	医
⑤ 意	뜻 의	ː	心,	13,	회의	

4급 한자(600字) 표제훈음

참고 * ※선정한자 표제훈음보다 자세한 것은 자전이나 교재 『장원급제Ⅳ』를 참고하시오.
∶：장음, (∶)：장·단음 공용한자   例) ❹ 4급, ④ 준4급을 표시함.

한자	표제훈음		장·단음	부수	총획	육서	간체자
⑤ 衣	옷	의		衣,	6,	상형	
❹ 移	옮길	이		禾,	11,	형성	
④ 以	써	이	∶	人,	5,	형성	
❻ 耳	귀	이	∶	耳,	6,	상형	
❽ 二	두	이	∶	二,	2,	지사	
④ 因	인할	인		口,	6,	회의	
❽ 人	사람	인		人,	2,	상형	
❽ 日	날	일		日,	4,	상형	
❽ 一	한	일		一,	1,	지사	
④ 任	맡길	임	(∶)	人,	6,	형성	
❼ 入	들	입		入,	2,	상형	
④ 姉	맏누이	자		女,	8,	형성	

4급 한자(600字) 표제훈음

참고 ※선정한자 표제훈음보다 자세한 것은 자전이나 교재 『장원급제IV』를 참고하시오.
∴ : 장음, (∴) : 장·단음 공용한자　　　　　例) ❹ 4급, ④ 준4급을 표시함.

한 자	표제훈음		장·단음	부 수	총 획	육 서	간체자
④ 者	놈	자		老,	9,	회의,	者
⑤ 字	글자	자		子,	6,	회형	
⑤ 自	스스로	자		自,	6,	상형	
❽ 子	아들	자		子,	3,	상형	
④ 昨	어제	작		日,	9,	형성	
❺ 作	지을	작		人,	7,	형성	
❹ 將	장수	장	(∴)	寸,	11,	형성,	将
④ 章	글	장		立,	11,	회의	
❺ 長	긴	장	(∴)	長,	8,	상형,	长
❺ 場	마당 도량	장 량		土,	12,	형성,	扬
❹ 財	재물	재		貝,	10,	형성,	财
❹ 災	재앙	재		火,	7,	회의,	灾

4급 한자(600字) 표제훈음

참고 *
※선정한자 표제훈음보다 자세한 것은 자전이나 교재『장원급제IV』를 참고하시오.
ː : 장음, (ː) : 장·단음 공용한자　　　　　例) ❹ 4급, ④ 준4급을 표시함.

한자	표제훈음		장·단음	부수	총획	육서	간체자
④ 再	두	재	ː	冂,	6,	회의	
④ 在	있을	재	ː	土,	6,	형성	
④ 材	재목	재		木,	7,	형성	
❺ 才	재주	재		手,	3,	지사	
❹ 爭	다툴	쟁		⺥,	8,	회의,	争
❹ 低	낮을	저	ː	人,	7,	형성,	低
❹ 貯	쌓을	저	ː	貝,	12,	형성,	贮
❹ 敵	원수	적		攵,	15,	형성,	敌
④ 的	과녁	적		白,	8,	형성	
④ 赤	붉을	적		赤,	7,	회의	
❹ 傳	전할	전		人,	13,	형성,	传
④ 典	법	전	ː	八,	8,	회의	

4급 한자(600字) 표제훈음

참고* ※선정한자 표제훈음보다 자세한 것은 자전이나 교재 『장원급제IV』를 참고하시오.
ː : 장음, (ː):장·단음 공용한자

例) ❹ 4급, ④ 준4급을 표시함.

한자	표제훈음		장·단음	부수	총획	육서	간체자
④戰	싸움	전	ː	戈,	16,	형성,	战
④展	펼	전	ː	尸,	10,	형성	
⑤田	밭	전		田,	5,	상형	
⑤電	번개	전	ː	雨,	13,	형성,	电
⑤前	앞	전		刀,	9,	형성	
⑤全	온전할	전		入,	6,	회의	
❹切	끊을,간절할 모두	절 체		刀,	4,	형성	
❹節	마디	절		竹,	15,	형성,	节
❹店	가게	점	ː	广,	8,	형성	
❹情	뜻	정		心,	11,	형성,	情
❹停	머무를	정		人,	11,	형성	
❹精	정기	정		米,	14,	형성,	精

4급 한자(600字) 표제훈음

참고 ※선정한자 표제훈음보다 자세한 것은 자전이나 교재『장원급제Ⅳ』를 참고하시오.
: : 장음, (:) : 장·단음 공용한자　　　　　　例) ❹ 4급, ④ 준4급을 표시함.

한자	표제훈음		장·단음	부수	총획	육서	간체자
❹ 政	정사	정		攵,	9,	형성	
④ 庭	뜰	정		广,	10,	형·회	
④ 定	정할	정	:	宀,	8,	회의	
⑤ 正	바를	정	(:)	止,	5,	회의	
❹ 祭	제사	제	:	示,	11,	회의	
④ 題	제목	제		頁,	18,	형성,	题
④ 第	차례	제	:	竹,	11,	형·회	
❽ 弟	아우	제	:	弓,	7,	회의	
❹ 調	고를	조		言,	15,	형성,	调
❹ 助	도울	조	:	力,	7,	형성	
❹ 鳥	새	조		鳥,	11,	상형,	鸟
❹ 早	이를	조	:	日,	6,	회의	

600字

4급 한자(600字) 표제훈음

※선정한자 표제훈음보다 자세한 것은 자전이나 교재 『장원급제Ⅳ』를 참고하시오.
: ː:장음, (ː):장·단음 공용한자 例) ❹ 4급, ④ 준4급을 표시함.

한자	표제훈음		장·단음	부수	총획	육서	간체자
❹ 操	잡을	조	(ː)	手,	16,	형성	
❺ 朝	아침	조		月,	12,	형성	
❺ 祖	할아비	조		示,	10,	형성	
④ 族	겨레	족		方,	11,	회의	
❼ 足	발	족		足,	7,	상형	
❹ 存	있을	존		子,	6,	형성	
④ 卒	군사	졸		十,	8,	회의	
❹ 終	마칠	종		糸,	11,	형성,	终
❹ 種	씨	종	(ː)	禾,	14,	형성,	种
❹ 坐	앉을	좌	ː	土,	7,	회의	
❼ 左	왼	좌	ː	工,	5,	회의	
❹ 罪	허물	죄	ː	网,	13,	회의	

46 HANPUBLISHING

4급 한자(600字) 표제훈음

참고* ※선정한자 표제훈음보다 자세한 것은 자전이나 교재 『장원급제Ⅳ』를 참고하시오.
ː：장음, (ː)：장·단음 공용한자   例) ❹ 4급, ④ 준4급을 표시함.

한자	표제훈음	장·단음	부수	총획	육서	간체자
❹ 週	주일,돌 주		辶,	12,	형성,	**周**
④ 州	고을 주		巛,	6,	상형	
④ 注	물댈 주	ː	水,	8,	형성	
❺ 晝	낮 주		日,	11,	회의,	**昼**
❺ 住	살 주	ː	人,	7,	형성	
⑤ 主	주인 주		丶,	5,	상형	
❺ 竹	대 죽		竹,	6,	상형	
❺ 重	무거울 중	ː	里,	9,	형성	
❼ 中	가운데 중		丨,	4,	지사	
④ 增	더할 증		土,	15,	형성	
④ 志	뜻 지		心,	7,	회·형	
④ 至	이를 지		至,	6,	지사	

4급 한자(600字) 표제훈음

한 자	표 제 훈 음	장·단음	부 수	총 획	육 서	간 체 자
❹ 支	지탱할　지		支,	4,	회의	
④ 止	그칠　지		止,	4,	상형	
④ 知	알　지		矢,	8,	회의	
④ 紙	종이　지		糸,	10,	형성,	纸
❻ 地	땅　지		土,	6,	형성	
❺ 直	곧을　직		目,	8,	회의,	直
❹ 進	나아갈　진	ː	辶,	12,	형성,	进
④ 眞	참　진		目,	10,	회의,	真
④ 質	바탕　질		貝,	15,	형성,	质
④ 集	모일　집		隹,	12,	회의	
④ 次	버금　차		欠,	6,	형성	
④ 着	붙을　착		目,	12,	형성	

4급 한자(600字) 표제훈음

참고 ※선정한자 표제훈음보다 자세한 것은 자전이나 교재『장원급제Ⅳ』를 참고하시오.
: : 장음, (:) : 장·단음 공용한자   例) ④ 4급, ④ 준4급을 표시함.

한자	표제훈음		장·단음	부수	총획	육서	간체자
④ 察	살필	찰		宀,	14,	형성	
④ 參	참여할 석	참 삼		厶,	11,	형성,	参
④ 唱	부를	창	:	口,	11,	형성	
④ 窓	창문	창		穴,	11,	형성,	窗
④ 責	꾸짖을	책		貝,	11,	형성,	责
④ 處	곳,살	처	:	虍,	11,	회의,	处
⑥ 川	내	천		巛,	3,	상형	
⑥ 千	일천	천		十,	3,	지사	
⑥ 天	하늘	천		大,	4,	회의	
④ 鐵	쇠	철		金,	21,	형성,	铁
④ 淸	맑을	청		水,	11,	형성,	清
⑦ 靑	푸를	청		靑,	8,	형성,	青

4급 한자(600字) 표제훈음

한자	표제훈음		장·단음	부수	총획	육서	간체자
④ 體	몸	체		骨,	23,	형성,	体
④ 初	처음	초		刀,	7,	회의	
⑤ 草	풀	초		艸,	10,	형성	
⑤ 村	마을	촌	ː	木,	7,	형성	
⑤ 寸	마디	촌	ː	寸,	3,	지사	
④ 最	가장	최	ː	曰,	12,	회의	
⑤ 秋	가을	추		禾,	9,	형성	
④ 祝	빌	축		示,	10,	회의	
⑤ 春	봄	춘		日,	9,	회의	
⑦ 出	날	출		凵,	5,	회의	
④ 蟲	벌레	충		虫,	18,	회의,	虫
④ 忠	충성	충		心,	8,	형성	

4급 한자(600字) 표제훈음

한자	표제훈음		장·단음	부수	총획	육서	간체자
④ 充	채울	충		儿,	6,	형성	
④ 齒	이	치		齒,	15,	상형,	齿
④ 致	이를	치	ː	至,	10,	회의	
④ 則	법칙 곧	칙 즉		刀,	9,	회의,	则
❺ 親	친할	친		見,	16,	형성,	亲
❽ 七	일곱	칠		一,	2,	지사	
④ 他	다를	타		人,	5,	형성	
④ 打	칠	타	ː	手,	5,	형성	
④ 卓	높을	탁		十,	8,	회의	
④ 炭	숯	탄	ː	火,	9,	회의,	炭
❺ 太	클	태		大,	4,	지사	
④ 宅	집 집	택 댁		宀,	6,	형성	

4급 한자(600字) 표제훈음

참고 ※선정한자 표제훈음보다 자세한 것은 자전이나 교재 『장원급제Ⅳ』를 참고하시오.
ː:장음, (ː):장·단음 공용한자　　　　　例) ❹ 4급, ④ 준4급을 표시함.

한자	표제훈음		장·단음	부수	총획	육서	간체자
❽ 土	흙	토		土,	3,	상형	
❹ 統	거느릴	통	ː	糸,	12,	형성,	统
❺ 通	통할	통		辶,	11,	형성	
❹ 退	물러날	퇴	ː	辶,	10,	회의	
④ 特	특별할	특		牛,	10,	형성	
❹ 波	물결	파		水,	8,	형성	
❹ 板	널빤지	판		木,	8,	형성	
❽ 八	여덟 여덟	팔 파		八,	2,	지사	
❹ 敗	패할	패	ː	攵,	11,	형성,	败
❺ 貝	조개	패	ː	貝,	7,	상형,	贝
❺ 便	편할 똥오줌	편 변	(ː)	人,	9,	회의	
❺ 平	평평할	평		干,	5,	회의	

4급 한자(600字) 표제훈음

참고 * ※선정한자 표제훈음보다 자세한 것은 자전이나 교재 『장원급제Ⅳ』를 참고하시오.
: : 장음, (:): 장·단음 공용한자   例) ④ 4급, ④ 준4급을 표시함.

한자	표제훈음		장·단음	부수	총획	육서	간체자
④ 表	겉	표		衣,	8,	회의	
④ 品	물건	품	:	口,	9,	회의	
④ 風	바람	풍		風,	9,	형성	风
❹ 筆	붓	필		竹,	12,	회의	笔
④ 必	반드시	필		心,	5,	회의	
④ 河	물	하		水,	8,	형성	
❺ 夏	여름	하	:	夂,	10,	회의	
❼ 下	아래	하	:	一,	3,	지사	
❺ 學	배울	학		子,	16,	회·형,	学
❹ 寒	찰	한		宀,	12,	회의	
❹ 限	한정	한	:	阜,	9,	형성	
❺ 韓	나라이름	한	(:)	韋,	17,	형성,	韩

4급 한자(600字) 표제훈음

참고 *※선정한자 표제훈음보다 자세한 것은 자전이나 교재『장원급제Ⅳ』를 참고하시오.
ː:장음, (ː):장·단음 공용한자
例)❺4급, ④준4급을 표시함.

한자	표제훈음		장·단음	부수	총획	육서	간체자
❺漢	한수	한	ː	水,	14,	형성,	汉
❺合	합할 홉	합 홉		口,	6,	회의	
④害	해칠	해	ː	宀,	10,	형·회	
❺海	바다	해	ː	水,	10,	형성	
④幸	다행	행	(ː)	干,	8,	회의	
❺行	다닐 항렬	행 항	ː	行,	6,	상형	
④香	향기	향		香,	9,	회의	
⑤向	향할	향	ː	口,	6,	상형	
④許	허락할	허		言,	11,	형성,	许
④現	나타날	현	ː	玉,	11,	형성,	现
❺血	피	혈		血,	6,	지사	
④協	도울	협		十,	8,	형성,	协

4급 한자(600字) 표제훈음

참고 * ※선정한자 표제훈음보다 자세한 것은 자전이나 교재 『장원급제Ⅳ』를 참고하시오.
ː : 장음, (ː) : 장·단음 공용한자
例) ❹ 4급, ④ 준4급을 표시함.

한자	표제훈음		장·단음	부수	총획	육서	간체자
❺ 形	모양	형		彡,	7,	형성	
❽ 兄	맏	형		儿,	5,	회의	
❹ 惠	은혜	혜	ː	心,	12,	회의	
❹ 好	좋을	호	ː	女,	6,	회의	
❹ 湖	호수	호		水,	12,	형성	
④ 號	이름	호	ː	虍,	13,	형성,	号
④ 畫	그림 그을	화 획	ː	田,	12,	회의,	画
④ 化	될,변화할	화	(ː)	匕,	4,	회의	
❺ 花	꽃	화		艸,	8,	형성	
❺ 話	말씀	화	(ː)	言,	13,	형성,	话
❺ 和	화할,화목할	화		口,	8,	형성	
❽ 火	불	화	(ː)	火,	4,	상형	

4급 한자(600字) 표제훈음

참고 ※선정한자 표제훈음보다 자세한 것은 자전이나 교재『장원급제Ⅳ』를 참고하시오.
：：장음, (：)：장·단음 공용한자   例) ④ 4급, ④ 준4급을 표시함.

한자	표제훈음		장·단음	부수	총획	육서	간체자
④ 患	근심	환	：	心,	11,	형성	
⑤ 活	살	활		水,	9,	형성	
⑤ 黃	누를	황		黃,	12,	형성,	黄
④ 回	돌	회		口,	6,	상형	
⑤ 會	모일	회	：	曰,	13,	회의,	会
⑤ 孝	효도	효	：	子,	7,	회의	
⑤ 後	뒤	후	：	彳,	9,	회의	
④ 訓	가르칠	훈	：	言,	10,	형성,	训
⑤ 休	쉴	휴		人,	6,	회의	
④ 效	본받을	효	：	攵,	10,	형성	
④ 凶	흉할	흉		凵,	4,	지사	
④ 黑	검을	흑		黑,	12,	회의	

▶ 다음은 4급에 추가된 신출한자 200字입니다. 다음 한자를 정자로 쓰고 아래 한자어의 讀音을 쓰시오.

價	價	價						

값 가   人, 15획   價格(   ), 定價(   )

甘	甘	甘						

달 감   甘, 5획   甘味(   ), 甘草(   )

減	減	減						

덜 감   水, 12획   增減(   ), 輕減(   )

監	監	監						

볼 감   皿, 14획   監視(   ), 監察(   )

改	改	改						

고칠 개   攴, 7획   改善(   ), 改良(   )

[☞ 글씨는 뒷표지 안쪽 기본 점획표를 익혀 정자로 바르게 씁시다.]   ※획수는 총 획수를 나타냄

4급 신출한자(200字)쓰기본

漢字를 알면 世上이 보인다 !!

▶ 다음은 4급에 추가된 신출한자 200字입니다. 다음 한자를 정자로 쓰고 아래 한자어의 讀音을 쓰시오.

個	個	個						

낱 개   人, 10획   個別(   ), 個人(   )

擧	擧	擧						

들 거   手, 18획   擧動(   ), 選擧(   )

健	健	健						

건강할건 人, 11획   健實(   ), 健全(   )

件	件	件						

사건 건   人, 6획   事件(   ), 物件(   )

建	建	建						

세울 건   廴, 9획   建國(   ), 建物(   )

[☞ 글씨는 뒷표지 안쪽 기본 점획표를 익혀 정자로 바르게 씁시다.]   ※획수는 총 획수를 나타냄

▶ 다음은 4급에 추가된 신출한자 200字입니다. 다음 한자를 정자로 쓰고 아래 한자어의 讀音을 쓰시오.

競	競	競						

다툴 경   立, 20획   競技(   ), 競合(   )

景	景	景						

볕 경   日, 12획   景觀(   ), 景致(   )

季	季	季						

철 계   子, 8획   季節(   ), 四季(   )

固	固	固						

굳을 고   口, 8획   固體(   ), 固守(   )

故	故	故						

연고 고   攵, 9획   故意(   ), 事故(   )

[☞ 글씨는 뒷표지 안쪽 기본 점획표를 익혀 정자로 바르게 씁시다.]   ※획수는 총 획수를 나타냄

4급 신출한자(200字)쓰기본

漢字를 알면 世上이 보인다!!

▶ 다음은 4급에 추가된 신출한자 200字입니다. 다음 한자를 정자로 쓰고 아래 한자어의 讀音을 쓰시오.

骨	骨	骨					

뼈 골　骨, 10획　骨格(　　　　), 弱骨(　　　　　　)

課	課	課					

매길 과　言, 15획　課題(　　　　), 日課(　　　　　　)

觀	觀	觀					

볼 관　見, 25획　觀察(　　　　), 觀光(　　　　　　)

關	關	關					

관계할관　門, 19획　關門(　　　　), 關心(　　　　　　)

廣	廣	廣					

넓을 광　广, 15획　廣告(　　　　), 廣野(　　　　　　)

[☞ 글씨는 뒷표지 안쪽 기본 점획표를 익혀 정자로 바르게 씁시다.]　　　　※획수는 총 획수를 나타냄

4급 신출한자(200字)쓰기본

漢字를 알면 世上이 보인다!!

▶ 다음은 4급에 추가된 신출한자 200字입니다. 다음 한자를 정자로 쓰고 아래 한자어의 讀音을 쓰시오.

橋	橋	橋						

다리 교	木, 16획	鐵橋( ), 陸橋( )

具	具	具						

갖출 구	八, 8획	具備( ), 具現( )

求	求	求						

구할 구	水, 7획	求人( ), 要求( )

舊	舊	舊						

예 구	臼, 18획	舊式( ), 親舊( )

久	久	久						

오랠 구	丿, 3획	永久( ), 久遠( )

[☞ 글씨는 뒷표지 안쪽 기본 점획표를 익혀 정자로 바르게 씁시다.]　　　　　　　　　　※획수는 총 획수를 나타냄

▶ 다음은 4급에 추가된 신출한자 200字입니다. 다음 한자를 정자로 쓰고 아래 한자어의 讀音을 쓰시오.

救	救	救						

구원할구   攴, 11획   救助(   ), 救命(   )

局	局	局						

판 국   尸, 7획   結局(   ), 藥局(   )

君	君	君						

임금 군   口, 7획   君臣(   ), 君子(   )

規	規	規						

법 규   見, 11획   規格(   ), 規約(   )

極	極	極						

다할 극   木, 13획   極端(   ), 消極的(   )

[☞ 글씨는 뒷표지 안쪽 기본 점획표를 익혀 정자로 바르게 씁시다.]   ※획수는 총 획수를 나타냄

4급 신출한자(200字)쓰기본

漢字를 알면 世上이 보인다!!

▶ 다음은 4급에 추가된 신출한자 200字입니다. 다음 한자를 정자로 쓰고 아래 한자어의 讀音을 쓰시오.

給	給	給						

줄 급	糸, 12획	給料( ), 發給( )

其	其	其						

그 기	八, 8획	其他( ), 各其( )

器	器	器						

그릇 기	口, 16획	武器( ), 食器( )

期	期	期						

기약할기	月, 12획	時期( ), 期待( )

汽	汽	汽						

물끓는김기	水, 7획	汽船( ), 汽車( )

[☞ 글씨는 뒷표지 안쪽 기본 점획표를 익혀 정자로 바르게 씁시다.]　　　　　※획수는 총 획수를 나타냄

4급 신출한자(200字)쓰기본

漢字를 알면 世上이 보인다!!

▶ 다음은 4급에 추가된 신출한자 200字입니다. 다음 한자를 정자로 쓰고 아래 한자어의 讀音을 쓰시오.

技	技	技					

재주 기　手, 7획　技術(　　　　), 特技(　　　　　)

基	基	基					

터 기　土, 11획　基本(　　　　), 基因(　　　　　)

念	念	念					

생각 념　心, 8획　念願(　　　　), 觀念(　　　　　)

團	團	團					

둥글 단　口, 14획　團結(　　　　), 團體(　　　　　)

端	端	端					

바를 단　立, 14획　端午(　　　　), 端正(　　　　　)

[☞ 글씨는 뒷표지 안쪽 기본 점획표를 익혀 정자로 바르게 씁시다.]　　　　※획수는 총 획수를 나타냄

4급 신출한자(200字)쓰기본

漢字를 알면 世上이 보인다!!

▶ 다음은 4급에 추가된 신출한자 200字입니다. 다음 한자를 정자로 쓰고 아래 한자어의 讀音을 쓰시오.

壇	壇	壇						

제단 단   土, 16획 ┊ 登壇(   ), 花壇(   )

談	談	談						

말씀 담   言, 15획 ┊ 德談(   ), 會談(   )

都	都	都						

도읍 도   邑, 12획 ┊ 都市(   ), 首都(   )

島	島	島						

섬 도   山, 10획 ┊ 落島(   ), 獨島(   )

到	到	到						

이를 도   刀, 8획 ┊ 到着(   ), 到處(   )

[☞ 글씨는 뒷표지 안쪽 기본 점획표를 익혀 정자로 바르게 씁시다.]   ※획수는 총 획수를 나타냄

4급 신출한자(200字)쓰기본

漢字를 알면 世上이 보인다!!

▶ 다음은 4급에 추가된 신출한자 200字입니다. 다음 한자를 정자로 쓰고 아래 한자어의 讀音을 쓰시오.

獨	獨	獨						

홀로 독　　犬, 16획　　獨立(　　　　　), 獨白(　　　　　　)

朗	朗	朗						

밝을 랑　　月, 11획　　明朗(　　　　　), 朗報(　　　　　　)

冷	冷	冷						

찰 랭　　冫, 7획　　冷情(　　　　　), 冷待(　　　　　　)

雨	雨	雨						

두 량　　入, 8획　　兩班(　　　　　), 兩親(　　　　　　)

量	量	量						

헤아릴량　　里, 12획　　數量(　　　　　), 質量(　　　　　　)

[☞ 글씨는 뒷표지 안쪽 기본 점획표를 익혀 정자로 바르게 씁시다.]　　　　　※획수는 총 획수를 나타냄

▶ 다음은 4급에 추가된 신출한자 200字입니다. 다음 한자를 정자로 쓰고 아래 한자어의 讀音을 쓰시오.

旅	旅	旅						

나그네려 方, 10획 │ 旅行(   ), 旅費(   )

練	練	練						

익힐 련 糸, 15획 │ 洗練(   ), 練習(   )

領	領	領						

옷깃 령 頁, 14획 │ 要領(   ), 領土(   )

令	令	令						

하여금령 人, 5획 │ 命令(   ), 法令(   )

料	料	料						

헤아릴료 斗, 10획 │ 料金(   ), 料理(   )

[☞ 글씨는 뒷표지 안쪽 기본 점획표를 익혀 정자로 바르게 씁시다.]   ※획수는 총 획수를 나타냄

▶ 다음은 4급에 추가된 신출한자 200字입니다. 다음 한자를 정자로 쓰고 아래 한자어의 讀音을 쓰시오.

類	類	類					

무리 류　頁, 19획　類例(　　　　), 分類(　　　　)

陸	陸	陸					

뭍 륙　阜, 11획　陸橋(　　　　), 陸軍(　　　　)

律	律	律					

법 률　彳, 9획　法律(　　　　), 音律(　　　　)

望	望	望					

바랄 망　月, 11획　觀望(　　　　), 德望(　　　　)

妹	妹	妹					

아랫누이매　女, 8획　妹兄(　　　　), 男妹(　　　　)

[☞ 글씨는 뒷표지 안쪽 기본 점획표를 익혀 정자로 바르게 씁시다.]　　　　※획수는 총 획수를 나타냄

漢字를 알면 世上이 보인다!!

▶ 다음은 4급에 추가된 신출한자 200字입니다. 다음 한자를 정자로 쓰고 아래 한자어의 讀音을 쓰시오.

牧	牧	牧						

칠 목   牛, 8획   牧使(   ), 牧童(   )

武	武	武						

굳셀 무   止, 8획   武器(   ), 武術(   )

味	味	味						

맛 미   口, 8획   口味(   ), 別味(   )

未	未	未						

아닐 미   木, 5획   未開(   ), 未練(   )

倍	倍	倍						

갑절 배   人, 10획   倍加(   ), 倍數(   )

[☞ 글씨는 뒷표지 안쪽 기본 점획표를 익혀 정자로 바르게 씁시다.]　　　　　　　　　※획수는 총 획수를 나타냄

4급 신출한자(200字)쓰기본

漢字를 알면 世上이 보인다!!

▶ 다음은 4급에 추가된 신출한자 200字입니다. 다음 한자를 정자로 쓰고 아래 한자어의 讀音을 쓰시오.

變	變	變						

변할 변	言, 23획	變聲( ), 變動( )

報	報	報						

갚을 보	土, 12획	報告( ), 報答( )

富	富	富						

부자 부	宀, 12획	富強( ), 富者( )

婦	婦	婦						

지어미부	女, 11획	夫婦( ), 婦人( )

備	備	備						

갖출 비	人, 12획	對備( ), 未備( )

[☞ 글씨는 뒷표지 안쪽 기본 점획표를 익혀 정자로 바르게 씁시다.]　　　　　　※획수는 총 획수를 나타냄

漢字를 알면 世上이 보인다!!

▶ 다음은 4급에 추가된 신출한자 200字입니다. 다음 한자를 정자로 쓰고 아래 한자어의 讀音을 쓰시오.

比	比	比						

견줄 비   比, 4획   比重(   ), 對比(   )

費	費	費						

쓸 비   貝, 12획   費用(   ), 消費(   )

鼻	鼻	鼻						

코 비   鼻, 14획   鼻音(   ), 鼻祖(   )

貧	貧	貧						

가난할빈   貝, 11획   貧富(   ), 貧弱(   )

寫	寫	寫						

베낄 사   宀, 15획   寫眞(   ), 試寫會(   )

[☞ 글씨는 뒷표지 안쪽 기본 점획표를 익혀 정자로 바르게 씁시다.]   ※획수는 총 획수를 나타냄

▶ 다음은 4급에 추가된 신출한자 200字입니다. 다음 한자를 정자로 쓰고 아래 한자어의 讀音을 쓰시오.

謝	謝	謝					

사례할 사 　言, 17획　　感謝(　　　　　), 謝過(　　　　　)

師	師	師					

스승 사 　巾, 10획　　教師(　　　　　), 師恩(　　　　　)

查	查	查					

조사할 사 　木, 9획　　考査(　　　　　), 查察(　　　　　)

産	産	産					

낳을 산 　生, 11획　　産業(　　　　　), 國産(　　　　　)

賞	賞	賞					

상줄 상 　貝, 15획　　賞金(　　　　　), 賞品(　　　　　)

[☞ 글씨는 뒷표지 안쪽 기본 점획표를 익혀 정자로 바르게 씁시다.] 　　　※획수는 총 획수를 나타냄

▶ 다음은 4급에 추가된 신출한자 200字입니다. 다음 한자를 정자로 쓰고 아래 한자어의 讀音을 쓰시오.

商	商	商						

장사 상	口, 11획	商店( ), 協商( )

常	常	常						

항상 상	巾, 11획	常識( ), 常備( )

序	序	序						

차례 서	广, 7획	順序( ), 序曲( )

選	選	選						

가릴 선	舟, 16획	選擧( ), 當選( )

鮮	鮮	鮮						

고울 선	魚, 17획	新鮮( ), 朝鮮( )

[☞ 글씨는 뒷표지 안쪽 기본 점획표를 익혀 정자로 바르게 씁시다.]　　　　　　※획수는 총 획수를 나타냄

4급 신출한자(200字)쓰기본

漢字를 알면 世上이 보인다!!

▶ 다음은 4급에 추가된 신출한자 200字입니다. 다음 한자를 정자로 쓰고 아래 한자어의 讀音을 쓰시오.

船	船	船						

배 선   舟, 11획   船長(   ), 漁船(   )

仙	仙	仙						

신선 선   人, 5획   詩仙(   ), 神仙(   )

善	善	善						

착할 선   口, 12획   善良(   ), 善惡(   )

說	說	說						

말씀 설   言, 14획   說明(   ), 小說(   )

星	星	星						

별 성   日, 9획   流星(   ), 行星(   )

[☞ 글씨는 뒷표지 안쪽 기본 점획표를 익혀 정자로 바르게 씁시다.]   ※획수는 총 획수를 나타냄

4급 신출한자(200字)쓰기본

漢字를 알면 世上이 보인다!!

▶ 다음은 4급에 추가된 신출한자 200字입니다. 다음 한자를 정자로 쓰고 아래 한자어의 讀音을 쓰시오.

聖	聖	聖						

성스러울성　耳, 13획　聖地(　　　　), 神聖(　　　　)

盛	盛	盛						

성할 성　皿, 12획　盛業(　　　　), 盛行(　　　　)

聲	聲	聲						

소리 성　耳, 17획　聲明(　　　　), 名聲(　　　　)

城	城	城						

재　성　土, 10획　山城(　　　　), 都城(　　　　)

誠	誠	誠						

정성 성　言, 14획　誠實(　　　　), 熱誠(　　　　)

[☞ 글씨는 뒷표지 안쪽 기본 점획표를 익혀 정자로 바르게 씁시다.]　　　※획수는 총 획수를 나타냄

▶ 다음은 4급에 추가된 신출한자 200字입니다. 다음 한자를 정자로 쓰고 아래 한자어의 讀音을 쓰시오.

勢	勢	勢						

권세 세   力, 13획   加勢(   ), 實勢(   )

歲	歲	歲						

해 세   止, 13획   歲月(   ), 年歲(   )

束	束	束						

묶을 속   木, 7획   約束(   ), 團束(   )

送	送	送						

보낼 송   辵, 10획   發送(   ), 傳送(   )

授	授	授						

줄 수   手, 11획   授賞(   ), 敎授(   )

[☞ 글씨는 뒷표지 안쪽 기본 점획표를 익혀 정자로 바르게 씁시다.]   ※획수는 총 획수를 나타냄

▶ 다음은 4급에 추가된 신출한자 200字입니다. 다음 한자를 정자로 쓰고 아래 한자어의 讀音을 쓰시오.

| 守 | 守 | 守 | | | | | | |

지킬 수 ㅡ, 6획 │ 守則( ), 守備( )

| 視 | 視 | 視 | | | | | | |

볼 시 見, 12획 │ 可視( ), 視野( )

| 試 | 試 | 試 | | | | | | |

시험 시 言, 13획 │ 考試( ), 試圖( )

| 是 | 是 | 是 | | | | | | |

옳을 시 日, 9획 │ 是正( ), 必是( )

| 識 | 識 | 識 | | | | | | |

알 식 言, 19획 │ 識見( ), 知識( )

[☞ 글씨는 뒷표지 안쪽 기본 점획표를 익혀 정자로 바르게 씁시다.]   ※획수는 총 획수를 나타냄

▶ 다음은 4급에 추가된 신출한자 200字입니다. 다음 한자를 정자로 쓰고 아래 한자어의 讀音을 쓰시오.

氏	氏	氏					

성씨 씨   氏, 4획   姓氏(   ), 李氏(   )

惡	惡	惡					

악할 악   心, 12획   善惡(   ), 惡習(   )

眼	眼	眼					

눈 안   目, 11획   眼科(   ), 眼目(   )

案	案	案					

책상 안   木, 10획   案件(   ), 起案(   )

暗	暗	暗					

어두울 암   日, 13획   暗記(   ), 暗示(   )

[☞ 글씨는 뒷표지 안쪽 기본 점획표를 익혀 정자로 바르게 씁시다.]   ※획수는 총 획수를 나타냄

4급 신출한자(200字)쓰기본

漢字를 알면 世上이 보인다!!

▶ 다음은 4급에 추가된 신출한자 200字입니다. 다음 한자를 정자로 쓰고 아래 한자어의 讀音을 쓰시오.

約	約	約						

맺을 약　糸, 9획　　約束(　　　　　), 節約(　　　　　)

養	養	養						

기를 양　食, 15획　　養育(　　　　　), 敎養(　　　　　)

餘	餘	餘						

남을 여　食, 16획　　餘念(　　　　　), 餘波(　　　　　)

熱	熱	熱						

더울 열　火, 15획　　熱望(　　　　　), 加熱(　　　　　)

葉	葉	葉						

잎　엽　艸, 13획　　落葉(　　　　　), 葉書(　　　　　)

[☞ 글씨는 뒷표지 안쪽 기본 점획표를 익혀 정자로 바르게 씁시다.]　　　　　　※획수는 총 획수를 나타냄

4급 신출한자(200字)쓰기본

漢字를 알면 世上이 보인다 !!

▶ 다음은 4급에 추가된 신출한자 200字입니다. 다음 한자를 정자로 쓰고 아래 한자어의 讀音을 쓰시오.

藝	藝	藝						

재주 예   艹, 19획   武藝(   ), 書藝(   )

屋	屋	屋						

집 옥   尸, 9획   家屋(   ), 社屋(   )

完	完	完						

완전할완   宀, 7획   完決(   ), 完備(   )

往	往	往						

갈 왕   彳, 8획   往來(   ), 説往説來(   )

曜	曜	曜						

빛날 요   日, 18획   曜日(   ), 月曜病(   )

[☞ 글씨는 뒷표지 안쪽 기본 점획표를 익혀 정자로 바르게 씁시다.]   ※획수는 총 획수를 나타냄

▶ 다음은 4급에 추가된 신출한자 200字입니다. 다음 한자를 정자로 쓰고 아래 한자어의 讀音을 쓰시오.

浴	浴	浴						

목욕할욕 水, 10획	浴室( ), 日光浴( )

雨	雨	雨						

비 우 雨, 8획	雨期( ), 雨備( )

雄	雄	雄						

수컷 웅 佳, 12획	雄志( ), 英雄( )

願	願	願						

원할 원 頁, 19획	願望( ), 宿願( )

偉	偉	偉						

클 위 人, 11획	偉大( ), 偉力( )

[☞ 글씨는 뒷표지 안쪽 기본 점획표를 익혀 정자로 바르게 씁시다.] 　　　　　　※획수는 총 획수를 나타냄

▶ 다음은 4급에 추가된 신출한자 200字입니다. 다음 한자를 정자로 쓰고 아래 한자어의 讀音을 쓰시오.

爲	爲	爲						

할 위	爪, 12획	行爲( ), 所爲( )

恩	恩	恩						

은혜 은	心, 10획	恩惠( ), 恩功( )

義	義	義						

옳을 의	羊, 13획	講義( ), 信義( )

移	移	移						

옮길 이	禾, 11획	移動( ), 移植( )

姉	姉	姉						

맏누이자	女, 8획	姉妹( ), 姉兄( )

[☞ 글씨는 뒷표지 안쪽 기본 점획표를 익혀 정자로 바르게 씁시다.]　　　　　　　　　※획수는 총 획수를 나타냄

4급 신출한자(200字) 쓰기본

漢字를 알면 世上이 보인다!!

▶ 다음은 4급에 추가된 신출한자 200字입니다. 다음 한자를 정자로 쓰고 아래 한자어의 讀音을 쓰시오.

將	將	將						

장수 장 寸, 11획   將軍(   ), 將來(   )

財	財	財						

재물 재 貝, 10획   財界(   ), 財産(   )

災	災	災						

재앙 재 火, 7획   災害(   ), 天災(   )

爭	爭	爭						

다툴 쟁 爪, 8획   競爭(   ), 戰爭(   )

低	低	低						

낮을 저 人, 7획   低價(   ), 低調(   )

[☞ 글씨는 뒷표지 안쪽 기본 점획표를 익혀 정자로 바르게 씁시다.]　　　　　　※획수는 총 획수를 나타냄

▶ 다음은 4급에 추가된 신출한자 200字입니다. 다음 한자를 정자로 쓰고 아래 한자어의 讀音을 쓰시오.

貯	貯	貯					

쌓을 저 　貝, 12획 　貯金(　　　), 貯水(　　　)

敵	敵	敵					

원수 적 　攵, 15획 　敵對(　　　), 天敵(　　　)

傳	傳	傳					

전할 전 　人, 13획 　傳說(　　　), 傳記(　　　)

節	節	節					

마디 절 　竹, 15획 　季節(　　　), 名節(　　　)

切	切	切					

끊을 절 　刀, 4획 　切實(　　　), 親切(　　　)

[☞ 글씨는 뒷표지 안쪽 기본 점획표를 익혀 정자로 바르게 씁시다.]　　　　　　※획수는 총 획수를 나타냄

▶ 다음은 4급에 추가된 신출한자 200字입니다. 다음 한자를 정자로 쓰고 아래 한자어의 讀音을 쓰시오.

店	店	店						

가게 점　广, 8획　商店(　　　　), 賣店(　　　　　)

情	情	情						

뜻 정　心, 11획　情報(　　　　), 友情(　　　　　)

停	停	停						

머무를정　人, 11획　停止(　　　　), 停電(　　　　　)

精	精	精						

정기 정　米, 14획　精誠(　　　　), 精神(　　　　　)

政	政	政						

정사 정　攵, 9획　政局(　　　　), 國政(　　　　　)

[☞ 글씨는 뒷표지 안쪽 기본 점획표를 익혀 정자로 바르게 씁시다.]　　　　※획수는 총 획수를 나타냄

4급 신출한자(200字)쓰기본

漢字를 알면 世上이 보인다!!

▶ 다음은 4급에 추가된 신출한자 200字입니다. 다음 한자를 정자로 쓰고 아래 한자어의 讀音을 쓰시오.

祭	祭	祭						

제사 제	示, 11획	祭器( ), 祝祭( )

調	調	調						

고를 조	言, 15획	格調( ), 調和( )

助	助	助						

도울 조	力, 7획	救助( ), 協助( )

鳥	鳥	鳥						

새 조	鳥, 11획	鳥類( ), 一石二鳥( )

早	早	早						

이를 조	日, 6획	早朝( ), 早退( )

[☞ 글씨는 뒷표지 안쪽 기본 점획표를 익혀 정자로 바르게 씁시다.]　　　※획수는 총 획수를 나타냄

▶ 다음은 4급에 추가된 신출한자 200字입니다. 다음 한자를 정자로 쓰고 아래 한자어의 讀音을 쓰시오.

操	操	操						

잡을 조 手, 16획 ┆ 操心(   ), 體操(   )

存	存	存						

있을 존 子, 6획 ┆ 存在(   ), 共存(   )

終	終	終						

마칠 종 糸, 11획 ┆ 終身(   ), 始終(   )

種	種	種						

씨 종 禾, 14획 ┆ 種目(   ), 品種(   )

坐	坐	坐						

앉을 좌 土, 7획 ┆ 坐視(   ), 對坐(   )

[☞ 글씨는 뒷표지 안쪽 기본 점획표를 익혀 정자로 바르게 씁시다.]   ※획수는 총 획수를 나타냄

▶ 다음은 4급에 추가된 신출한자 200字입니다. 다음 한자를 정자로 쓰고 아래 한자어의 讀音을 쓰시오.

罪	罪	罪					

허물 죄　网, 13획 │ 罪惡(　　　　　), 罪責(　　　　　)

週	週	週					

주일 주　辵, 12획 │ 週期(　　　　　), 每週(　　　　　)

增	增	增					

더할 증　土, 15획 │ 增減(　　　　　), 增産(　　　　　)

志	志	志					

뜻 지　心, 7획 │ 志操(　　　　　), 同志(　　　　　)

至	至	至					

이를 지　至, 6획 │ 至極(　　　　　), 至當(　　　　　)

[☞ 글씨는 뒷표지 안쪽 기본 점획표를 익혀 정자로 바르게 씁시다.]　　　　　※획수는 총 획수를 나타냄

▶ 다음은 4급에 추가된 신출한자 200字입니다. 다음 한자를 정자로 쓰고 아래 한자어의 讀音을 쓰시오.

支	支	支						

지탱할지　支, 4획　支給(　　　　), 支流(　　　　)

進	進	進						

나아갈진　辵, 12획　進退(　　　　), 進路(　　　　)

眞	眞	眞						

참　진　目, 10획　眞談(　　　　), 眞實(　　　　)

質	質	質						

바탕 질　貝, 15획　質問(　　　　), 物質(　　　　)

次	次	次						

버금 차　欠, 6획　次例(　　　　), 目次(　　　　)

[☞ 글씨는 뒷표지 안쪽 기본 점획표를 익혀 정자로 바르게 씁시다.]　　　　※획수는 총 획수를 나타냄

▶ 다음은 4급에 추가된 신출한자 200字입니다. 다음 한자를 정자로 쓰고 아래 한자어의 讀音을 쓰시오.

着	着	着						

붙을 착　目,12획　到着(　　　　), 着工(　　　　　　)

察	察	察						

살필 찰　宀,14획　考察(　　　　), 省察(　　　　)

唱	唱	唱						

부를 창　口,11획　唱法(　　　　), 獨唱(　　　　　)

處	處	處						

곳 처　虍,11획　處所(　　　　), 近處(　　　　)

鐵	鐵	鐵						

쇠 철　金,21획　鐵器(　　　　), 鐵則(　　　　　)

[☞ 글씨는 뒷표지 안쪽 기본 점획표를 익혀 정자로 바르게 씁시다.]　　　　※획수는 총 획수를 나타냄

4급 신출한자(200字)쓰기본

漢字를 알면 世上이 보인다!!

▶ 다음은 4급에 추가된 신출한자 200字입니다. 다음 한자를 정자로 쓰고 아래 한자어의 讀音을 쓰시오.

最	最	最						

가장 최　日, 12획　最終(　　　), 最善(　　　)

祝	祝	祝						

빌 축　示, 10획　奉祝(　　　), 祝典(　　　)

蟲	蟲	蟲						

벌레 충　虫, 18획　蟲齒(　　　), 害蟲(　　　)

忠	忠	忠						

충성 충　心, 8획　忠告(　　　), 忠孝(　　　)

齒	齒	齒						

이 치　齒, 15획　齒科(　　　), 齒藥(　　　)

[☞ 글씨는 뒷표지 안쪽 기본 점획표를 익혀 정자로 바르게 씁시다.]　　　※획수는 총 획수를 나타냄

▶ 다음은 4급에 추가된 신출한자 200字입니다. 다음 한자를 정자로 쓰고 아래 한자어의 讀音을 쓰시오.

致	致	致						

이를 치　　至, 10획　　理致(　　　　　), 筆致(　　　　　)

則	則	則						

법칙 칙　　刀, 9획　　反則(　　　　　), 原則(　　　　　)

他	他	他						

다를 타　　人, 5획　　他界(　　　　　), 自他(　　　　　)

打	打	打						

칠 타　　手, 5획　　打席(　　　　　), 打算(　　　　　)

卓	卓	卓						

높을 탁　　十, 8획　　卓球(　　　　　), 卓見(　　　　　)

[☞ 글씨는 뒷표지 안쪽 기본 점획표를 익혀 정자로 바르게 씁시다.]　　　　※획수는 총 획수를 나타냄

4급 신출한자(200字)쓰기본

漢字를 알면 世上이 보인다!!

▶ 다음은 4급에 추가된 신출한자 200字입니다. 다음 한자를 정자로 쓰고 아래 한자어의 讀音을 쓰시오.

炭	炭	炭						

숯 탄	火, 9획	石炭( ), 貯炭( )

宅	宅	宅						

집 택	宀, 6획	家宅( ), 自宅( )

統	統	統						

거느릴통	糸, 12획	統合( ), 傳統( )

退	退	退						

물러날퇴	辶, 10획	退場( ), 退院( )

波	波	波						

물결 파	水, 8획	波動( ), 人波( )

[☞ 글씨는 뒷표지 안쪽 기본 점획표를 익혀 정자로 바르게 씁시다.]

※획수는 총 획수를 나타냄

▶ 다음은 4급에 추가된 신출한자 200字입니다. 다음 한자를 정자로 쓰고 아래 한자어의 讀音을 쓰시오.

板	板	板						

널빤지판   木, 8획   冰板(   ), 板子(   )

敗	敗	敗						

패할 패   攵, 11획   敗亡(   ), 成敗(   )

筆	筆	筆						

붓 필   竹, 12획   筆談(   ), 筆者(   )

寒	寒	寒						

찰 한   宀, 12획   惡寒(   ), 極寒(   )

限	限	限						

한정 한   阜, 9획   限度(   ), 時限(   )

[☞ 글씨는 뒷표지 안쪽 기본 점획표를 익혀 정자로 바르게 씁시다.]   ※획수는 총 획수를 나타냄

▶ 다음은 4급에 추가된 신출한자 200字입니다. 다음 한자를 정자로 쓰고 아래 한자어의 讀音을 쓰시오.

害　害　害

해칠 해　宀, 10획　公害(　　　), 災害(　　　)

香　香　香

향기 향　香, 9획　香氣(　　　), 暗香(　　　)

許　許　許

허락할허　言, 11획　許可(　　　), 許多(　　　)

協　協　協

도울 협　十, 8획　協定(　　　), 協同(　　　)

惠　惠　惠

은혜 혜　心, 12획　恩惠(　　　), 特惠(　　　)

[☞ 글씨는 뒷표지 안쪽 기본 점획표를 익혀 정자로 바르게 씁시다.]　　　※획수는 총 획수를 나타냄

4급 신출한자(200字)쓰기본

漢字를 알면 世上이 보인다!!

▶ 다음은 4급에 추가된 신출한자 200字입니다. 다음 한자를 정자로 쓰고 아래 한자어의 讀音을 쓰시오.

好	好	好						

좋을 호	女, 9획	好感( ), 愛好( )

湖	湖	湖						

호수 호	水, 12획	湖南( ), 湖水( )

患	患	患						

근심 환	心, 11획	病患( ), 宿患( )

回	回	回						

돌 회	口, 6획	每回( ), 回答( )

效	效	效						

본받을 효	攴, 10획	無效( ), 效能( )

[☞ 글씨는 뒷표지 안쪽 기본 점획표를 익혀 정자로 바르게 씁시다.] ※획수는 총 획수를 나타냄

본보기	中	가운데 중

價		觀		汽	
甘		關		技	
減		廣		基	
監		橋		念	
改		具		團	
個		救		端	
擧		求		壇	
健		舊		談	
件		久		都	
建		局		島	
競		君		到	
景		規		獨	
季		極		朗	
固		給		冷	
故		其		兩	
骨		器		量	
課		期		旅	

| 본보기 | 中 | 가운데 중 |

練		婦		船	
領		備		仙	
令		比		善	
料		費		說	
類		鼻		星	
陸		貧		聖	
律		寫		盛	
望		謝		聲	
妹		師		城	
牧		査		誠	
武		産		勢	
味		賞		歲	
未		商		束	
倍		常		送	
變		序		授	
報		選		守	
富		鮮		視	

본보기	中	가운데 중

試	曜	敵
是	浴	傳
識	雨	切
氏	雄	節
惡	願	店
眼	偉	情
案	爲	停
暗	恩	精
約	義	政
養	移	祭
餘	姉	調
熱	將	助
葉	財	鳥
藝	災	早
屋	爭	操
完	低	存
往	貯	終

◆ 4급 선정한자 중 신출한자 200字입니다. 다음 한자의
훈음(뜻과 소리)을 쓰시오.(57~96쪽을 참고 하시오)

※ 한글을 정자로 바르게 쓰시오.

본보기	中	가운데 중

種	最	筆
坐	祝	寒
罪	蟲	限
週	忠	害
增	齒	香
志	致	許
至	則	協
支	他	惠
進	打	好
眞	卓	湖
質	炭	患
次	宅	回
着	統	效
察	退	
唱	波	
處	板	
鐵	敗	

본보기	가운데 중	中

값 가	볼 관	물끓는김기
달 감	관계할관	재주 기
덜 감	넓을 광	터 기
볼 감	다리 교	생각 념
고칠 개	갖출 구	둥글 단
낱 개	구원할구	바를 단
들 거	구할 구	제단 단
건강할건	예 구	말씀 담
사건 건	오랠 구	도울 도
세울 건	판 국	섬 도
다툴 경	임금 군	이를 도
볕 경	법 규	홀로 독
철 계	다할 극	밝을 랑
굳을 고	줄 급	찰 랭
연고 고	그 기	두 량
뼈 골	그릇 기	헤아릴량
매길 과	기약할기	나그네려

| 본보기 | 가운데 중 | 中 |

익힐 련	지어미 부	배 선
옷깃 령	갖출 비	신선 선
하여금 령	견줄 비	착할 선
헤아릴 료	쓸 비	말씀 설
무리 류	코 비	별 성
뭍 륙	가난할 빈	성스러울 성
법 률	베낄 사	성할 성
바랄 망	사례할 사	소리 성
아랫누이 매	스승 사	재 성
칠 목	조사할 사	정성 성
굳셀 무	낳을 산	권세 세
맛 미	상줄 상	해 세
아닐 미	장사 상	묶을 속
갑절 배	항상 상	보낼 송
변할 변	차례 서	줄 수
갚을 보	가릴 선	지킬 수
부자 부	고울 선	볼 시

| 본보기 | 가운데 중 | 中 |

시험 시	빛날 요	원수 적
옳을 시	목욕할 욕	전할 전
알 식	비 우	끊을 절
성씨 씨	수컷 웅	마디 절
악할 악	원할 원	가게 점
눈 안	클 위	뜻 정
책상 안	할 위	머무를정
어두울암	은혜 은	정기 정
맺을 약	옳을 의	정사 정
기를 양	옮길 이	제사 제
남을 여	맏누이자	고를 조
더울 열	장수 장	도울 조
잎 엽	재물 재	새 조
재주 예	재앙 재	이를 조
집 옥	다툴 쟁	잡을 조
완전할완	낮을 저	있을 존
갈 왕	쌓을 저	마칠 종

◆ 4급 선정한자 중 신출한자 200字입니다. 다음 훈음(뜻과 소리)에
맞는 한자를 쓰시오.(57~96쪽을 참고 하시오)

※한자를 정자로 바르게 쓰시오.

본보기	가운데 중	中

씨 종	가장 최	붓 필
앉을 좌	빌 축	찰 한
허물 죄	벌레 충	한정 한
주일 주	충성 충	해칠 해
더할 증	이 치	향기 향
뜻 지	이를 치	허락할 허
이를 지	법칙 칙	도울 협
지탱할 지	다를 타	은혜 혜
나아갈 진	칠 타	좋을 호
참 진	높을 탁	호수 호
바탕 질	숯 탄	근심 환
버금 차	집 택	돌 회
붙을 착	거느릴 통	본받을 효
살필 찰	물러날 퇴	
부를 창	물결 파	
곳 처	널빤지 판	
쇠 철	패할 패	

한자어(漢字語)에 알맞은 독음(讀音)쓰기

◆다음 漢字語의 讀音을 쓰고 그 낱말의 뜻을 읽혀 봅시다.

| 본보기 | 火木 | 화목 | 땔나무 |

ㄱ

家屋		사람이 사는 집
價格		화폐로써 나타낸 상품의 교환 가치
感謝		고맙게 여김
監査		감독하고 검사함
減算		빼어 셈하는 것
減少		줄어서 적어지는 것
監視		경계하여 살펴봄
感情		사물에 느끼어 일어나는 심정
改過		잘못을 고침
改良		나쁜점을 고쳐 좋게 함
個別		하나 하나 따로 나눔
建立		탑동상건물 등을 세움

結草報恩		죽어 혼령이 되어도 은혜를 잊지 않고 갚음
競技		기술의 낫고 못함을 경쟁함
競爭		서로 겨루어 다툼
景致		산수 등 자연계의 아름다운 현상
季節		규칙적으로 되풀이 되는 기후 현상에 따라 1년을 구분한 것
高低		높낮이
空中戰		하늘에서의 전쟁
觀察		사물을 주의하여 살펴 봄
觀光		다른 나라나 지방의 문화, 풍경, 상황등을 구경함
具備		모두 갖춤
君主		임금
君子		학식이 높고 행실이 어진 사람
君臣		임금과 신하

貴重	귀하고 중요함
規格	일정한 표준
規定	규칙을 정함. 작정한 규칙
規則	여러 사람이 다같이 지키기로 작정한 법칙
極大	더할 수 없이 큰 것
期間	어느 일정한 시기에서 다른 일정한 시기까지의 사이
期待	어느때로 기약하여 성취를 바람
技藝	기술상의 재주와 솜씨
汽船	증기기관의 작용으로 다니는 배
氣勢	의지가 강한 형세
汽車	증기 작용으로 궤도를 달리는 차
器具	세간, 그릇, 연장의 총칭
其他	그 이외의 다른 것
期限	미리 한정한 시간

ㄴ

朗報	기쁜 소식, 반가운 소식

冷情	감정에 흔들리지 않고 침착함
冷風	가을 초기에 부는 차가운 바람
冷氣	찬 기운, 찬 공기

ㄷ

當選	선거에 뽑히는 것
當爲	마땅히 행해야 되는 일
對談	서로 마주 대하여 말함
都市	사람이 많이 사는 고장
到着	목적지에 다다름
到來	닥쳐옴, 그곳에 이름
團體	같은 목적으로 모인 두사람 이상의 모임
團合	단결하여 힘을 합함
端正	모습이나 몸가짐이 흐트러진데 없이 얌전하고 깔끔함
端坐	자세를 바르게 하여 단정하게 앉음
獨立	다른것에 딸리거나 기대지 않음
獨唱	혼자서 노래함

獨特	특별히 다름

ㅁ

馬耳東風	남의 말을 귀담아 듣지 않고 곧 흘려버림
亡國之音	나라를 망칠 음악, 저속하고 잡스러운 음악
面談	서로 만나서 이야기 함
命令	윗 사람이 내리는 분부
牧童	풀을 뜯기며 가축을 치는 아이
無關	관계가 없음
武力	군사상의 힘
武術	무도에 관한 기술
聞一知十	한가지를 들으면 열가지를 안다는 말
門前成市	권세가나 부자가 되어 집 앞이 방문객으로 저자를 이루다시피 함을 뜻함
未開	꽃이 아직 피지 않음. 문명이 발달하지 못함
未來	아직 오지 않은 때. 장래
未備	아직 갖추어지지 않음

ㅂ

半島	물과 연하여 바다로 내민 땅
百年河淸	중국의 황하가 항상 흐리어 맑을 때가 없다는 말로, 아무리 오래되어도 사물이 이루어지기 어렵다는 말
百發百中	총, 활 등이 겨눈 곳에 잘 맞는다는 말로 앞서 생각한 일들이 꼭꼭 들어 맞음을 뜻하는 성어
法規	법률의 규정
報告	주어진 임무에 대하여 그 결과나 내용을 말이나 글로 **알림**
報答	남의 호의나 은혜를 갚음
報道	국내외의 일들을 널리 알림
報恩	은혜를 갚음
夫君	남의 남편을 높혀 부르는 말
富貴	재산이 많고 지위가 높은 것
夫婦	남편과 아내
富者	재산이 넉넉한 사람
費用	어떤 목적을 위해 쓰이는 돈
鼻音	콧소리
貧民	가난한 백성

貧富	빈곤과 부유

入

謝過	잘못에 대해 용서를 빔		星光	별 빛
寫本	문서나 책을 베껴 만든 것		誠實	거짓이 없고 참됨
寫生	실물 실경을 그대로 그림		誠心	성실한 마음
寫眞	실물의 모양을 그대로 그려냄		勢力	권세의 힘
四海兄弟	세상 사람이 다 형제와 같다는 말로 친밀함을 뜻함		歲費	일년간의 경비
三十六計	36가지의 꾀라는 말로 줄행랑을 뜻함		歲時	일년중의 그때 그때
三人成虎	거짓말도 여러 사람이 하면 곧이 듣는다는 뜻		歲月	흘러가는 시간
常理	떳떳한 도리. 당연한 이치		送金	돈을 부쳐 보냄
常民	양반 이외의 신분이 낮은 사람		守備	지키어 막아냄
常備	늘 준비하여 둠		水魚之交	물과 물고기의 사이처럼 아주 가까운 친구사이
常識	보통사람이 지니거나 지녀야 할 지식		試圖	시험적으로 해봄
善女	성품이 착한 여자		試寫	영화를 개봉하기에 앞서 특정인에게 시험적으로 상영해 보임
善良	착하고 어짐		是正	잘못된 것을 바로 잡음
善惡	착함과 악함		失政	정치를 잘못하는 것
			失敗	일을 잘못하여 그르침
			氏族	같은 조상을 가진 여러 가족의 성원으로 구성된 집단

兩家	양쪽 집안		練習	자꾸 되풀이 하여 익힘
兩手	양 손		念頭	생각의 시초. 마음 속
暗記	보지 않고도 욈		領海	한나라의 둘레에 있으며 그 나라의 영역에 포함되는 바다
暗算	머리 속으로 계산함		領空	한나라의 영토와 영해의 상공으로 그나라의 주권이 미치는 공간
暗示	넌지시 깨우쳐 줌		領土	그 나라가 영유하고 있는 땅, 그 나라의 통치권이 미치는 지역
暗黑	어둡고 캄캄함		藝能	몸에 익힌 재주와 기능
弱勢	세력이 약함		完結	완전히 끝을 맺음
良藥苦口	좋은 약은 입에 쓰다는 말로 충언은 귀에 거슬린다는 뜻		完備	빠짐없이 갖추는 것
漁父之利	두 사람이 다투는 바람에 엉뚱한 사람이 이익을 얻는다는뜻		完全	부족함이 없음
旅客	여행을 하고 있는 사람, 나그네		往來	소식이나 편지가 오고 감
旅行	다른 고장이나 다른 나라에 가는 일		料金	남에게 수고를 끼쳤거나 사물을 사용, 관람한 대가로 지불하는 금전을 통틀어 이르는 말
餘分	나머지		曜日	한 주일의 각 날을 이르는 말
餘波	주위에 미치는 영향		浴室	목욕하는 시설을 갖춘 방
年歲	나이의 높임말		雄大	웅장하고 규모가 큼
熱望	열렬히 바람		雄志	웅장한 뜻
			月下氷人	중매인을 뜻함

ㅇ

類別	종류에 따라 구별함	作心三日	결심이 사흘을 가지 못한다는 뜻으로 결심이 굳지 못함
有罪	재판에서 범죄 사실이 인정됨	低調	활기가 없어 침체함
有限	일정한 한도가 있는 것	低下	낮아짐
陸橋	교통이 번잡한 도로·철로 위에 걸친 다리	敵手	재주나 힘이 맞서는 사람
陸軍	육상의 전투 및 방어를 맡은 군대	傳授	전하여 줌
律動	규칙적인 운동. 리듬에 맞추어 추는 춤	前進	앞으로 나아감
律法	법률, 종교, 사회, 도덕적 규범	精米	곱고 깨끗하게 찧은 쌀
恩惠	베풀어 주는 신세나 혜택	精神	인간의 마음이나 생각
音聲	목소리	停止	중도에서 머무르거나 그침
義理	사람으로서 지킬 바른 도리	祭器	제사에 쓰이는 그릇
意義	뜻, 가치, 중요한 정도	早期	이른 시기
義齒	만들어서 넣은 이	調査	실정을 살펴서 알아봄
以心傳心	마음에서 마음으로 전달된다는 뜻의 한자성어	助手	일을 보조하는 사람
移住	집을 옮겨 사는 것	調節	사물을 정도에 맞추어 고르게 함

ㅈ

姊妹	손윗누이와 손아랫누이. 여자끼리의 언니와 동생	存立	생존함
		存亡	삶과 죽음

存在	사람이나 사물이 실재로 있음	至誠感天	정성이 지극하면 하늘도 감동한다
終末	끝판	進步	차차 향상되어 가는 것
坐視	간섭하지 않고 가만히 두고 봄	眞實	거짓이 없고 바르고 착함
罪人	죄를 지은 사람	進入	내쳐 들어가는 것
週間	한주일 동안	進學	학문의 길로 나아가 배우는 것
週期	일정한 시간마다 같은 현상이 되풀이 되는 일정 시간	進行	앞으로 나아감
週末	일주일의 마지막 요일		

ㅊ

週番	일주일마다 교대하는 근무, 또는 그 당번의 사람	處所	사람이 살거나 임시로 머물러 있는 곳
主婦	한 집안의 주인의 아내	處世	이 세상에서 남과 어울려 삶
竹馬之友	어렸을 때부터 친한 벗을 이름	體操	건강의 증진을 위한 운동
重量	무게의 정도	靑天白日	맑게 갠 대낮을 뜻함
至極	더할나위 없이 극진함	最高	가장 높음
支給	돈이나 물건을 내주는 것	最善	가장 좋거나 훌륭한 것
至當	이치에 맞고 지극히 당연함	祝願	잘 되기를 빔
至大	더없이 큼	充當	모자라는 것을 채워 넣음
支流	원줄기에서 갈라진 물줄기	蟲齒	벌레 먹은 이

蟲害	해충으로 인해 생기는 농작물의 피해
齒科	이에 생긴 병을 치료하는 병원의 분과
齒石	이의 안쪽에 엉기어 생긴 물질
親舊	오래 두고 가깝게 사귄 벗

ㅌ

他山之石	다른 산의 보잘 것 없는 돌도 내 옥을 가는데 유용하게 쓰임
卓見	뛰어난 의견이나 식견
卓球	장방형의 대 위에 네트를 치고 공을 마주치는 경기. 핑퐁
卓上	책상이나 식탁 따위의 위
統一	여럿을 하나로 합침
統合	하나로 모아 합치는 것
退步	뒤로 물러 섬
退色	빛이 바램
退院	입원한 병자가 병원에서 나옴

ㅍ

敗北	싸움에 지는 것

ㅎ

限界	사물의 정하여진 범위
限定	제한하여 정하는 것
行爲	사람이 행하는 것
許可	허락함. 들어줌
協同	마음과 힘을 합함
協商	협의하여 계획함
回答	물음이나 편지 등에 대답하는 것

親舊   進行

낱말에 알맞은 한자(漢字)쓰기

◈ 다음 낱말의 뜻에 알맞은 한자를 쓰시오.

본보기	화목	火木	땔나무

ㄱ

가옥	사람이 사는 집
가격	화폐로써 나타낸 상품의 교환 가치
감사	고맙게 여김
감사	감독하고 검사함
감산	빼어 셈하는 것
감소	줄어서 적어지는 것
감시	경계하여 살펴봄
감정	사물에 느끼어 일어나는 심정
개과	잘못을 고침
개량	나쁜점을 고쳐 좋게 함
개별	하나 하나 따로 나눔
건립	탑동상건물 등을 세움

결초보은	죽어 혼령이 되어도 은혜를 잊지 않고 갚음
경기	기술의 낮고 못함을 경쟁함
경쟁	서로 겨루어 다툼
경치	산수 등 자연계의 아름다운 현상
계절	규칙적으로 되풀이 되는 기후현상에 따라 1년을 구분한 것
고저	높낮이
공중전	하늘에서의 전쟁
관찰	사물을 주의하여 살펴 봄
관광	다른 나라나 지방의 문화, 풍경, 상황등을 구경함
구비	모두 갖춤
군주	임금
군자	학식이 높고 행실이 어진 사람
군신	임금과 신하

귀중	귀하고 중요함
규격	일정한 표준
규정	규칙을 정함. 작정한 규칙
규칙	여러 사람이 다 같이 지키기로 작정한 법칙
극대	더할 수 없이 큰 것
기간	어느 일정한 시기에서 다른 일정한 시기까지의 사이
기대	어느때로 기약하여 성취를 바람
기예	기술상의 재주와 솜씨
기선	증기기관의 작용으로 다니는 배
기세	의지가 강한 형세
기차	증기 작용으로 궤도를 달리는 차
기구	세간, 그릇, 연장의 총칭
기타	그 이외의 다른 것
기한	미리 한정한 시간

ㄴ

낭보	기쁜 소식, 반가운 소식

냉정	감정에 흔들리지 않고 침착함
냉풍	가을 초기에 부는 차가운 바람
냉기	찬 기운, 찬 공기

ㄷ

당선	선거에 뽑히는 것
당위	마땅히 행해야 되는 일
대담	서로 마주 대하여 말함
도시	사람이 많이 사는 고장
도착	목적지에 다다름
도래	닥쳐옴, 그곳에 이름
단체	같은 목적으로 모인 두사람 이상의 모임
단합	단결하여 힘을 합함
단정	모습이나 몸가짐이 흐트러진데 없이 얌전하고 깔끔함
단좌	자세를 바르게 하여 단정하게 앉음
독립	다른것에 딸리거나 기대지 않음
독창	혼자서 노래함

독특	특별히 다름

ㅁ

마이동풍	남의 말을 귀담아 듣지 않고 곧 흘려버림
망국지음	나라를 망칠 음악, 저속하고 잡스러운 음악
면담	서로 만나서 이야기 함
명령	윗 사람이 내리는 분부
목동	풀을 뜯기며 가축을 치는 아이
무관	관계가 없음
무력	군사상의 힘
무술	무도에 관한 기술
문일지십	한 가지를 들으면 열가지를 안다는 말
문전성시	권세가나 부자가 되어 집 앞이 방문객으로 저자를 이루다시피 함을 뜻함
미개	꽃이 아직 피지 않음. 문명이 발달하지 못함
미래	아직 오지 않은 때. 장래
미비	아직 갖추어지지 않음

ㅂ

반도	물과 연하여 바다로 내민 땅
백년하청	중국의 황하가 항상 흐리어 맑을 때가 없다는 말로, 아무리 오래되어도 사물이 이루어지기 어렵다는 말
백발백중	총, 활 등이 겨눈 곳에 잘 맞는다는 말로 앞서 생각한 일들이 꼭꼭 들어 맞음을 뜻하는 성어
법규	법률의 규정
보고	주어진 임무에 대하여 그 결과나 내용을 말이나 글로 알림
보답	남의 호의나 은혜를 갚음
보도	국내외의 일들을 널리 알림
보은	은혜를 갚음
부군	남의 남편을 높여 부르는 말
부귀	재산이 많고 지위가 높은 것
부부	남편과 아내
부자	재산이 넉넉한 사람
비용	어떤 목적을 위해 쓰이는 돈
비음	콧소리
빈민	가난한 백성

빈부	빈곤과 부유		성광	별 빛

ㅅ

			성실	거짓이 없고 참됨
사과	잘못에 대해 용서를 빔		성심	성실한 마음
사본	문서나 책을 베껴 만든 것		세력	권세의 힘
사생	실물 실경을 그대로 그림		세비	일년간의 경비
사진	실물의 모양을 그대로 그려냄		세시	일년중의 그때 그때
사해형제	세상 사람이 다 형제와 같다는 말로 친밀함을 뜻함		세월	흘러가는 시간
삼십육계	36가지의 꾀라는 말로 줄행랑을 뜻함		송금	돈을 부쳐 보냄
삼인성호	거짓말도 여러 사람이 하면 곧이 듣는다는 뜻		수비	지키어 막아냄
상리	떳떳한 도리. 당연한 이치		수어지교	물과 물고기의 사이처럼 아주 가까운 친구사이
상민	양반 이외의 신분이 낮은 사람		시도	시험적으로 해봄
상비	늘 준비하여 둠		시사	영화를 개봉하기에 앞서 특정인에게 시험적으로 상영해 보임
상식	보통사람이 지니거나 지녀야 할 지식		시정	잘못된 것을 바로 잡음
선녀	성품이 착한 여자		실정	정치를 잘못하는 것
선량	착하고 어짐		실패	일을 잘못하여 그르침
선악	착함과 악함		씨족	같은 조상을 가진 여러 가족의 성원으로 구성된 집단

양가	양쪽 집안
양수	양 손
암기	보지 않고도 욈
암산	머리 속으로 계산함
암시	넌지시 깨우쳐 줌
암흑	어둡고 캄캄함
약세	세력이 약함
양약고구	좋은 약은 입에 쓰다는 말로 충언은 귀에 거슬린다는 뜻
어부지리	두 사람이 다투는 바람에 엉뚱한 사람이 이익을 얻는다는 뜻
여객	여행을 하고 있는 사람, 나그네
여행	다른 고장이나 다른 나라에 가는 일
여분	나머지
여파	주위에 미치는 영향
연세	나이의 높임말
열망	열렬히 바람

연습	자꾸 되풀이 하여 익힘
염두	생각의 시초. 마음 속
영해	한나라의 둘레에 있으며 그 나라의 영역에 포함되는 바다
영공	한나라의 영토와 영해의 상공으로 그 나라의 주권이 미치는 공간
영토	그 나라가 영유하고 있는 땅, 그 나라의 통치권이 미치는 지역
예능	몸에 익힌 재주와 기능
완결	완전히 끝을 맺음
완비	빠짐없이 갖추는 것
완전	부족함이 없음
왕래	소식이나 편지가 오고 감
요금	남에게 수고를 끼쳤거나 사물을 사용, 관람한 대가로 지불하는 금전을 통틀어 이르는 말
요일	한 주일의 각 날을 이르는 말
욕실	목욕하는 시설을 갖춘 방
웅대	웅장하고 규모가 큼
웅지	웅장한 뜻
월하빙인	중매인을 뜻함

유별	종류에 따라 구별함	작심삼일	결심이 사흘을 가지 못한다는 뜻으로 결심이 굳지 못함
유죄	재판에서 범죄 사실이 인정됨	저조	활기가 없어 침체함
유한	일정한 한도가 있는 것	저하	낮아짐
육교	교통이 번잡한 도로철로 위에 걸친 다리	적수	재주나 힘이 맞서는 사람
육군	육상의 전투 및 방어를 맡은 군대	전수	전하여 줌
율동	규칙적인 운동. 리듬에 맞추어 추는 춤	전진	앞으로 나아감
율법	법률, 종교, 사회, 도덕적 규범	정미	곱고 깨끗하게 찧은 쌀
은혜	베풀어 주는 신세나 혜택	정신	인간의 마음이나 생각
음성	목소리	정지	중도에서 머무르거나 그침
의리	사람으로서 지킬 바른 도리	제기	제사에 쓰이는 그릇
의의	뜻, 가치, 중요한 정도	조기	이른 시기
의치	만들어서 넣은 이	조사	실정을 살펴서 알아봄
이심전심	마음에서 마음으로 전달 된다는 뜻의 한자성어	조수	일을 보조하는 사람
이주	집을 옮겨 사는 것	조절	사물을 정도에 맞추어 고르게 함

ㅈ

자매	손윗누이와 손아랫누이. 여자끼리의 언니와 동생	존립	생존함
		존망	삶과 죽음

존재	사람이나 사물이 실재로 있음	지성감천	정성이 지극하면 하늘도 감동한다
종말	끝 판	진보	차차 향상되어 가는 것
좌시	간섭하지 않고 가만히 두고 봄	진실	거짓이 없고 바르고 착함
죄인	죄를 지은 사람	진입	내쳐 들어가는 것
주간	한주일 동안	진학	학문의 길로 나아가 배우는 것
주기	일정한 시간마다 같은 현상이 되풀이 되는 일정 시간	진행	앞으로 나아감
주말	일주일의 마지막 요일		

ㅊ

주번	일주일마다 교대하는 근무, 또는 그 당번의 사람	처소	사람이 살거나 임시로 머물러 있는 곳
주부	한 집안의 주인의 아내	처세	이 세상에서 남과 어울려 삶
죽마지우	어렸을 때부터 친한 벗을 이름	체조	건강의 증진을 위한 운동
중량	무게의 정도	청천백일	맑게 갠 대낮을 뜻함
지극	더할나위 없이 극진함	최고	가장 높음
지급	돈이나 물건을 내주는 것	최선	가장 좋거나 훌륭한 것
지당	이치에 맞고 지극히 당연함	축원	잘 되기를 빔
지대	더없이 큼	충당	모자라는 것을 채워 넣음
지류	원줄기에서 갈라진 물줄기	충치	벌레 먹은 이

충해	해충으로 인해 생기는 농작물의 피해
치과	이에 생긴 병을 치료하는 병원의 분과
치석	이의 안쪽에 엉기어 생긴 물질
친구	오래 두고 가깝게 사귄 벗

ㅌ

타산지석	다른 산의 보잘 것 없는 돌도 내 옥을 가는데 유용하게 쓰임
탁견	뛰어난 의견이나 식견
탁구	장방형의 대 위에 네트를 치고 공을 마주치는 경기. 핑퐁
탁상	책상이나 식탁 따위의 위
통일	여럿을 하나로 합침
통합	하나로 모아 합치는 것
퇴보	뒤로 물러 섬
퇴색	빛이 바램
퇴원	입원한 병자가 병원에서 나옴

ㅍ

패배	싸움에 지는 것

ㅎ

한계	사물의 정하여진 범위
한정	제한하여 정하는 것
행위	사람이 행하는 것
허가	허락함. 들어줌
협동	마음과 힘을 합함
협상	협의하여 계획함
회답	물음이나 편지 등에 대답하는 것

친구 진행

반의자(反義字)

加↔減	文↔武	勝,成↔敗	自↔他
苦↔樂,甘	發↔着	始,初↔終,末	將↔兵,卒
高↔低	夫↔婦	新↔舊	存↔亡
骨↔肉	貧↔富	往↔來	增↔減
君↔臣	氷↔炭	陸↔海	進↔退
冷↔溫	師↔弟	利↔害	
明↔暗	善↔惡	姊↔妹	

유의자(類義字)

家=宅=屋	到=致=至=着	眼=目	精=誠
監=視=見	命=令	暗=黑	停=止
建=立	物=件=品	養=育	調=和
競=爭	法=律=典=式	旅=客	存=在
舊=故=古	變=化	年=歲	終=末
具=備	報=告	往=去	增=加
規=則	思=念=考	料=量	知=識
極=末=端	生=産	恩=惠	處=所
技=術=藝=才	選=別	音=聲	退=去
端=正	順=序	意=志	寒=冷
談=話=說	心=情	戰=爭	協=助

4급 (핵심정리)

이음동자(異音同字)

說
①말씀설 : 說明(설명), 說話(설화)
②달랠세 : 遊*說(유세)
③기쁠열 : 說樂(열락)

識
①알식 : 知識(지식)
②기록할지 : 標*識(표지)

氏
①성씨씨 : 朴氏(박씨)
②나라이름지 : 明氏國(명지국)

惡
①나쁠악 : 惡習(악습), 善惡(선악)
②미워할오 : 惡寒(오한), 憎*惡(증오)

葉
①잎엽 : 落葉(낙엽)
②땅이름섭 : 葉縣*(섭현)

則
①법칙칙 : 規則(규칙), 法則(법칙)
②곧즉 : 言則是也*(언즉시야),
貧則多事 (빈즉다사)

切
①끊을절 : 切實(절실), 切親(절친)
②모두체 : 一切(일체)

宅
①집택 : 住宅(주택)
②집댁 : 貴宅(귀댁), 宅內(댁내)<활음조>

※遊(놀유–3급), 標(표할표–준2급), 憎(미워할증–2급), 縣(고을현–2급), 也(어조사야–3급)

반의어(反義語)

過去(과거) ↔ 未來(미래)

加算(가산) ↔ 減算(감산)

加速(가속) ↔ 減速(감속)

減量(감량) ↔ 增量(증량)

減退(감퇴) ↔ 增進(증진)

改良種(개량종) ↔ 在來種(재래종)

輕視(경시) ↔ 重視(중시)

高熱(고열) ↔ 低熱(저열)

近視眼(근시안) ↔ 遠視眼(원시안)

急減(급감) ↔ 急增(급증)

吉運(길운) ↔ 惡運(악운)

吉日(길일) ↔ 凶日(흉일), 惡日(악일)

大勝(대승) ↔ 大敗(대패)

都賣商(도매상) ↔ 小賣商(소매상)

都市(도시) ↔ 農村(농촌), 村落(촌락)

妹兄(매형) ↔ 妹弟(매제)

無期限(무기한) ↔ 有期限(유기한)

未成年(미성년) ↔ 成年(성년)

4급 (핵심정리)

反比例(반비례) ↔ 正比例(정비례)

白眼視(백안시) ↔ 靑眼視(청안시)

變數(변수) ↔ 常數(상수)

本店(본점) ↔ 支店(지점)

不動産(부동산) ↔ 動産(동산)

不景氣(불경기) ↔ 好景氣(호경기)

不文律(불문율) ↔ 成文律(성문율)

不完全(불완전) ↔ 完全(완전)

貧農(빈농) ↔ 富農(부농)

上半期(상반기) ↔ 下半期(하반기)

生産(생산) ↔ 消費(소비)

先進國(선진국) ↔ 後進國(후진국)

善行(선행) ↔ 惡行(악행)

成功(성공) ↔ 失敗(실패)

歲入(세입) ↔ 歲出(세출)

新式(신식) ↔ 舊式(구식)

實質(실질) ↔ 形式(형식)

惡習(악습) ↔ 良習(양습)

惡意(악의) ↔ 善意(선의)

弱骨(약골) ↔ 強骨(강골)

弱勢(약세) ↔ 強勢(강세)

完工(완공) ↔ 着工(착공)

完勝(완승) ↔ 完敗(완패)

入社(입사) ↔ 退社(퇴사)

入院(입원) ↔ 退院(퇴원)

入場(입장) ↔ 退場(퇴장)

低溫(저온) ↔ 高溫(고온)

增加(증가) ↔ 減少(감소)

增産(증산) ↔ 減産(감산)

支社(지사) ↔ 本社(본사)

進步(진보) ↔ 退步(퇴보)

最長期(최장기) ↔ 最短期(최단기)

夏至(하지) ↔ 冬至(동지)

好事(호사) ↔ 惡事(악사)

好意(호의) ↔ 惡意(악의)

好材(호재) ↔ 惡材(악재)

유의어(類義語)

開國(개국) = 建國(건국)

景觀(경관) = 景致(경치)

季氏(계씨) = 弟氏(제씨)

校則(교칙) = 學規(학규)

落望(낙망) = 落心(낙심)

代金(대금) = 代價(대가)

都會地(도회지) = 都市(도시)

冬季(동계) = 冬節(동절)

同類(동류) = 同種(동종)

頭領(두령) = 首領(수령)

登用(등용) = 擧用(거용)

萬歲(만세) = 萬年(만년)

末葉(말엽) = 末期(말기)

武藝(무예) = 武技(무기)

物質(물질) = 物體(물체)

鼻祖(비조) = 元祖(원조) = 始祖(시조)

四季(사계) = 四時(사시)

生産(생산) = 出産(출산)

仙人(선인) = 神仙(신선)

聖君(성군) = 聖王(성왕)

聖人(성인) = 聖者(성자)

洗面(세면) = 洗手(세수)

所望(소망) = 所願(소원)

宿患(숙환) = 宿病(숙병)

暗去來(암거래) = 暗賣買(암매매)

兩親(양친) = 父母(부모)

令愛(영애) = 令女(영녀)

領地(영지) = 領土(영토)

禮節(예절) = 禮度(예도)

完決(완결) = 完結(완결)

外觀(외관) = 外見(외견)

類別(유별) = 種別(종별)

肉筆(육필) = 親筆(친필) = 眞筆(진필) = 自筆(자필)

移植(이식) = 移種(이종)

人工(인공) = 人爲(인위)

自宅(자택) = 自家(자가)

財力(재력) = 富力(부력)

停戰(정전) = 休戰(휴전)

正坐(정좌) = 端坐(단좌)

志望(지망) = 志願(지원)

進步(진보) = 向上(향상)

着服(착복) = 着衣(착의)

着地(착지) = 着陸(착륙)

最善(최선) = 全力(전력)

出他(출타) = 外出(외출)

忠告(충고) = 忠言(충언)

他界(타계) = 別世(별세)

通禮(통례) = 常禮(상례)

特技(특기) = 長技(장기)

必是(필시) = 必然(필연)

夏季(하계) = 夏期(하기)

形勢(형세) = 形便(형편)

角者無齒 (각자무치)	뿔이 있는 자는 이가 없다는 뜻으로, 한 사람이 여러 복을 갖추지 못함을 이르는 말.
甘言利說 (감언이설)	남의 비위에 맞춰 그럴듯한 말로 이로운 조건을 내세워 꾀함.
擧手敬禮 (거수경례)	오른손을 모자챙의 끝, 눈썹 높이까지 올려서 하는 경례의 한 가지.
格物致知 (격물치지)	사물의 이치를 연구하여 후천적인 지식을 닦음을 이르는 말.
見利思義 (견리사의)	눈앞에 이익이 보일 때 의리에 맞는지의 여부를 생각함.
結草報恩 (결초보은)	받았던 은혜를 죽어도 잊지 못하고 갚는다는 뜻.
骨肉相爭 (골육상쟁)	가족이나 친척끼리 서로 싸움. 동족간의 싸움.
君臣有義 (군신유의)	임금과 신하 사이의 도리는 의리에 있음. 五倫(오륜)의 하나.
君子三樂 (군자삼락)	군자의 세가지 낙(君子有三樂　父母俱存兄弟無故一樂也, 仰不愧於天俯不怍於人二樂也, 得天下英才而敎育之三樂也)
落木寒天 (낙목한천)	나뭇잎이 다 떨어진, 겨울의 춥고 쓸쓸한 풍경, 또는 그러한 계절을 이르는 말.
南風不競 (남풍불경)	중국 남쪽의 음악(南風)은 음조가 미약하고 활기가 없다는 뜻으로, 대체로 세력이 크게 떨치지 못함을 이르는 말.
多情多感 (다정다감)	정이 많고 느낌이 많음. 감수성이 예민하여 감동하기 쉬움.

大書特筆 (대서특필)	확연히 드러나도록 큰 글자로 씀.
大義名分 (대의명분)	사람이 모름지기 지켜야 할 큰 의리와 직분.
獨不將軍 (독불장군)	자신 혼자서만 무엇인가를 해내려는 사람. 혼자서는 장군이 못 된다는 뜻으로, 남과 협조하여야 한다는 말.
萬病通治 (만병통치)	①어떤 한 가지 약이 여러 병에 두루 효험을 나타냄. ②어떤 사물이 여러 가지 사물에 두루 효력을 나타내는 경우를 이르는 말.
亡子計齒 (망자계치)	죽은 자식의 나이 세기라는 뜻으로, 이미 그릇된 일은 생각하여도 아무 소용이 없음을 이르는 말.
牧民心書 (목민심서)	조선 순조 때 정약용이 지은 책으로, 이서(吏胥)의 통폐(通弊)를 지적하여 관리의 바른길을 깨우치려고 사례를 들어 풀이한 내용.
無骨好人 (무골호인)	뼈 없이 좋은 사람, 곧 '지극히 순하여 남의 비위에 두루 맞는 사람'을 이르는 말.
無男獨女 (무남독녀)	아들이 없는 집안의 외딸.
百倍謝禮 (백배사례)	몹시 고마워 거듭거듭 절하며 사례함.(=百拜致謝)
百藥無效 (백약무효)	온갖 약이 효과가 없음.
百戰老將 (백전노장)	많은 전투를 치른 노련한 장수라는 뜻으로, 세상 풍파를 많이 겪어 여러 가지로 능란한 사람을 이르는 말.
兵家常事 (병가상사)	[이기고 지는 일은 전쟁에서 흔히 있는 일이라는 뜻으로] '한 번의 실패에 절망하지 말라는 뜻'으로 쓰는 말.
富貴功名 (부귀공명)	재산이 많고 지위가 높으며, 공을 세워 이름이 드러남.

夫婦有別 (부부유별)	오륜(五倫)의 하나. 부부 사이에는 엄격히 지켜야 할 인륜의 구별이 있음.
父傳子傳 (부전자전)	그 아버지에 그 아들. 곧 아들이 아버지를 닮았다는 뜻.
不正行爲 (부정행위)	바르지 못한 행위.
不事二君 (불사이군)	한 사람이 두 임금을 섬기지 아니함.
不協和音 (불협화음)	안 어울림음. (反 : 協和音)
氷炭相反 (빙탄상반)	①얼음과 숯 ②서로 정반대가 됨의 비유.
士農工商 (사농공상)	봉건 시대의 네 가지 사회 계급. 곧 선비, 농부, 장인(匠人), 상인을 말함.
事事件件 (사사건건)	모든 일. 일마다.
三寒四溫 (삼한사온)	겨울철에 우리나라와 중국 동북부 등지에서, 대개 사흘쯤 추위가 계속되다가 다음의 나흘쯤은 비교적 포근한 날씨가 계속되는 주기적 기후 현상.
善男善女 (선남선녀)	착한 남자와 착한 여자. 곧 착하고 어진 사람들.
仙風道骨 (선풍도골)	신선의 풍채와 도인의 골격. 뛰어나게 고아한 풍채를 말함.
説往説來 (설왕설래)	서로 변론을 주고 받으며 옥신각신함.

誠心誠意 (성심성의)	참되고 성실한 마음과 뜻.
歲寒三友 (세한삼우)	겨울철 친구로서 기리고 玩賞(완상)할 만한 세 가지, 곧 송(松)·죽(竹)·매(梅).
始終如一 (시종여일)	처음부터 끝까지 한결같이 함.
身世打令 (신세타령)	넋두리하듯이 자기의 불운한 신세를 한탄하여 뇌까리는 일.
實事求是 (실사구시)	사실에 토대를 두고 진리 진상을 탐구하는 일.
十常八九 (십상팔구)	[열 가운데 여덟이나 아홉이 그러하다는 뜻으로] 거의 예외 없이 그러할 것이라는 추측을 나타내는 말. 아마, 거의. 예외없이.(=十中八九)
安貧樂道 (안빈낙도)	가난하게 살면서도 편안한 마음으로 분수를 지키며 도를 즐김.
眼下無人 (안하무인)	자기밖에 없는 듯이 교만하고 사람을 업신여긴다는 말.
野壇法席 (야단법석)	야외에서 크게 베푸는 설법의 자리.
語不成說 (어불성설)	말이 조금도 사리에 맞지 아니함.
言中有骨 (언중유골)	보통 예사로운 말속에 단단한 뼈 같은 속뜻이 들어 있다는 말. 말속에 깊은 뜻이 있음을 뜻함.
言行一致 (언행일치)	말과 행동이 같음. 말한 대로 행동함.

永久不變 (영구불변)	영구히 변하지 아니함, 또는 그리되게 함.
永世中立 (영세중립)	영원히 어느 쪽에도 치우치지 않고 중간에 섬.
溫故知新 (온고지신)	옛것을 익숙하게 익혀서 그것으로 미루어 새것을 깨달음.
溫室效果 (온실효과)	대기 중의 수증기나 탄산가스가 온실의 유리와 같은 작용을 함으로써 지표면 부근의 기온이 높아지는 현상.
要式行爲 (요식행위)	법률 행위의 요소인 의사 표시가 일정한 방식에 따라 행해질 것을 필요로 하는 행위. (유언. 혼인. 또는 어음. 수표의 발행 따위)
勇氣百倍 (용기백배)	씩씩하고 굳센 기운이 비교할 수 없을 만큼 아주 많이 생겨 남.
右往左往 (우왕좌왕)	이리저리 오락가락 함. [어떤 일을] 결정짓지 못하고 망설임.
爲民奉仕 (위민봉사)	백성을 위하여 자신의 이해(利害)를 돌보지 아니하고 몸과 마음을 다하여 일함.
類萬不同 (유만부동)	많은 것이 모두 서로 같지 아니함을 이르는 말.
有備無患 (유비무환)	미리 준비가 갖추어져 있으면, 뒷걱정이 없음을 이르는 말.
耳目口鼻 (이목구비)	귀·눈·입·코를 아울러 이르는 말. 귀·눈·입·코를 중심으로 한 얼굴의 생김새.
以心傳心 (이심전심)	마음과 마음이 서로 말없이 통함.
利敵行爲 (이적행위)	적을 이롭게 하는 행위.

利害打算 (이해타산)	이해관계를 따져 셈함.
利害相半 (이해상반)	이익과 손해가 반반으로 맞섬.
人生無常 (인생무상)	인생이 덧없음을 이르는 말.
一擧 一動 (일거일동)	하나 하나의 행동이나 동작.
一石二鳥 (일석이조)	돌을 하나 던져 두 마리의 새를 잡음. 한가지 일을 해서 두 가지 이득을 봄.
一字無識 (일자무식)	글자를 한 자도 모를 정도로 무식함.(=全無識)
一進一退 (일진일퇴)	한 번 나아갔다 한 번 물러났다 함. 힘이 비슷하여 이겼다 졌다 함.
一致團結 (일치단결)	여럿이 한 덩어리로 굳게 뭉침.
自給自足 (자급자족)	자기가 필요한 것을 스스로 생산하여 충당함.
自初至終 (자초지종)	처음부터 끝까지의 동안이나 과정.(=自頭至尾)
前代未聞 (전대미문)	지난 시대에는 들어본 적이 없다는 뜻으로, 매우 놀랍거나 새로운 일을 이르는 말.
朝變夕改 (조변석개)	아침저녁으로 뜯어고친다는 뜻으로, 계획이나 결정 따위를 자주 뜯어고치는 것을 말함.(=朝夕變改, 朝夕之變)
坐不安席 (좌불안석)	불안 초조하여 한 군데에 오래 앉아 있지 못함.

竹馬故友 (죽마고우)	죽마(竹馬)를 타던 벗이라는 뜻으로, 어릴 때부터 같이 놀며 자란 친구.
至誠感天 (지성감천)	정성이 지극하면 하늘도 감동이 됨.
天災地變 (천재지변)	자연현상으로 일어나는 재앙이나 괴변.
天下無敵 (천하무적)	세상에 겨룰 자가 없음.
秋風落葉 (추풍낙엽)	가을 바람에 떨어지는 낙엽이라는 뜻으로, 세력 따위가 갑자기 기울거나 시듦을 이르는 말.
春寒老健 (춘한노건)	봄추위와 노인의 건강처럼 모든 사물이 오래가지 않음을 비유.
出將入相 (출장입상)	나가서는 장수요, 들어와서는 재상으로 문무(文武)를 겸비함.
太平聖代 (태평성대)	어진 임금이 다스리는 태평한 세상. 또는 그 시대.
敗家亡身 (패가망신)	가산을 탕진해서 없애고 몸을 망침.
敗將無言 (패장무언)	싸움에 진 장수는 말을 하지 않음.
平和共存 (평화공존)	사회 체제를 달리하는 국가 사이에서, 무력을 쓰지 않고 평화적으로 공존하는 상태, 또는 그러한 정책.
平和統一 (평화통일)	전쟁에 의하지 않고 평화적인 방법으로 이룩되는 통일.
品行端正 (품행단정)	성품과 행실이 흐트러진 데 없이 얌전하고 깔끔함.

行動擧止 (행동거지)	몸을 움직여서 하는 모든 짓.
協同精神 (협동정신)	서로 겨루지 아니하고 힘을 합하는 정신.
兄弟姊妹 (형제자매)	형제와 자매.
好衣好食 (호의호식)	잘 입고 잘 먹음, 또는 그런 생활.
凶惡無道 (흉악무도)	성질이 사납고 악하며 도리에 어그러짐.

그렇구나!

우와! 멋지다.

平和共存 (평화공존)

※ 다음 한자의 훈음이 바른 것을 고르시오.

1. 季(　　) ①오얏 리 ②가을 추 ③효도 효 ④철　계

2. 致(　　) ①이를 지 ②이를 도 ③이를 치 ④사귈 교

3. 養(　　) ①기를 양 ②양　양 ③어질 량 ④붙을 착

4. 特(　　) ①기다릴 대 ②특별할 특 ③칠　목 ④재주 기

5. 着(　　) ①양　양 ②기를 양 ③붙을 착 ④살필 성

6. 場(　　) ①집　당 ②마당 장 ③볕　양 ④장할 장

7. 獨(　　) ①읽을 독 ②신선 선 ③가릴 선 ④홀로 독

8. 輕(　　) ①글　경 ②가벼울 경 ③집　당 ④군사 군

9. 週(　　) ①주일 주 ②빠를 속 ③고를 조 ④원수 적

10. 建(　　) ①법　률 ②건강할 건 ③세울 건 ④붓　률

※ 다음 훈음에 맞는 한자를 고르시오.

11. 마디 절(　　) ①竹　②節　③質　④切

12. 재앙 재(　　) ①支　②至　③志　④災

13. 구원할 구(　　) ①求　②球　③救　④九

14. 붓　필(　　) ①畫　②筆　③畫　④春

15. 모일 집(　　) ①集　②團　③合　④雄

16. 눈　안(　　) ①目　②視　③眼　④見

17. 가장 최(　　) ①最　②卓　③祝　④勢

18. 볕　경(　　) ①京　②夜　③束　④景

19. 무거울 중(　　) ①量　②重　③動　④車

20. 돌　회(　　) ①會　②回　③區　④由

※ 다음 밑줄 친 한자의 훈음이 문장에서 가장 잘 어울리는 것을 고르시오.

21. 난 過去의 일을 까맣게 잊어버렸다.　(　　)
①허물과　②떠날과　③지날과　④빼앗을과

22. 그는 회사에서 末端 직원이다.　(　　)
①바를단　②끝단　③실마리단　④단정할단

※ 다음 물음에 알맞은 답을 고르시오.

23. "誠"자가 만들어진 원리에 대한 설명으로 알맞지 않은 것은?　(　　)
①이미 만들어진 두 글자가 합하여 만들어졌다.
②이 한자는 六書 중 "회의자"에 속한다.
③이 한자는 六書 중 "형성자"에 속한다.
④"言"은 뜻을 "成"은 음을 나타낸다

24. "約"자를 자전(옥편)에서 찾을 때의 방법으로 바른 것은?　(　　)
①부수로 찾을 때는 "糸"부수 9획에서 찾는다.
②자음으로 찾을 때는 "속"음에서 찾는다.
③총획으로 찾을 때는 "11획"에서 찾는다.
④부수로 찾을 때는 "糸"부수 3획에서 찾는다.

25. "初"자와 상대되는 뜻의 한자는?　(　　)
①始　②終　③表　④未

26. 서로 비슷한 뜻을 가진 한자의 연결이 아닌 것은?
(　　)
①法=律　②競=爭　③旅=客　④自=他

27. 《 鳥□, 種□, □別 》에서 □안에 공통으로 들어갈 한자는?　(　　)
①氣　②子　③分　④類

※ 다음 한자어의 독음이 바른 것을 고르시오.

28. 敗北 (   ) ①패북 ②효북 ③패배 ④효배

29. 試圖 (   ) ①시단 ②식도 ③식원 ④시도

30. 移動 (   ) ①추동 ②이동 ③다중 ④이중

31. 便所 (   ) ①편소 ②편근 ③변소 ④변근

32. 將軍 (   ) ①국군 ②해군 ③장군 ④장남

33. 兩親 (   ) ①양친 ②우신 ③량친 ④우친

34. 器具 (   ) ①식기 ②기구 ③기기 ④구기

35. 打算 (   ) ①정산 ②타수 ③계산 ④타산

※ 다음 한자어의 뜻으로 알맞은 것을 고르시오.

36. 個性   (   )
①본래의 성씨   ②곧고 굳은 성품
③사람이 지닌, 남과 다른 특성 ④본래의 성품

37. 夫人   (   )
①자신의 아내를 일컬음   ②어떤 남자
③남을 높이어 그의 '남편'을 일컬음
④남을 높이어 그의 '아내'를 일컬음

※ 다음 낱말을 한자로 바르게 쓴 것을 고르시오.

38. 사례 : 어떤 일이 전에 실제로 일어난 예 (   )
①事例   ②社禮   ③思例   ④謝禮

39. 상품 : 사고 파는 물품   (   )
①上品   ②賞品   ③商品   ④相品

40. 이 文章의 주어는 무엇인가?   (   )
①문제   ②문서   ③교장   ④문장

※ 다음 밑줄 친 부분에 알맞은 독음이나 한자를 고르시오.

41. 인간의 限界에 도전하는 다양한 삶이 소개되었다.
                              (   )
①정계   ②세계   ③한계   ④퇴계

42. 그는 여러 편의 시를 暗記하고 있다. (   )
①표기   ②암기   ③음기   ④암송

43. 모든 병은 조기에 치료하는 것이 좋다.(   )
①朝期   ②무期   ③朝基   ④무基

44. 학창 시절에는 많은 지식을 얻게 된다.(   )
①知識   ②志識   ③知植   ④志植

※ 다음 물음에 알맞은 답을 고르시오.

45. 다음 중 한자어의 짜임이 다른 하나는?(   )
①着服   ②授業   ③洗面   ④學生

46. 다음 중 "溫水"와 상대되는 뜻의 한자어는?
                              (   )
①冰水   ②冷水   ③生水   ④食水

47. 다음 중 "宿病"과 비슷한 뜻의 한자어는?
                              (   )
①熱病   ②病者   ③宿患   ④宿敵

48. "亡子計齒"의 속뜻으로 알맞은 것은?(   )
①이미 그릇된 일은 생각하여도 아무 소용이 없음
②말 속에 깊은 뜻이 있음
③아들이 아버지를 닮음
④아들이 없는 집안의 외딸

49. 부모님께 행하는 효의 방법으로 옳지 않은 것은?
                              (   )
①부모님이 들어오시면 일어나 인사한다.
②음식은 투정부리지 않고 감사하는 마음으로 먹는다.
③밖에 나갈 때는 부모님께 갈 곳을 알린다.
④부모님께서 잘못이 있으시면 성내며 충고한다.

50. 다음 중 우리의 고유명절이 아닌 것은? (   )
①대보름   ②설   ③성탄절   ④추석

※ 다음 한자의 훈음이 바른 것을 고르시오.

1. 常 (   ) ①마땅할당 ②집   당 ③항상상 ④상줄 상

2. 敵 (   ) ①갈   적 ②원수적 ③맞을적 ④과녁 적

3. 完 (   ) ①으뜸 원 ②근본 원 ③집   원 ④완전할완

4. 典 (   ) ①법   전 ②펼   전 ③전할전 ④온전할전

5. 患 (   ) ①충성 충 ②근심 우 ③근심환 ④은혜 혜

6. 齒 (   ) ①코   비 ②이   치 ③벌레충 ④눈   안

7. 鮮 (   ) ①양   양 ②기를 양 ③가릴선 ④고울 선

8. 餘 (   ) ①마실 음 ②겨레 족 ③남을여 ④밥   식

9. 統 (   ) ①통할 통 ②거느릴통 ③채울 충 ④맺을 약

10. 炭 (   ) ①넓을 광 ②군사 병 ③재앙재 ④숯   탄

※ 다음 훈음에 맞는 한자를 고르시오.

11. 겉   표 (   ) ①衣 ②責 ③表 ④展

12. 클   위 (   ) ①爲 ②事 ③太 ④偉

13. 동산 원 (   ) ①園 ②遠 ③團 ④原

14. 허락할 허 (   ) ①計 ②許 ③談 ④話

15. 터   기 (   ) ①具 ②其 ③基 ④期

16. 널빤지 판 (   ) ①波 ②反 ③樹 ④板

17. 이를 치 (   ) ①到 ②支 ③致 ④進

18. 성스러울성 (   ) ①聖 ②星 ③城 ④省

19. 맺을 결 (   ) ①決 ②結 ③敬 ④終

20. 그림 도 (   ) ①畫 ②畵 ③紙 ④圖

※ 다음 밑줄 친 한자의 훈음이 문장에서 가장 잘 어울리는 것을 고르시오.

21. 정성이 至極하면 하늘도 감동한다. (   )
①이를지   ②지극할지   ③많을지   ④깊을지

22. 방금 긴급 뉴스가 報道되었다. (   )
①알릴보   ②갚을보   ③신문보   ④나아갈보

※ 다음 물음에 알맞은 답을 고르시오.

23. 상형(사물의 모양을 본떠서 만든 글자)의 원리로 만들어진 한자는 무엇인가? (   )
①足   ②助   ③黃   ④三

24. "宅"자를 옥편에서 찾을 때의 방법으로 바르지 <u>않은</u> 것은? (   )
①부수로 찾을 때는 "宀"부수의 6에서 찾는다.
②자음으로 찾을 때는 "택"음에서 찾는다.
③총획으로 찾을 때는 "6획"에서 찾는다.
④부수로 찾을 때는 "宀"부수의 3획에서 찾는다.

25. 서로 상대되는 뜻을 가진 한자의 연결이 <u>아닌</u> 것은? (   )
①加↔減   ②發↔着   ③增↔減   ④黑↔暗

26. 서로 비슷한 뜻의 한자 연결이 <u>아닌</u> 것은? (   )
①競=爭   ②生=命   ③半=步   ④正=直

27. 《 年□ ,□時, □□月》에서 □안에 공통으로 들어갈 한자는? (   )
①末   ②未   ③世   ④歲

28. 樂水 (   ) ①악수 ②약수 ③락수 ④요수
29. 守則 (   ) ①촌즉 ②수즉 ③수칙 ④촌칙
30. 參席 (   ) ①삼도 ②참도 ③참석 ④삼석
31. 祭壇 (   ) ①제단 ②제사 ③시사 ④찰단
32. 本質 (   ) ①본성 ②본질 ③체질 ④소질
33. 査察 (   ) ①사단 ②사제 ③사찰 ④조사
34. 藝術 (   ) ①엽기 ②예기 ③기술 ④예술
35. 考試 (   ) ①효시 ②고무 ③고시 ④고식

※ 다음 한자어의 뜻으로 알맞은 것을 고르시오.

36. 朗讀   (   )
①글을 밝은 표정으로 읽음 ②글을 소리내어 읽음
③글을 속으로 읽음   ④글을 암기하여 읽음

37. 政勢   (   )
①일이 되어가는 사정과 형세 ②올바른 정치
③정치상의 동향이나 형세   ④정치상의 강한 세력

※ 다음 낱말을 한자로 바르게 쓴 것을 고르시오.

38. 개선 : 잘못된 점을 고치어 잘 되게 함 (   )
①改選   ②個善   ③改善   ④個選

39. 천재 : 자연현상으로 일어난 재난 (   )
①天材   ②天才   ③千災   ④天災

※ 다음 밑줄 친 한자어의 독음으로 바른 것을 고르시오.

40. 선생님께서는 例文을 들어 설명하셨다. (   )
①단문   ②례문   ③한문   ④예문

41. 죄의 輕重에 따라 부과된 형벌이 다르다. (   )
①비중   ②경동   ③경중   ④운동

42. 진리란 永久 불변한 것이다. (   )
①수구   ②영구   ③빙고   ④빙구

※ 다음 밑줄 친 낱말을 한자로 바르게 쓴 것을 고르시오.

43. 모든 일에 정성을 다하자. (   )
①情性   ②情誠   ③精誠   ④精盛

44. 다음주까지 입학원서를 제출하여야 한다.
                                    (   )
①原書   ②願書   ③原畵   ④願畵

※ 다음 물음에 알맞은 답을 고르시오.

45. "赤色"과 한자어의 짜임이 같은 것은? (   )
①建國   ②登山   ③打者   ④打字

46. "主觀"과 상대되는 뜻의 한자어는? (   )
①主人   ②客觀   ③美觀   ④所關

47. "規定"과 비슷한 뜻의 한자어는? (   )
①式順   ②自律   ③人格   ④格式

48. '마음에서 마음으로 전달된다'는 뜻의 성어는?
                                    (   )
①作心三日 ②以心傳心 ③父傳子傳 ④一心同體

49. 선인들이 남긴 글을 대하는 태도로 바르지 않은 것은?
                                    (   )
①글 속에 담긴 속뜻을 잘 헤아린다.
②선인들의 좋은 가르침을 실천한다.
③시대에 맞지 않으므로 무시한다.
④오늘날에 적용할 수 있는 방법을 생각한다.

50. 옛날부터 우리 조상들이 주로 노래를 부를 때가 아닌 것은? (   )
①밭일 할 때   ②모심기 할 때
③노젓기 할 때   ④병이 났을 때

※ 다음 한자의 훈음이 바른 것을 고르시오.

1. 健 (   ) ①세울 건 ②나아갈 진 ③붓 필 ④건강할 건

2. 個 (   ) ①낱 개 ②군을 고 ③열 개 ④예 고

3. 景 (   ) ①서울 경 ②볕 경 ③공경 경 ④헤아릴 량

4. 給 (   ) ①등급 급 ②줄 급 ③합할 합 ④미칠 급

5. 淸 (   ) ①푸를 청 ②정기 정 ③맑을 청 ④뜻 정

6. 比 (   ) ①북녘 북 ②비수 비 ③견줄 비 ④이 차

7. 浴 (   ) ①바다 양 ②목욕할 목 ③목욕할 욕 ④골짜기 곡

8. 倍 (   ) ①갑절 배 ②맡길 임 ③나눌 부 ④벼슬할 사

9. 罪 (   ) ①허물 과 ②허물 죄 ③아닐 비 ④나쁠 악

10. 熱 (   ) ①권세 세 ②재주 예 ③잎 엽 ④더울 열

※ 다음 훈음에 맞는 한자를 고르시오.

11. 주일 주(   ) ①調 ②周 ③州 ④週

12. 법 식(   ) ①武 ②識 ③式 ④戈

13. 책상 안(   ) ①安 ②案 ③完 ④室

14. 높을 탁(   ) ①卓 ②早 ③量 ④草

15. 씨 종(   ) ①重 ②動 ③種 ④和

16. 한정 한(   ) ①退 ②限 ③朗 ④寒

17. 재물 재(   ) ①才 ②材 ③財 ④貝

18. 사건 건(   ) ①件 ②巾 ③建 ④作

19. 물 하(   ) ①可 ②河 ③水 ④洋

20. 공변될 공(   ) ①工 ②功 ③共 ④公

※ 다음 물음에 알맞은 답을 고르시오.

21. 다음 중 한자와 총획의 연결이 바르지 <u>않은</u> 것은?
(   )
①進-총12획 ②惡-총14획 ③來-총8획 ④限-총9획

22. "至誠感天"에서 쓰이는 "至"의 알맞은 훈음은?
(   )
①이를 지 ②이를 치 ③지극할 지 ④이를 도

23. 다음 중 밑줄 친 "家"자의 뜻이 <u>다른</u> 하나는?
(   )
①畵家 ②家庭 ③外家 ④家族

24. "序"자를 자전(옥편)에서 찾을 때의 방법으로 바르지 <u>않은</u> 것은? (   )
①부수로 찾을 때는 "广"부수 3획에서 찾는다.
②총획으로 찾을 때는 "7획"에서 찾는다.
③자음으로 찾을 때는 "서"음에서 찾는다.
④부수로 찾을 때는 "广"부수 4획에서 찾는다.

25. 다음 중 상대되는 뜻으로 이루어진 한자어가 <u>아닌</u> 것은? (   )
①師弟 ②姊妹 ③冷溫 ④君主

26. 다음 중 비슷한 뜻으로 이루어진 한자어가 <u>아닌</u> 것은?
(   )
①報告 ②養育 ③生産 ④明暗

27. 《 □説, □授, □記 》에서 □안에 공통으로 들어갈 한자는? (   )
①全 ②傳 ③典 ④展

28. 最初 (   ) ①최소 ②시초 ③최신 ④최초

29. 念願 (   ) ①념원 ②금원 ③염원 ④영원

30. 住宅 (   ) ①주가 ②주택 ③가택 ④왕택

31. 充足 (   ) ①충족 ②충분 ③통분 ④통족

32. 勝利 (   ) ①승화 ②승리 ③승패 ④유리

33. 年歲 (   ) ①연해 ②연세 ③년세 ④오년

34. 結束 (   ) ①결말 ②결과 ③약속 ④결속

35. 眞空 (   ) ①사공 ②진상 ③진공 ④수공

※ 다음 한자어의 뜻으로 알맞은 것을 고르시오.

36. 是正   (   )
    ①이것이 옳음   ②잘못된 것을 바로잡음
    ③바로 이것임   ④맞다고 인정함

37. 將來   (   )
    ①앞으로 닥쳐올 날   ②장군이 오다
    ③이미 지나간 날   ④장군과 병졸

※ 다음 낱말을 한자로 바르게 쓴 것을 고르시오.

38. 사실 : 사물의 실제 모습을 있는 그대로 그려냄
                            (   )
    ①事實   ②史實   ③査實   ④寫實

39. 독자 : 저 혼자, 그 자신만의 특유함 (   )
    ①讀者   ②獨自   ③獨子   ④讀子

※ 다음 밑줄 친 한자어의 독음으로 바른 것을 고르시오.

40. 그 내용을 具體적으로 말해 보아라! (   )
    ①기체   ②구체   ③기신   ④전체

41. 강한 意志를 키우고 싶다.   (   )
    ①의지   ②의사   ③음기   ④음의

42. 자연을 지키고 살리는 것은 우리 모두의 課題이다.
                            (   )
    ①과외   ②숙제   ③과제   ④과시

※ 다음 밑줄 친 낱말을 한자로 바르게 쓴 것을 고르시오.

43. 정전으로 인하여 온 마을이 잠시 암흑 세계가 되었
    었다.   (   )
    ①停戰   ②停電   ③精戰   ④精電

44. 갑작스런 소식을 듣고 그 자리에서 실신했다.
                            (   )
    ①失信   ②失身   ③失神   ④失新

※ 다음 물음에 알맞은 답을 고르시오.

45. 한자어의 짜임이 다른 것은?   (   )
    ①成敗   ②左右   ③貧富   ④表面

46. 다음 한자어 중 뜻이 다른 것은?   (   )
    ①始祖   ②鼻祖   ③元祖   ④高祖

47. 다음 중 "放心"과 상대되는 뜻의 한자어는?
                            (   )
    ①變心   ②操心   ③苦心   ④祖心

48. "樂山樂水"의 뜻풀이로 알맞은 것은? (   )
    ①산과 물에서 즐겁게 지냄   ②자연을 노래함
    ③산을 좋아하고 물을 좋아함 ④자연에서 약초를 캠

49. '학문'하는 자세로 바르지 않은 것은? (   )
    ①글자의 획을 곧고 바르게 쓴다.
    ②남에게 빌린 책은 온전하게 돌려준다.
    ③숙제는 친구 것을 보고 베긴다.
    ④바른 자세로 앉아서 공부한다.

50. 다음 중 형제간에 필요한 덕목은?   (   )
    ①忠誠   ②孝道   ③友情   ④友愛

※ 다음 한자의 훈음이 바른 것을 고르시오.

1. 任 ( ) ①벼슬할사 ②선비사 ③맡길임 ④맡을책

2. 識 ( ) ①알 지 ②알 식 ③시험시 ④창 과

3. 財 ( ) ①재주재 ②조개패 ③재물재 ④재목재

4. 城 ( ) ①이룰성 ②성할성 ③덜 감 ④재 성

5. 廣 ( ) ①넓을황 ②누를황 ③빛 광 ④넓을광

6. 放 ( ) ①모 방 ②놓을방 ③본받을효 ④정사정

7. 兒 ( ) ①아이동 ②채울충 ③아이아 ④맏 형

8. 政 ( ) ①놓을방 ②바를정 ③정할정 ④정사정

9. 園 ( ) ①멀 원 ②모일단 ③둥글단 ④동산원

10. 移 ( ) ①옮길이 ②화할화 ③가을추 ④벼 화

※ 다음 훈음에 맞는 한자를 고르시오.

11. 연고 고 ( ) ①故 ②苦 ③告 ④固

12. 곳 처 ( ) ①所 ②虎 ③處 ④店

13. 이를 도 ( ) ①利 ②到 ③致 ④則

14. 볼 시 ( ) ①是 ②規 ③觀 ④視

15. 호수 호 ( ) ①活 ②好 ③湖 ④河

16. 마을 촌 ( ) ①守 ②寸 ③村 ④才

17. 집 옥 ( ) ①室 ②玉 ③院 ④屋

18. 볕 양 ( ) ①場 ②陽 ③洋 ④漁

19. 몸 신 ( ) ①體 ②骨 ③身 ④耳

20. 값 가 ( ) ①價 ②賣 ③億 ④買

※ 다음 물음에 알맞은 답을 고르시오.

21. 지사자(추상적인 뜻을 점이나 부호로 나타냄)의 원리로 만들어진 한자는? ( )

①寸 ②村 ③妹 ④雨

22. "善"자의 의미가 <u>다른</u> 것은? ( )

①善女 ②善良 ③善戰 ④善惡

23. "師"자의 상대되는 뜻의 한자는? ( )

①第 ②兄 ③弟 ④孫

24. 다음 한자 중 부수가 <u>다른</u> 하나는? ( )

①炭 ②鳥 ③熱 ④災

25. 서로 비슷한 뜻을 가진 한자의 연결이 <u>아닌</u> 것은?

( )

①眼=目 ②寒=冷 ③空=間 ④骨=肉

26. 다음 한자 중 뜻이 <u>다른</u> 하나는? ( )

①藝 ②技 ③材 ④術

27. 《 倍□, □字, 度□ 》에서 □안에 공통으로 들어갈 한자는? ( )

①漢 ②加 ③數 ④手

28. 季節 (　　　) ①계절 ②추절 ③계조 ④이절

29. 卓球 (　　　) ①족구 ②조구 ③탁구 ④탁상

30. 勞動 (　　　) ①이동 ②영동 ③노동 ④노중

31. 筆順 (　　　) ①율순 ②율훈 ③필순 ④필기

32. 案件 (　　　) ①사건 ②안전 ③물건 ④안건

33. 老後 (　　　) ①로후 ②노후 ③노년 ④고후

34. 信望 (　　　) ①언망 ②어망 ③신용 ④신망

35. 果然 (　　　) ①과열 ②과연 ③동연 ④동열

36. 送金 (　　　)

①돈을 벌어들임　　②금요일에 보냄

③돈을 빌려줌　　④돈을 보냄

37. 充當 (　　　)

①충분히 부유해짐　　②모자라는 것을 채워 넣음

③충분히 당연함　　④몹시 부족함

38. 의치 : 만들어 넣은 이 (　　　)

①健齒　　②蟲齒　　③醫齒　　④義齒

39. 성업 : 사업이나 장사가 잘 되는 일 (　　　)

①作業　　②成功　　③盛業　　④成業

40. 우리나라의 首都는 서울이다. (　　　)

①도자　　②도읍　　③수도　　④도시

41. 그 할머니는 재산 一切(을)를 사회에 기부했다.

(　　　)

①일부　　②일절　　③일초　　④일체

42. 원숭이를 구경하는 어린이의 표정이 마냥 즐겁다.

(　　　)

①表正　　②表精　　③表情　　④表定

43. 요즘은 조기교육이 일반화되고 있다. (　　　)

①朝期　　②朝基　　③무基　　④早期

44. 저런 행동은 교양이 없어 보인다. (　　　)

①敎養　　②校養　　③敎育　　④校育

45. '무엇이 + 어떠하다'는 짜임으로 구성된 한자어는?

(　　　)

①高山　　②日出　　③山下　　④下山

46. "生産"과 상대되는 뜻의 한자어는? (　　　)

①消化　　②費用　　③出産　　④消費

47. "朗讀"과 비슷한 뜻의 한자어는? (　　　)

①訓讀　　②暗記　　③音讀　　④讀書

48. "不事二君"의 뜻풀이로 맞는 것은? (　　　)

①두 임금은 없다.

②한 사람이 두 임금을 섬기지 않는다.

③임금은 두 가지 일을 하지 않는다.

④한 사람이 두 명의 군자를 섬기지 않는다.

49. 우리가 실생활에서 할 수 있는 "예절 바른 행동"으로 옳지 않은 것은? (　　　)

①웃어른께는 항상 공손하게 인사를 드린다.

②공공장소에서는 큰 소리로 떠든다.

③노약자에게 자리를 양보한다.

④친구, 형제간에 사이좋게 지낸다.

50. 한자를 쓰는 일반적인 순서로 바르지 않은 것은?

(　　　)

①왼쪽에서 오른쪽으로 쓴다.

②세로나 가로를 꿰뚫는 획은 맨 나중에 쓴다.

③세로획을 먼저 쓰고, 가로획은 나중에 쓴다.

④辶, 廴은 맨 나중에 쓴다.

※ 다음 한자의 훈음이 바른 것을 고르시오.

1. 賣 (   ) ①값 가 ②살 매 ③팔 매 ④읽을독
2. 令 (   ) ①이제금 ②나눌분 ③옷깃령 ④하여금령
3. 武 (   ) ①법 식 ②굳셀건 ③알 식 ④굳셀무
4. 兩 (   ) ①비 우 ②들 입 ③두 양 ④두 량
5. 束 (   ) ①빠를속 ②묶을속 ③동녘동 ④살필성
6. 祭 (   ) ①제사제 ②살필찰 ③제단단 ④보일시
7. 旅 (   ) ①놓을방 ②겨레족 ③나그려 ④손님객
8. 郡 (   ) ①고을읍 ②도읍도 ③임금군 ④고을군

※ 다음 밑줄 친 한자의 훈음이 문장에서 가장 잘 어울리는 것을 고르시오.

9. 청아한 音律에 흠뻑 젖어들었다. (   )
　　①법률 ②가락률 ③피리률 ④절제할률

10. 목사님의 說敎가 나를 변화시켰다. (   )
　　①기쁠열 ②달랠세 ③머무를세 ④말씀설

※ 다음 훈음에 맞는 한자를 고르시오.

11. 말씀 화 (   ) ①談 ②話 ③和 ④活
12. 가벼울경 (   ) ①經 ②輕 ③京 ④景
13. 고칠 개 (   ) ①政 ②敗 ③改 ④個
14. 겨레 족 (   ) ①旅 ②旗 ③放 ④族
15. 맺을 약 (   ) ①約 ②練 ③藥 ④弱
16. 매길 과 (   ) ①果 ②界 ③課 ④科
17. 정기 정 (   ) ①情 ②精 ③政 ④淸
18. 해　세 (   ) ①洗 ②年 ③勢 ④歲

※ 다음 □안에 공통으로 들어갈 한자를 고르시오.

19. 《 □法, 獨□, 先□ 》 (   )
　　①國 ②立 ③惡 ④唱

20. 《 □服, □陸, 到□ 》 (   )
　　①大 ②韓 ③着 ④炭

※ 다음 물음에 알맞은 답을 고르시오.

21. 다음 중 한자의 제자원리가 다른 것은?
　　(   )
　　①本 ②甘 ③末 ④注

22. "競"자의 뒤에 어울리지 않은 한자는?
　　(   )
　　①爭 ②告 ③技 ④選

23. 다음 중 "圖"자의 훈(訓)이 다른 것은?
　　(   )
　　①地圖 ②圖表 ③試圖 ④圖?紙

24. 다음 중 훈(訓)이 다른 한자는? (   )
　　①班 ②半 ③區 ④分

25. 다음 중 비슷한 뜻을 가진 한자로 이루어지지 않은 것은? (   )
　　①變化 ②利害 ③養育 ④監視

26. 다음 한자 중 부수가 <u>다른</u> 하나는? (   )

①味   ②善   ③商   ④回

27. "坐不安□"에서 □안에 들어갈 한자는? (   )

①席   ②心   ③石   ④度

※ 다음 한자어의 독음이 바른 것을 고르시오.

28. 億萬 (   ) ①의약 ②억만 ③의만 ④억대
29. 數數 (   ) ①수수 ②삭수 ③삭삭 ④촉수
30. 十月 (   ) ①십일 ②십월 ③시월 ④시일
31. 鐵路 (   ) ①철도 ②철노 ③철길 ④철로
32. 聲調 (   ) ①이조 ②성조 ③성주 ④악조
33. 敵軍 (   ) ①적군 ②전군 ③적운 ④전차
34. 擧動 (   ) ①거중 ②거동 ③여동 ④수동
35. 種目 (   ) ①과목 ②이목 ③종목 ④화목

※ 다음 한자어의 뜻으로 알맞은 것을 고르시오.

36. 餘波   (   )

①잔잔한 물결   ②전하여 널리 퍼뜨림
③주위에 미치는 영향   ④주위의 반응

37. 卓見   (   )

①높은 곳에서 봄   ②뛰어난 의견이나 식견
③높은 곳을 향함   ④뛰어난 사람을 앎

※ 다음 낱말을 한자로 바르게 쓴 것을 고르시오.

38. 신록 : 초여름에 새로 나온 잎들이 띤 연한 초록색
                            (   )

①草綠   ②葉錄   ③新綠   ④新木

39. 별세 : "죽음"의 높임말   (   )

①別故   ②下山   ③別世   ④作別

※ 다음 밑줄 친 한자어의 독음으로 바른 것을 고르시오.

40. 이 사건이 있은 후 그는 <u>英雄</u>이 되었다. (   )

①영재   ②화웅   ③회장   ④영웅

41. 문화센타에서는 <u>每週</u> 강연회를 연다. (   )

①매일   ②해조   ③매주   ④매조

※ 다음 밑줄 친 낱말을 한자로 바르게 쓴 것을 고르시오.

42. 시험<u>기간</u>에는 도서관이 늘 붐빈다.   (   )

①其間   ②期間   ③記間   ④基間

43. 모든 일에는 <u>원인</u>이 있기 마련이다.   (   )

①願人   ②原因   ③元因   ④願因

44. 새로운 모델의 신제품 등장으로 내 핸드폰은 벌써 <u>구형</u>이 되었다.   (   )

①球形   ②救形   ③具形   ④舊形

※ 다음 물음에 알맞은 답을 고르시오.

45. 한자어의 짜임이 <u>다른</u> 하나는?   (   )

①休日   ②誠心   ③無罪   ④明月

46. "後孫"과 상대되는 뜻의 한자어는?   (   )

①孫女   ②後祖   ③子孫   ④先祖

47. "仙人"과 비슷한 뜻의 한자어는?   (   )

①好人   ②神仙   ③惡人   ④新仙

48. 한자어의 뜻풀이가 바르지 <u>않은</u> 것은? (   )

①花開-꽃이 피다   ②出血-피가 나다
③山高-높은 산   ④夜來-밤이 오다

49. 다음 禮에 관한 설명 중 아홉가지생각(九思)으로 올바르지 <u>못한</u> 것은?   (   )
①의심나는 것이 있을 때는 물어 알아볼 것을 생각함
②분하고 화가 날 때에는 어려움이 닥칠 것을 생각함
③자신에게 이로운 것을 보면 옳은 것인가를 생각함
④얻을 것을 보았을 때에는 먼저 취할 것만을 생각함

50. 다음 중 한자문화권에 속하지 <u>않은</u> 나라는?
                            (   )

①중국   ②러시아   ③일본   ④한국

部首 214字와 部首訓音 一覽表

1획

一 한 일
丨 뚫을 곤
丶 별똥,짐 주[짐]
丿 삐침 별[삐침]
乙 새 을(乚)
[새을방]
亅 갈고리 궐

2획

二 두 이
亠 머리부분 두
[돼지해(亥)머리]
人 사람 인(亻)
[사람인변]
儿 ①어진사람인
②걷는사람인
入 들 입
八 여덟 팔
冂 멀 경
冖 덮을 멱{冪}
[민갓머리]
冫 얼음 빙{氷,冰}
[이수변]
几 안석, 책상궤
凵 입벌릴 감
[위튼입구몸]
刀 칼 도(刂)
[칼도방]
力 힘 력
勹 쌀 포{包}
匕 비수 비
匚 상자 방
[옆튼입구몸]
匸 감출 혜
[튼에운담]
十 열 십
卜 점 복

卩 병부 절(㔾)
厂 ①굴바위 엄
②언덕 한
[민엄호]
厶 사사 사
[마늘모]
又 또 우

3획

口 입 구
囗 에울 위
[큰입구몸]
土 흙 토
士 선비 사
夂 뒤져올 치
夊 천천히걸을쇠
夕 저녁 석
大 큰 대
女 여자 녀
子 아들 자
宀 집 면
[갓머리]
寸 마디 촌
小 작을 소
尢 절름발이 왕(尣,兀)
尸 주검 시{屍}
屮 싹날 철
[왼손좌(屮)]
山 메,뫼 산
川 내 천{巛}
[개미허리]
工 장인 공
己 몸 기
巾 수건 건
干 방패 간
幺 작을 요
广 집 엄
[엄호]

廴 길게걸을 인
[민책받침]
廾 들,손맞잡을공
[스물입발]
弋 주살 익
弓 활 궁
彐 돼지머리 계(彑,彐)
[튼가로왈]
彡 터럭 삼
[삐친석삼]
彳 자축거릴 척
[두인변]

4획

心 마음 심(忄,㣺)
[심방변, 마음심발]
戈 창 과
戶 지게문 호
手 손 수(扌)
[손수변, 재방변]
支 지탱할 지
攴 칠 복(攵)
[등글월문]
文 글월 문
斗 말 두
斤 도끼,무게근
方 모 방
无 없을 무(旡)
[이미기(既)방]
日 날,해 일
曰 가로 왈
月 달 월
木 나무 목
欠 하품 흠
止 그칠 지
歹 앙상한뼈 알(歺)
[죽을사(死)변]
殳 몽둥이 수
[갖은등글월문]

毋 말 무
比 견줄 비
毛 털 모
氏 성씨, 각씨 시
气 기운 기{氣}
水 물 수(氵,氺)
[삼수변, 물수발]
火 불 화(灬)
[연화발]
爪 손톱 조(爫)
父 아비 부
爻 점괘 효
爿 조각 장
[장수장(將)변]
片 조각 편
牙 어금니 아
牛 소 우(牛)
犬 개 견(犭)
[개사슴록변]

5획

玄 검을 현
玉 구슬 옥(王)
瓜 오이 과
瓦 기와 와
甘 달 감
生 날 생
用 쓸 용
田 밭 전
疋 ①발 소
②필 필
疒 병들 녁
[병질엄]
癶 걸음 발
[필발(發)머리]
白 흰 백
皮 가죽 피
皿 그릇 명

目 눈 목(罒)	虍 범 호{虎} [범호엄]	門 문 문	鹵 소금밭 로
矛 창 모	虫 벌레 충(蟲),훼	阜 언덕 부(阝) [좌부변]	鹿 사슴 록
矢 화살 시	血 피 혈	隶 미칠 이	麥 보리 맥
石 돌 석	行 다닐 행	佳 새 추	麻 삼 마
示 보일 시(礻)	衣 옷 의(衤)	雨 비 우	

12획

内 짐승발자국 유	両 덮을 아(襾)	靑 푸를 청	黃 누를 황
禾 벼 화		非 아닐 비	黍 기장 서
穴 구멍 혈(穴)			黑 검을 흑
立 설 립			黹 바느질할 치

7획 / 9획 / 6획

	見 볼 견	面 얼굴 면	

6획

竹 대 죽(⺮) [대죽머리]
米 쌀 미
糸 실 사(絲)
缶 장군 부
网 그물망(罒, 四){網}
羊 양 양(⺶)
羽 깃 우
老 늙을 로(耂) [늙을로엄]
而 말이을 이
耒 쟁기,가래뢰
耳 귀 이
聿 붓,오직 율
肉 고기 육(月) [육달월]
臣 신하 신
自 스스로 자
至 이를 지
臼 절구 구(臼)
舌 혀 설
舛 어그러질 천
舟 배 주
艮 머무를,그칠간
色 빛 색
艸 풀 초(艹,艹) [초(草)두,풀초머리]

7획

見 볼 견
角 뿔 각
言 말씀 언
谷 골 곡
豆 콩,제기 두
豕 돼지 시
豸 ①벌레 치 ②해태 태 [갖은돼지시변]
貝 조개 패
赤 붉을 적
走 달릴 주
足 발 족(⻊)
身 몸 신
車 수레 거(차)
辛 매울 신
辰 별 진
辵 쉬엄쉬엄갈 착(辶) [책받침]
邑 고을 읍(阝) [우부방]
酉 닭,술병 유
釆 분별할 변
里 마을 리

8획

金 쇠 금
長 긴,어른 장(镸)

9획

面 얼굴 면
革 가죽 혁
韋 다룸가죽 위
韭 부추 구
音 소리 음
頁 머리 혈
風 바람 풍
飛 날 비
食 밥 식(食,飠)
首 머리 수
香 향기 향

10획

馬 말 마
骨 뼈 골
高 높을 고
髟 머리털늘어질 표 [터럭발(髮)머리]
鬥 싸울 투{鬪}
鬯 술,활집 창
鬲 ①오지병 격 ②솥 력
鬼 귀신 귀

11획

魚 물고기 어
鳥 새 조

13획

黽 ①맹꽁이 맹<黾> ②힘쓸 민
鼎 솥 정
鼓 북 고
鼠 쥐 서

14획

鼻 코 비
齊 가지런할 제

15획

齒 이 치

16획

龍 용 룡<竜>
龜 ①거북 귀<亀> ②나라이름구 ③터질 균

17획

龠 피리 약

※ ( )부수 변형자
※ [ ]부수 명칭
※ { }본자
※ < >약자

1회 실전대비문제

시험시간 : 40분　　　　　　점수:

※ 한자의 훈음으로 바른 것을 고르시오.

1. 財 (　　) 　①패할　패　　②재물　재
　　　　　　　 　③있을　재　　④조개　패

2. 其 (　　) 　①기약할　기　②재주　기
　　　　　　　 　③터　　　기　④그　　　기

3. 備 (　　) 　①견줄　비　　②갖출　비
　　　　　　　 　③바람　풍　　④겉　　표

4. 將 (　　) 　①장수　장　　②군사　졸
　　　　　　　 　③군사　병　　④꽃부리 영

5. 令 (　　) 　①하여금 령　②이제　금
　　　　　　　 　③옷깃　령　④생각　념

6. 限 (　　) 　①한수　한　②어질　량
　　　　　　　 　③짧을　단　④한정　한

7. 香 (　　) 　①굽을　곡　②향기　향
　　　　　　　 　③동산　원　④뼈　　골

8. 倍 (　　) 　①소리　음　②벼슬할 사
　　　　　　　 　③갑절　배　④신선　선

9. 都 (　　) 　①도읍　도　②대답할 대
　　　　　　　 　③은　　은　④섬　　도

10. 藝 (　　) 　①잎　　엽　②재주　예
　　　　　　　 　③재주　술　④줄　　선

※ 훈음에 맞는 한자를 고르시오.

11. 볕 　경 (　) ①景 ②童 ③陽 ④京

12. 거느릴 통 (　) ①級 ②給 ③統 ④綠

13. 씨 　종 (　) ①始 ②末 ③終 ④種

14. 곳 　처 (　) ①窓 ②責 ③貯 ④處

15. 전할 전 (　) ①全 ②傳 ③展 ④典

16. 낮을 저 (　) ①場 ②才 ③低 ④的

17. 널빤지 판 (　) ①反 ②任 ③板 ④波

18. 베낄 사 (　) ①査 ②調 ③謝 ④寫

19. 더할 증 (　) ①增 ②進 ③眞 ④直

20. 다리 교 (　) ①格 ②具 ③橋 ④根

※ 물음에 알맞은 답을 고르시오.

21. 한자의 제자원리(六書) 중 '형성자'가 아닌 것은?

　　　　　　　　　　　　　(　　　)

　①健　　②角　　③城　　④放

22. "端正"에서 밑줄 친 '端'의 훈음으로 가장 알맞은 것은? (　　　)

①근본 단　②끝 단　③바를 단　④실마리 단

23. "그 문제는 數學 공식을 대입해 풀었다"에서 밑줄 친 '數'의 훈음으로 가장 알맞은 것은? (　　　)

①자주 삭　②빽빽할 촉　③법도 도　④셈 수

24. 한자와 총획의 연결이 바르지 <u>않은</u> 것은? (　　　)

①筆-총12획　②醫-총18획

③美-총7획　④支-총4획

25. 반의자의 연결이 바르지 <u>않은</u> 것은? (　　　)

①發↔着　②順↔序

③善↔惡　④冷↔溫

26. '至'의 유의자는? (　　　)

①到　②然　③貧　④番

27. "□客, 參□, □光"에서 □안에 공통으로 들어갈 알맞은 한자는? (　　　)

①吉　②旅　③觀　④關

※ 어휘의 독음이 바른 것을 고르시오.

28. 敵軍 (　　　) ①전군　②전차　③적운　④적군

29. 古鐵 (　　　) ①구식　②고철　③고전　④고물

30. 地球 (　　　) ①지수　②지구　③지반　④지식

31. 固體 (　　　) ①개례　②고체　③개체　④고례

32. 本質 (　　　) ①본성　②소재　③체질　④본질

33. 武器 (　　　) ①기무　②무기　③기술　④무술

34. 果樹 (　　　) ①과목　②목수　③과수　④목두

35. 孝婦 (　　　) ①효부　②효자　③고부　④노부

※ 어휘의 뜻으로 알맞은 것을 고르시오.

36. 面識 (　　　)

①처음 본 사람임.　②얼굴을 씻음.

③얼굴을 서로 알 정도의 관계.

④서로 만나서 이야기 함.

37. 熱量 (　　　)

①뜨거운 기운.　②열렬한 정성.

③학문이나 기예 따위를 되풀이하여 익힘.

④열에너지의 양.

※ **낱말을 한자로 바르게 쓴 것을 고르시오.**

38. 통설: 세상에 널리 알려지거나 일반적으로 인정되고

있는 설. ( )

①説明　②通説　③説話　④通過

39. 웅지: 웅대한 뜻. ( )

①誠意　②雄大　③意志　④雄志

※ **밑줄 친 어휘의 알맞은 독음을 고르시오.**

40. 인터넷을 통해 많은 情報을(를) 얻고 있다.

( )

①성격　②정답　③정보　④청보

41. 죄의 輕重에 따라 부과된 형벌이 다르다. ( )

①비중　②경동　③운동　④경중

42. 선생님은 助言와(과) 격려를 아끼지 않았다.

( )

①당부　②역언　③충고　④조언

※ **밑줄 친 부분을 한자로 바르게 쓴 것을 고르시오.**

43. 할아버지께선 작년에 정년 퇴임을 하셨다.

( )

①庭年　②定年　③停年　④政年

44. 난 오늘 몸이 아파서 조퇴를 했다. ( )

①朝退　②祖退　③卓退　④早退

※ **물음에 알맞은 답을 고르시오.**

45. 어휘의 짜임이 다른 것은? ( )

①送電　②植木　③卒業　④藥水

46. '空白'의 유의어는? ( )

①空氣　②餘白　③白紙　④黑白

47. 반의이의 연결로 바르지 않은 것은? ( )

①兩親↔父母　　②登校↔下校

③音讀↔訓讀　　④壇上↔壇下

48. 문장에서 성어의 쓰임이 바르지 않은 것은?

( )

①마음을 바르게 하여 坐不安席하였다.

②나는 동생이 둘이나 있는데, 친구는 無男獨女이다.

③살면서 적어도 骨肉相爭만은 없어야 한다.

④兄弟姉妹는 우애가 있어야 한다.

49. 선인들이 남긴 글을 대하는 태도로 바르지 않은

것은? ( )

①글 속에 담긴 속뜻을 잘 헤아린다.

②시대에 맞지 않으므로 무시한다.

③선인들의 좋은 가르침을 실천한다.

④오늘날에 적용할 수 있는 방법을 생각한다.

50. "歲寒三友"에 속하지 않는 것은? ( )

①벗나무　②매화나무　③소나무　④대나무

2회 실전대비문제

시험시간 : 40분   점수 :

※ 한자의 훈음으로 바른 것을 고르시오.

1. 査 (   )
①이를 조   ②벼슬할 사
③조사할 사   ④잡을 조

2. 葉 (   )
①권세 세   ②약 약
③풀 초   ④잎 엽

3. 餘 (   )
①기를 양   ②남을 여
③푸를 록   ④마실 음

4. 廣 (   )
①누를 황   ②빛 광
③넓을 광   ④법도 도

5. 船 (   )
①갑절 배   ②배 선
③쌓을 저   ④가릴 선

6. 完 (   )
①원수 적   ②완전할 완
③집 원   ④으뜸 원

7. 炭 (   )
①숯 탄   ②필 발
③두 재   ④병 병

8. 城 (   )
①덜 감   ②성할 성
③대신할 대   ④재 성

9. 次 (   )
①얼음 빙   ②버금 차
③찰 랭   ④칠 목

10. 練 (   )
①익힐 습   ②줄 선
③익힐 련   ④빠를 속

※ 훈음에 맞는 한자를 고르시오.

11. 나그네 려 (   ) ①方 ②令 ③旅 ④族

12. 굳셀 무 (   ) ①式 ②強 ③試 ④武

13. 사건 건 (   ) ①季 ②建 ③中 ④件

14. 터 기 (   ) ①旗 ②期 ③基 ④其

15. 제단 단 (   ) ①壇 ②增 ③團 ④短

16. 본받을 효 (   ) ①政 ②數 ③效 ④曜

17. 호수 호 (   ) ①湖 ②海 ③號 ④浴

18. 도울 협 (   ) ①勞 ②協 ③移 ④加

19. 옳을 의 (   ) ①奉 ②義 ③業 ④醫

20. 고를 조 (   ) ①許 ②誠 ③調 ④朝

※ 물음에 알맞은 답을 고르시오.

21. 나무 위에 새가 모여서 앉아 있는 것을 나타낸
글자로 '모이다'를 뜻하는 한자는?   (   )
①合   ②集   ③雄   ④鳥

22. "그는 재산 一切을(를) 학교에 기부하였다"에서 밑줄 친 '切'의 훈음으로 가장 알맞은 것은?

(   )

①모두 절   ②모두 체   ③끊을 절   ④간절할 절

23. 밑줄 친 '節'의 뜻이 <u>다른</u> 것은?

(   )

①節電   ②節氣   ③名節   ④時節

24. '宅'을(를) 자전에서 찾을 때의 방법으로 바르지 <u>않은</u> 것은? (   )

①부수로 찾을 때는 '宀'부수의 6획에서 찾는다.

②총획으로 찾을 때는 '6획'에서 찾는다.

③부수로 찾을 때는 '宀'부수의 3획에서 찾는다.

④자음으로 찾을 때는 '택'음에서 찾는다.

25. 유의자의 연결이 바르지 <u>않은</u> 것은?

(   )

①生=産   ②量=料   ③畫=牛   ④明=朗

26. 반의자의 연결이 바르지 <u>않은</u> 것은?

(   )

①貧↔部   ②君↔臣   ③賣↔買   ④成↔敗

27. "□器, □物店, 古□"에서 □안에 공통으로 들어갈 알맞은 한자는? (   )

①鐵   ②淸   ③兵   ④舊

※ 어휘의 독음이 바른 것을 고르시오.

28. 將軍 (   ) ①적군 ②상군 ③장군 ④장차

29. 信望 (   ) ①어망 ②신용 ③언망 ④신망

30. 藝術 (   ) ①예술 ②원술 ③운행 ④학술

31. 天惠 (   ) ①특혜 ②천은 ③대은 ④천혜

32. 結束 (   ) ①결말 ②약속 ③결속 ④결과

33. 停止 (   ) ①주차 ②정차 ③주지 ④정지

34. 良質 (   ) ①식질 ②양질 ③양실 ④량질

35. 要領 (   ) ①요령 ②구령 ③요냉 ④구금

※ 어휘의 뜻으로 알맞은 것을 고르시오.

36. 傳授 (   )

①남의 일에 간섭함.   ②윗사람에게 아룀.

③늘 갖추어 둠.   ④기술 따위를 전하여 줌.

37. 故意 (   )

①일부러 하는 생각이나 태도.

②실수로 저지른 태도.

③낡은 사고 방식.   ④나쁜 생각.

38. 진상: 사물이나 현상의 거짓 없는 모습이나 내용.

(   )

①眞相   ②進賞   ③進上   ④眞常

39. 독백: 혼자서 중얼거림.   (   )

①獨百   ②道百   ③童白   ④獨白

40. 문법에 어긋난 文章을(를) 고쳤다.

(   )

①교장   ②문장   ③문제   ④문서

41. 모든 일이 順序대로 착착 진행되었다.

(   )

①순리   ②과정   ③질서   ④순서

42. 그는 여러 편의 시를 暗記하고 있다.

(   )

①음기   ②표기   ③암기   ④암송

43. 갈수록 사회가 급변하고 있다.

(   )

①給變   ②急便   ③級變   ④急變

44. 야구에서, 타자가 베이스에 나아갈 수 있도록 공을 치는 일을 안타라 한다.

(   )

①夜景   ②野談   ③野球   ④夜食

45. '送金'과 같이 술목구조로 이루어진 것은?

(   )

①求人   ②外家   ③高聲   ④今週

46. '正坐'의 유의어는?   (   )

①坐向   ②端坐   ③對坐   ④坐視

47. '主觀'의 반의어는?   (   )

①觀念   ②客觀   ③美觀   ④所關

48. "亡子計齒"의 속뜻으로 알맞은 것은?

(   )

①이미 지나간 일은 생각하여도 아무 소용이 없음.

②말 속에 깊은 뜻이 있음.

③아들이 아버지를 닮음.

④아들이 없는 집안의 외딸.

49. '學問'하는 자세로 바르지 않은 것은?

(   )

①숙제는 친구 것을 보고 베낀다.

②글자의 획을 곧고 바르게 쓴다.

③남에게 빌린 책은 온전하게 돌려준다.

④바른 자세로 앉아서 工夫한다.

50. 다음 중 단오날 행해지는 민속이 아닌 것은?

(   )

①그네뛰기   ②씨름   ③부럼깨기   ④부채선물

※ 한자의 훈음으로 바른 것을 고르시오.

1. 患 (　　) ①숯　탄　②갈　왕
　　　③누를　황　④근심　한

2. 災 (　　) ①재앙　재　②가운데　앙
　　　③성씨　씨　④재주　재

3. 致 (　　) ①사귈　교　②친할　친
　　　③이를　치　④채울　충

4. 擧 (　　) ①건강할　건　②세울　건
　　　③사건　건　④들　거

5. 寫 (　　) ①남을　여　②베낄　사
　　　③마실　음　④먹을　식

6. 屋 (　　) ①놈　자　②도읍　도
　　　③집　옥　④완전할　완

7. 謝 (　　) ①몸　신　②낳을　산
　　　③변할　변　④사례할　사

8. 是 (　　) ①발　족　②옳을　시
　　　③보일　시　④저자　시

9. 商 (　　) ①한정　한　②뜰　정
　　　③장사　상　④낮을　저

10. 監 (　　) ①볼　감　②달　감
　　　③느낄　감　④덜　감

※ 훈음에 맞는 한자를 고르시오.

11. 본받을 효 (　　) ①訓 ②族 ③數 ④效

12. 클　위 (　　) ①全 ②電 ③戰 ④偉

13. 헤아릴 량 (　　) ①車 ②量 ③重 ④動

14. 상줄 상 (　　) ①勢 ②舊 ③賞 ④參

15. 연고 고 (　　) ①告 ②苦 ③固 ④故

16. 머무를 정 (　　) ①政 ②正 ③停 ④定

17. 기약할 기 (　　) ①記 ②其 ③基 ④期

18. 가게 점 (　　) ①求 ②店 ③節 ④具

19. 참　진 (　　) ①進 ②鳥 ③質 ④眞

20. 뜻　정 (　　) ①情 ②精 ③赤 ④旗

※ 물음에 알맞은 답을 고르시오.

21. 한자의 제자원리(六書) 중 '형성자'가 <u>아닌</u> 것은?
　　　　　　(　　　　)
①昨　②美　③根　④注

22. 밑줄 친 '樹'의 뜻이 다른 것은?

(   )

①果樹   ②樹木   ③植樹   ④樹立

23. "그는 畫家로 명성이 자자하다"에서 밑줄 친 '家'의 훈음으로 알맞은 것은?

(   )

①문벌 가   ②전문가 가   ③집   가   ④남편 가

24. 한자와 부수의 연결이 바르지 않은 것은?

(   )

①島-山   ②席-巾   ③相-木   ④盛-皿

25. 반의자의 연결이 바르지 않은 것은?

(   )

①暗↔黑   ②勝↔敗   ③加↔減   ④始↔終

26. '過'의 유의자는?

(   )

①任   ②買   ③賣   ④失

27. "□衣□食"에서 □안에 공통으로 들어갈 알맞은 한자는?   (   )

①好   ②孝   ③角   ④號

※ 어휘의 독음이 바른 것을 고르시오.

28. 貧農 (   ) ①부농 ②빈농 ③패농 ④빈곡

29. 祭禮 (   ) ①성찰 ②차례 ③제단 ④제례

30. 傳統 (   ) ①편충 ②전통 ③전충 ④편통

31. 退場 (   ) ①변장 ②퇴장 ③태양 ④진장

32. 良材 (   ) ①량제 ②량재 ③양제 ④양재

33. 可觀 (   ) ①하관 ②가관 ③가능 ④하견

34. 新鮮 (   ) ①신양 ②친어 ③친선 ④신선

35. 冷待 (   ) ①랭대 ②냉대 ③영시 ④냉시

※ 어휘의 뜻으로 알맞은 것을 고르시오.

36. 許多 (   )

①모두 다 허락함.   ②수효가 매우 많음.

③말이 많음.   ④절대 허락하지 않음.

37. 世波 (   )

①세상의 모든 사람.   ②세상살이의 즐거움.

③모질고 거센 세상의 어려움.

④거센 파도.

※ 낱말을 한자로 바르게 쓴 것을 고르시오.

38. 장래 : 다가올 앞날.

( )

①將來　　②長次　　③將次　　④長來

39. 타산 : 자신에게 도움이 되는지를 따져 헤아림.

( )

①他山　　②他算　　③打産　　④打算

※ 밑줄 친 어휘의 알맞은 독음을 고르시오.

40. 강연회는 <u>每週</u> 수요일마다 있다.　( )

①매일　　②해조　　③매주　　④매조

41. 우리는 서로 <u>筆談</u>을(를) 주고받았다.

( )

①잡담　　②율화　　③농담　　④필담

42. 언니는 <u>料理</u>를 아주 잘한다.　( )

①요가　　②조리　　③과리　　④요리

※ 밑줄 친 부분을 한자로 바르게 쓴 것을 고르시오.

43. '이백'이 詩仙이라면 '두보'는 <u>시성</u>이다.

( )

①詩成　　②詩星　　③詩性　　④詩聖

44. <u>도처</u>에 도사리고 있는 유해한 환경으로부터 아이들을 보호할 수 있는 방법이 강구되어야 한다.

( )

①圖案　　②到處　　③道處　　④獨步

※ 물음에 알맞은 답을 고르시오.

45. 어휘의 짜임이 <u>다른</u> 것은?　( )

①習字　　②眼藥　　③報恩　　④讀書

46. '志願'의 유의어는?　( )

①志士　　②志原　　③志望　　④幸運

47. 반의어의 연결이 바르지 않은 것은?

( )

①陸路 ↔ 海路　　　②低價 ↔ 高價

③同窓 ↔ 同門　　　④前半 ↔ 後半

48. "草綠同色"과 뜻이 통하는 속담은?

( )

①가재는 게 편이다.　　②꿩 먹고 알 먹기.

③우물 안의 개구리.

④아니 땐 굴뚝에 연기나랴.

49. <u>自然</u>을 사랑하는 방법으로 바르지 <u>않은</u> 것은?

( )

①一回用 물건을 되도록 사용하지 않는다.

②못쓰는 器物을 산 속에 버린다.

③들판의 꽃을 함부로 꺾지 않는다.

④登山 후에 남은 쓰레기는 집으로 가져 온다.

50. 한자문화권에 속하지 <u>않는</u> 나라는?

( )

①중국　　②러시아　　③일본　　④한국

※ 한자의 훈음으로 바른 것을 고르시오.

1. 固 (　) ①예　고 ②귀할　귀
　　　　　③연고　고 ④굳을　고

2. 序 (　) ①들　야 ②바를　정
　　　　　③글　서 ④차례　서

3. 惠 (　) ①성품　성 ②은혜　혜
　　　　　③생각　사 ④뜻　의

4. 産 (　) ①정할　정 ②조사할　사
　　　　　③하여금　사 ④낳을　산

5. 規 (　) ①법　률 ②채울　충
　　　　　③법　규 ④볼　견

6. 武 (　) ①군사　병 ②굳셀　무
　　　　　③법　식 ④싸움　전

7. 景 (　) ①볕　경 ②잎　엽
　　　　　③약　약 ④볕　양

8. 停 (　) ①정사　정 ②머무를　정
　　　　　③붉을　적 ④뜰　정

9. 統 (　) ①거느릴　통 ②팔　매
　　　　　③통할　통 ④푸를　록

10. 助 (　) ①잡을　조 ②철　계
　　　　　③도울　조 ④사건　건

※ 훈음에 맞는 한자를 고르시오.

11. 허락할 허 (　) ①可 ②洞 ③河 ④許

12. 장사　상 (　) ①賞 ②商 ③常 ④店

13. 재물　재 (　) ①材 ②才 ③財 ④敗

14. 견줄　비 (　) ①明 ②費 ③能 ④比

15. 좋을　호 (　) ①現 ②訓 ③協 ④好

16. 지탱할 지 (　) ①責 ②村 ③支 ④紙

17. 해　세 (　) ①歲 ②洗 ③雪 ④習

18. 널빤지 판 (　) ①休 ②林 ③板 ④祝

19. 코　비 (　) ①算 ②鼻 ③省 ④價

20. 고칠　개 (　) ①客 ②改 ③個 ④開

※ 물음에 알맞은 답을 고르시오.

21. 한자의 제자원리(六書) 중 '상형자'가 아닌 것은?

　　　　　　　　　　　　(　　)

　①要 ②主 ③羊 ④夜

22. "節電을 생활화 하자"에서 밑줄 친 '節'의 훈음으로 가장 알맞은 것은? (   )

①계절 절　　　　　②마디 절

③절개 절　　　　　④절약할 절

23. 밑줄 친 '宅'의 독음이 다른 것은?

(   )

①宅內　　　　　　②古宅

③住宅　　　　　　④別宅

24. 한자와 총획의 연결이 바르지 <u>않은</u> 것은?

(   )

①善-13획　　　　②雄-12획

③都-12획　　　　④道-13획

25. 유의자의 연결이 바르지 <u>않은</u> 것은?

(   )

①陸=地　　　　　②存=在

③寒=冷　　　　　④順=術

26. 반의자의 연결이 바르지 <u>않은</u> 것은? (   )

①利↔害　　　　　②新↔舊

③師↔第　　　　　④當↔落

27. "法□, 草□, □件"에서 □안에 공통으로 들어갈 알맞은 한자는? (   )

①公　　②安　　③然　　④案

※ 어휘의 독음이 바른 것을 고르시오.

28. 聖堂 (   ) ①전당 ②임상 ③성당 ④성상

29. 合唱 (   ) ①함구 ②흡창 ③합장 ④합창

30. 到着 (   ) ①도착 ②지착 ③도간 ④치욕

31. 念願 (   ) ①념원 ②영원 ③염원 ④남원

32. 放送 (   ) ①방식 ②방과 ③방원 ④방송

33. 汽船 (   ) ①기차 ②기배 ③기선 ④기주

34. 養老 (   ) ①양로 ②앙로 ③식로 ④양노

35. 精進 (   ) ①정퇴 ②청진 ③정진 ④요리

※ 어휘의 뜻으로 알맞은 것을 고르시오.

36. 子婦 (   )

①자형.　　　　　②아내.

③며느리.　　　　④딸.

37. 宿命 (   )

①오래된 명령.　　②죽은 목숨.

③오래 전부터 바라던 소원.

④날 때부터 타고난 정해진 운명.

38. 성량: 목소리의 크기나 분량의 정도.

(   )

①良質   ②質量   ③聲量   ④名聲

39. 차례: 순서 있게 구분하여 벌여 나가는 관계.

(   )

①次禮   ②次例   ③車例   ④車禮

40. 친구들이 싸우는 모습을 그냥 坐視할 수 없었다.

(   )

①무시   ②좌우   ③좌시   ④참관

41. 계약서 寫本을 제시했다. (   )
①정본   ②등본   ③원본   ④사본

42. 사물을 보는 그의 洞察力은 날카로웠다.

(   )

①동잘역   ②통찰력   ③동찰력   ④통찰역

43. 지금부터라도 조금씩 저금을 해야 한다.

(   )

①給食   ②貯金   ③消金   ④急減

44. 인간은 자연과 조화를 이루면서 공존하고 있다.

(   )

①調化   ②調和   ③祖和   ④祖化

45. '韓屋'와(과) 어휘의 짜임이 같은 것은?

(   )

①溫水   ②往來   ③下山   ④愛民

46. '親筆'의 유의어가 아닌 것은?

(   )

①眞筆   ②肉筆   ③代筆   ④自筆

47. 반의어의 연결이 바르지 않은 것은?

(   )

①立體↔平面   ②主觀↔客觀

③過去↔過失   ④貧農↔富農

48. "사실에 토대를 두어 진리를 탐구하는 일"을 뜻하는 사자성어는? (   )

①始終如一   ②言行一致

③實事求是   ④以實直告

49. 문화유산을 대하는 태도로 바르지 않은 것은?

(   )

①문화재를 所重히 아끼고 잘 보존해야 한다.

②낡고 오래된 것에 관심을 갖지 않는다.

③우리의 문화를 世界에 알릴 수 있도록 한다.

④조상의 숨결을 느껴보는 時間을 갖도록 한다.

50. 우리의 전통놀이가 아닌 것은? (   )

①탈놀이   ②스키   ③그네뛰기   ④농악놀이

※ **한자의 훈음으로 바른 것을 고르시오.**

1. 唱 (　　) ①부를　창　②나눌　구
　　　　　　③그림　도　④창문　창

2. 聖 (　　) ①살필　성　②성스러울 성
　　　　　　③성할　성　④소리　성

3. 齒 (　　) ①벌레　충　②뜰　정
　　　　　　③바랄　망　④이　치

4. 具 (　　) ①쌓을　저　②가장　최
　　　　　　③갖출　구　④구원할 구

5. 倍 (　　) ①철　계　②집　택
　　　　　　③갑절　배　④소리　음

6. 罪 (　　) ①앉을　좌　②옳을　의
　　　　　　③비　우　④허물　죄

7. 局 (　　) ①판　국　②임금　군
　　　　　　③코　비　④펼　전

8. 價 (　　) ①살　매　②값　가
　　　　　　③낱　개　④팔　매

9. 浴 (　　) ①빛날　요　②큰바다 양
　　　　　　③고을　동　④목욕할 욕

10. 傳 (　　) ①법　전　②전할　전
　　　　　　③원수　적　④높을　탁

※ **훈음에 맞는 한자를 고르시오.**

11. 이를　치 (　　) ①致 ②則 ③序 ④到

12. 조사할 사 (　　) ①謝 ②査 ③香 ④社

13. 잡을　조 (　　) ①助 ②技 ③早 ④操

14. 터　기 (　　) ①久 ②旗 ③己 ④基

15. 신선　선 (　　) ①休 ②仙 ③仕 ④任

16. 나아갈 진 (　　) ①鳥 ②凶 ③城 ④進

17. 지탱할 지 (　　) ①決 ②以 ③支 ④失

18. 정기　정 (　　) ①淸 ②精 ③政 ④正

19. 다툴　경 (　　) ①爭 ②競 ③比 ④孫

20. 호수　호 (　　) ①號 ②故 ③湖 ④江

※ **물음에 알맞은 답을 고르시오.**

21. '이제 금'과 '마음 심'을 합하여 '생각하다'의 뜻을
나타내는 한자는?　　　　　　(　　　　)
①考　　②今　　③忠　　④念

22. "惡法은(는) 철폐되어야 한다"에서 밑줄 친 '惡'의 훈음으로 가장 알맞은 것은?　　　(　　　)

①미워할 오　　　　　②악할 악

③어찌 오　　　　　　④흉년들 악

23. "至誠感天"에서 밑줄 친 '至'의 훈음으로 가장 알맞은 것은?　　　　　(　　　)

①이를 치　　　　　②이를 도

③지극할 지　　　　④지극할 극

24. 한자와 부수의 연결이 바르지 <u>않은</u> 것은?
　　　　　　　　　　　　(　　　)

①求-水　　　　　②骨-肉

③黃-黃　　　　　④牧-牛

25. '止'의 유의자는?　　　　(　　　)

①堂　　②中　　③動　　④停

26. 반의자의 연결로 바르지 <u>않은</u> 것은?
　　　　　　　　　　　　(　　　)

①苦↔甘　　　　　②存↔往

③舊↔新　　　　　④自↔他

27. "韓□ → □上 → 上京"에서 □안에 공통으로 들어갈 알맞은 한자는?　　　(　　　)

①在　　②屋　　③生　　④好

※ 어휘의 독음이 바른 것을 고르시오.

28. 案件 (　　　)　①사건　②물건　③안건　④안전

29. 祭器 (　　　)　①찰구　②제기　③혈기　④제구

30. 農樂 (　　　)　①농낙　②농락　③농요　④농악

31. 熱氣 (　　　)　①집세　②숙기　③열세　④열기

32. 調節 (　　　)　①주절　②주번　③조절　④조약

33. 移植 (　　　)　①다식　②이식　③이직　④추수

34. 當爲 (　　　)　①당면　②당위　③당조　④상당

35. 料食 (　　　)　①과식　②미식　③요리　④요식

※ 어휘의 뜻으로 알맞은 것을 고르시오.

36. 冷待 (　　　)

①날씨 따위가 춥고 참.　②음식을 차려 접대함.

③정성을 들이지 않고 아무렇게나 하는 대접.

④온대와 한대의 중간 지역.

37. 發說 (　　　)

①병이 남.　　　　　②물체가 열을 냄.

③입 밖으로 말을 냄.　④생물이 차차 자라남.

38. 송별: 떠나는 사람을 이별하여 보냄.

(   )

①送別   ②曲直   ③特別   ④別曲

39. 완패: 완전하게 패함.

(   )

①完貝   ②全敗   ③元貝   ④完敗

40. 강한 意志를 키우고 싶다.

(   )

①의사   ②음지   ③음의   ④의지

41. 都會地의 중심에는 항상 사람들이 많다.

(   )

①도회지   ②군회지   ③군의회   ④도의회

42. 내일은 임원 選擧가 있는 날이다.

(   )

①투표   ②선수   ③선거   ④선출

43. 그는 일반적인 상식을 많이 알고 있다. (   )

①上式   ②常識   ③相識   ④常式

44. 방금 뉴스 속보가 보도되었다.   (   )

①速報   ②速步   ③束報   ④束步

45. 앞 글자가 뒤 글자를 꾸며주는 어휘는? (   )

①高低   ②夫婦   ③陸海   ④赤色

46. '開國'의 유의어는?   (   )

①健國   ②亡國   ③開眼   ④建國

47. '年末'의 반의어는?   (   )

①始末   ②本末   ③年初   ④年時

48. "많은 전투를 치른 노련한 장수라는 뜻으로, 세상풍파를 많이 겪어 여러 가지로 능란한 사람"을 이르는 사자성어는?   (   )

①百戰百勝   ②能大能小

③山戰水戰   ④百戰老將

49. '아홉 가지 생각(九思)'으로 바르지 않은 것은?

(   )

①의심나는 것이 있을 때는 물어 알아볼 것을 생각함.

②분하고 화가 날 때에는 어려움이 닥칠 것을 생각함.

③자신에게 이로운 것을 보면 옳은 것인가를 생각함.

④얻을 것을 보았을 때에는 먼저 취할 것만을 생각함.

50. 우리의 전통문화를 이해하기 위한 태도로 바르지 않은 것은? (   )

①현장 학습을 통해서 잘 살펴본다.

②관련 서적을 통해 간접 경험을 해 본다.

③우리 것이 소중한 것임을 잊지 않는다.

④옛날 것보다는 지금 것이 더 좋다고만 생각한다.

※ 한자의 훈음으로 바른 것을 고르시오.

1. 城 ( )   ①정성 성   ②재 성
       ③살필 성   ④성할 성

2. 令 ( )   ①하여금 령   ②이제 금
       ③생각 사   ④옷깃 령

3. 約 ( )   ①맺을 약   ②근심 환
       ③은혜 혜   ④사랑 애

4. 聲 ( )   ①들을 문   ②소리 음
       ③마실 음   ④소리 성

5. 類 ( )   ①차례 번   ②푸를 록
       ③무리 류   ④예도 례

6. 災 ( )   ①이 치   ②재앙 재
       ③채울 충   ④법칙 칙

7. 財 ( )   ①재물 재   ②볼 견
       ③널빤지 판   ④재주 재

8. 端 ( )   ①곧을 직   ②바를 단
       ③앉을 좌   ④제단 단

9. 終 ( )   ①마칠 종   ②겨레 족
       ③군사 졸   ④군사 병

10. 熱 ( )   ①권세 세   ②씻을 세
       ③재주 술   ④더울 열

※ 훈음에 맞는 한자를 고르시오.

11. 말씀 담 ( )   ①談 ②和 ③許 ④話

12. 정사 정 ( )   ①展 ②正 ③電 ④政

13. 맛 미 ( )   ①計 ②未 ③味 ④美

14. 다를 타 ( )   ①位 ②太 ③他 ④守

15. 법 률 ( )   ①筆 ②奉 ③店 ④律

16. 주일 주 ( )   ①週 ②退 ③運 ④送

17. 굳셀 무 ( )   ①線 ②等 ③武 ④旅

18. 예 구 ( )   ①藥 ②苦 ③舊 ④草

19. 옳을 의 ( )   ①醫 ②億 ③業 ④義

20. 다리 교 ( )   ①樹 ②根 ③橋 ④校

※ 물음에 알맞은 답을 고르시오.

21. 한자의 제자원리(六書) 중 '상형자'가 아닌 것은?   ( )
   ①甘   ②木   ③日   ④馬

22. 밑줄 친 '事'의 뜻이 다른 어휘는?

( )

①事件　②事由　③事親　④行事

23. 밑줄 친 '宿'의 독음이 다른 것은?

( )

①星宿　②宿直　③合宿　④宿題

24. 한자와 부수의 연결이 바르지 않은 것은?

( )

①買-貝　②料-米　③將-寸　④兩-入

25. '具'의 유의자는?

( )

①選　②備　③處　④服

26. '冷'의 반의자는?

( )

①注　②古　③思　④溫

27. "地□, □書, 試□"에서 □안에 공통으로 들어

갈 알맞은 한자는?

( )

①圖　②讀　③球　④上

※ 어휘의 독음이 바른 것을 고르시오.

28. 團旗 ( )　①전기　②단기　③원기　④단족

29. 敗北 ( )　①패배　②패북　③배북　④배패

30. 季節 ( )　①이절　②추절　③계절　④계조

31. 改良 ( )　①개종　②개랑　③개앙　④개량

32. 種目 ( )　①종일　②중일　③과목　④종목

33. 牧童 ( )　①목경　②특종　③복종　④목동

34. 給食 ( )　①음식　②급식　③합식　④흡사

35. 忠犬 ( )　①심견　②환대　③충견　④중개

※ 어휘의 뜻으로 알맞은 것을 고르시오.

36. 暗記 ( )

①몰래 기록함.　②안 좋은 기억.

③소리내어 읽음.　④외워 잊지 아니함.

37. 救助 ( )

①어려운 처지에 빠진 사람을 구하여 줌.

②서로 힘을 합침.　③일할 사람을 구함.

④도와줄 필요가 없음.

※ 낱말을 한자로 바르게 쓴 것을 고르시오.

38. 가해: 다른 사람의 생명이나 신체, 재산, 명예 따위에 해를 끼침. ( )

①加害　②材罪　③可害　④有罪

39. 재차: 두 번째. 또다시. ( )

①再車　②再次　③在車　④在次

※ 밑줄 친 어휘의 알맞은 독음을 고르시오.

40. 양념이 <u>生鮮</u>에 고루 배어 맛이 있었다.

( )

①성양　②생선　③생양　④성선

41. 그는 <u>遠大</u>한 포부를 지니고 있다. ( )

①원대　②방대　③현대　④근대

42. 소나무를 배경으로 <u>寫眞</u>을 찍었다.

( )

①사진　②사실　③사물　④진실

※ 밑줄 친 부분을 한자로 바르게 쓴 것을 고르시오.

43. 우리나라는 계절의 변화에 따라 아름다운 <u>경치</u>가 펼쳐진다. ( )

①視察　②理致　③風景　④景致

44. 무조건 유행을 따르기보다는 자신의 <u>개성</u>을 살리는 것이 중요하다. ( )

①性格　②個人　③個性　④性品

※ 물음에 알맞은 답을 고르시오.

45. 어휘의 짜임이 <u>다른</u> 것은?

( )

①定説　②黃色　③好意　④建國

46. '空白'의 유의어는?

( )

①空氣　②餘白　③黑白　④明白

47. '完工'의 반의어는? ( )

①成功　②手工　③着工　④木工

48. 문장에서 밑줄 친 성어의 쓰임이 바르지 <u>않은</u> 것은? ( )

①마음을 바르게 하여 <u>坐不安席</u>하였다.

②<u>兄弟姉妹</u>는 우애가 있어야 한다.

③살면서 적어도 <u>骨肉相爭</u>만은 없어야 한다.

④나는 동생이 둘이나 있는데, 친구는 <u>無男獨女</u>이다.

49. 우리가 일상생활에서 할 수 있는 "예절 바른 행동" 이 <u>아닌</u> 것은? ( )

①웃어른께는 항상 공손하게 인사를 드린다.

②공공장소에서는 큰 소리로 떠든다.

③노약자에게 자리를 양보한다.

④친구, 형제간에 사이좋게 지낸다.

50. '단오날' 행해지는 풍속이 <u>아닌</u> 것은?

( )

①그네뛰기　②씨름　③부럼깨기　④부채선물

※ 한자의 훈음으로 바른 것을 고르시오.

1. 鼻 (　　) ①코　비　②견줄　비
　　　　　③쓸　비　④셈　산

2. 島 (　　) ①섬　도　②말　마
　　　　　③일만　만　④새　조

3. 完 (　　) ①집　실　②완전할　완
　　　　　③열매　실　④온전할　전

4. 移 (　　) ①움직일　동　②가을　추
　　　　　③모일　집　④옮길　이

5. 蟲 (　　) ①구할　요　②서울　경
　　　　　③벌레　충　④채울　충

6. 曜 (　　) ①어제　작　②따뜻할　온
　　　　　③헤아릴　료　④빛날　요

7. 賞 (　　) ①상줄　상　②아이　동
　　　　　③장사　상　④마땅할　당

8. 坐 (　　) ①앉을　좌　②자리　석
　　　　　③바랄　망　④붉을　적

9. 骨 (　　) ①몸　신　②뼈　골
　　　　　③약할　약　④고기　육

10. 炭 (　　) ①누를　황　②병　병
　　　　　③놈　자　④숯　탄

※ 훈음에 맞는 한자를 고르시오.

11. 칠　목 (　　) ①敗　②改　③牧　④能

12. 넓을　광 (　　) ①端　②廣　③是　④患

13. 재주　예 (　　) ①樹　②花　③葉　④藝

14. 쌓을　저 (　　) ①貯　②停　③財　④低

15. 나그네　려 (　　) ①餘　②旅　③客　④族

16. 수컷　웅 (　　) ①到　②支　③雄　④至

17. 세울　건 (　　) ①建　②件　③健　④筆

18. 쇠　철 (　　) ①極　②板　③鐵　④格

19. 재　성 (　　) ①成　②星　③城　④省

20. 물결　파 (　　) ①波　②洋　③進　④汽

※ 물음에 알맞은 답을 고르시오.

21. "칼로 옷을 만들기 위해 마르다"는 뜻으로, 그것이 옷을 만드는 첫 단계인 데서 '처음'을 뜻하는 한자는?　　　　　(　　)
　①始　②分　③初　④表

22. "선생님께 궁금한 점을 質問하였다"에서 밑줄 친 '質'의 훈음으로 알맞은 것은?

(   )

①바탕 질　②물을 질　③폐백 지　④볼모 질

23. 밑줄 친 '則'의 독음이 다른 것은?

(   )

①然則　②定則　③社則　④規則

24. 부수가 다른 한자는?

(   )

①祝　②祭　③視　④祖

25. '技'의 유의자는?

(   )

①味　②電　③術　④度

26. '甘'의 반의자는?

(   )

①船　②苦　③果　④淸

27. "固□, □門將, 郡□"에서 □안에 공통으로 들어갈 알맞은 한자는?

(   )

①有　②場　③守　④形

※ 어휘의 독음이 바른 것을 고르시오.

28. 備考 (   ) ①비율 ②비고 ③비수 ④비교

29. 試圖 (   ) ①시도 ②시험 ③시단 ④식도

30. 特惠 (   ) ①특수 ②지혜 ③특별 ④특혜

31. 失效 (   ) ①시효 ②실효 ③부교 ④부효

32. 卓球 (   ) ①족구 ②조구 ③탁구 ④탁상

33. 鮮血 (   ) ①미혈 ②어혈 ③우혈 ④선혈

34. 樂觀 (   ) ①낙관 ②악관 ③오관 ④약관

35. 兩親 (   ) ①양친 ②가친 ③양신 ④량신

※ 어휘의 뜻으로 알맞은 것을 고르시오.

36. 獨步的 (   )

①자신만이 옳다고 믿고 행동하는 것.

②이익을 혼자서 차지함.　③혼자 걷는 것.

④남이 따를 수 없을 정도로 뛰어난 것.

37. 政勢 (   )

①올바른 정치.　②정치상의 동향이나 형세.

③정치상의 강한 세력.　④일이 되어가는 형세.

38. 미안: 남에게 폐를 끼쳐 마음이 편하지 못함.

(　　　　)

①美案　　②美安　　③未安　　④未案

39. 영해: 그 나라의 통치권이 미치는 범위 내의 해역.

(　　　　)

①領海　　②領害　　③令害　　④令海

40. 이 일의 성공을 위해서는 그의 協助가 매우 필요하다.

(　　　　)

①협회　　②구조　　③협조　　④방조

41. 자연을 지키고 살리는 것은 우리 모두의 課題다.

(　　　　)

①과제　　②과시　　③숙제　　④과외

42. 진리란 永久 불변한 것이다.　　(　　　　)

①수구　　②영구　　③영장　　④장구

43. 과연 봄은 계절의 여왕다웠다.　(　　　　)

①界切　　②節季　　③季節　　④界節

44. 제품 사용 설명서를 자세히 읽어보세요.

(　　　　)

①使勇　　②史勇　　③史用　　④使用

45. 어휘의 짜임이 다른 것은?　　(　　　　)

①休日　　②無罪　　③明月　　④誠心

46. '仙人'의 유의어는?　　　　　(　　　　)

①好人　　②新仙　　③新人　　④神仙

47. '都市'의 반의어는?　　　　　(　　　　)

①市內　　②首都　　③村落　　④農民

48. "兵家常事"의 속뜻으로 알맞은 것은?

(　　　　)

①한 번의 실패에 절망하지 말라.
②많은 것이 모두 서로 같지 아니함.
③힘이 비슷하여 이겼다 졌다 함.
④이익과 손해가 반반으로 맞섬.

49. 부모님께 행하는 태도로 바르지 않은 것은?

(　　　　)

①부모님이 들어오시면 일어나 인사한다.
②음식은 투정부리지 않고 감사하는 마음으로 먹는다.
③부모님께서 잘못이 있으시면 성내며 충고한다.
④밖에 나갈 때는 부모님께 갈 곳을 알린다.

50. 兄弟간에 가장 필요한 덕목은?

(　　　　)

①友情　　②友愛　　③忠孝　　④孝道

※ 한자의 훈음으로 바른 것을 고르시오.

1. 視 ( ) ①볼 시 ②귀신 신
   ③할아비 조 ④친할 친

2. 富 ( ) ①빌 축 ②복 복
   ③다행 행 ④부자 부

3. 恩 ( ) ①생각 사 ②창문 창
   ③은혜 은 ④펼 전

4. 增 ( ) ①며느리 부 ②더할 가
   ③더할 증 ④모일 사

5. 義 ( ) ①곧을 직 ②옳을 의
   ③양 양 ④일 업

6. 宅 ( ) ①먼저 선 ②집 택
   ③집 실 ④오얏 리

7. 比 ( ) ①코 비 ②지킬 수
   ③북녘 북 ④견줄 비

8. 練 ( ) ①가르칠 훈 ②익힐 련
   ③많을 다 ④익힐 습

9. 査 ( ) ①베낄 사 ②그림 화
   ③조사할 사 ④새 조

10. 望 ( ) ①의원 의 ②쌀을 저
    ③바랄 망 ④느낄 감

※ 훈음에 맞는 한자를 고르시오.

11. 변할 변 ( ) ①便 ②樂 ③變 ④葉

12. 클 위 ( ) ①英 ②偉 ③勢 ④卓

13. 향기 향 ( ) ①香 ②害 ③和 ④重

14. 널빤지 판 ( ) ①板 ②陽 ③術 ④朴

15. 차례 서 ( ) ①席 ②順 ③序 ④存

16. 관계할 관 ( ) ①觀 ②問 ③使 ④關

17. 판 국 ( ) ①局 ②洋 ③星 ④億

18. 덜 감 ( ) ①決 ②浴 ③減 ④輕

19. 묶을 속 ( ) ①根 ②米 ③束 ④骨

20. 충성 충 ( ) ①令 ②忠 ③過 ④念

※ 물음에 알맞은 답을 고르시오.

21. 한자의 제자원리(六書) 중 '형성자'가 아닌
    것은? ( )
    ①正 ②聞 ③淸 ④課

22. "아버지께서 樹上에서 열매를 따고 계신다"에서 밑줄 친 '樹'의 훈음으로 알맞은 것은?

(   )

①나무 수   ②심을 수   ③세울 수   ④막을 수

23. 밑줄 친 '洞'의 독음이 <u>다른</u> 것은?

(   )

①洞里   ②空洞   ③洞口   ④洞察

24. '橋'을(를) 자전에서 찾을 때의 방법으로 바르지 <u>않은</u> 것은?   (   )

①부수로 찾을 때는 '木'부수의 12획에서 찾는다.

②총획으로 찾을 때는 '15획'에서 찾는다.

③자음으로 찾을 때는 '교'음에서 찾는다.

④총획으로 찾을 때는 '16획'에서 찾는다.

25. '競'의 유의자는 ?

(   )

①止   ②旅   ③爭   ④溫

26. '師'의 반의자는?

(   )

①兄   ②弟   ③第   ④孫

27. "夏□, □近, □急"에서 □안에 공통으로 들어갈 알맞은 한자는?   (   )

①至   ②致   ③遠   ④時

※ **어휘의 독음이 바른 것을 고르시오.**

28. 漁船 (   )   ①어항 ②풍선 ③어선 ④어로

29. 夜景 (   )   ①우친 ②야영 ③경야 ④야경

30. 國産 (   )   ①국생 ②국상 ③국산 ④산국

31. 特技 (   )   ①내지 ②득기 ③득별 ④내기

32. 當到 (   )   ①당도 ②부지 ③당지 ④부도

33. 餘地 (   )   ①식염 ②여염 ③여지 ④식담

34. 極限 (   )   ①특약 ②시혜 ③대은 ④극한

※ **어휘의 뜻으로 알맞은 것을 고르시오.**

35. 公倍數 (   )

①둘 이상의 정수 또는 정식에 공통되는 배수.

②덧셈을 함.   ③뺄셈을 함.

④나눗셈을 함.

36. 試圖 (   )

①어떤 것을 이루어 보려고 계획하거나 행동함.

②토목, 건축, 기계 따위의 구조나 설계.

③나타내 보이어 지도함.   ④처음으로 꾀함.

37. 暗示 (   )

①어두운 느낌의 빛깔.   ②밝음과 어두움.

③넌지시 알림.   ④기억할 수 있도록 외움.

38. 개선: 잘못된 점을 고치어 잘되게 함.

( )

①改善   ②個善   ③個選   ④改選

39. 퇴장: 어떤 장소에서 물러남.   ( )

①登場   ②退步   ③廣場   ④退場

40. 졸업식장에서 환송사가 朗讀되었다.

( )

①낭독   ②독랑   ③양독   ④월독

41. 精誠이 지극하면 하늘도 움직인다.

( )

①성정   ②청언   ③정성   ④운동

42. 학교 앞에 오락실을 許可해서는 안 된다.

( )

①설득   ②허가   ③인가   ④허락

43. 다음 주까지 입학 원서를 제출하여야 한다.

( )

①原書   ②願書   ③原畫   ④願畫

44. 글짓기 대회에서 받은 상품을 동생에게 주었다.

( )

①性品   ②常品   ③賞品   ④下品

45. 어휘의 짜임이 다른 것은?

( )

①曲線   ②法律   ③集合   ④兒童

46. '宿患'의 유의어는?

( )

①患者   ②宿病   ③宿敵   ④外患

47. '放心'의 반의어는?

( )

①本心   ②熱心   ③苦心   ④操心

48. 문장에서 밑줄 친 성어의 쓰임이 바르지 않은
것은?   ( )

①사기꾼의 甘言利說에 속아 돈을 떼일 뻔 했다.
②소나무·대나무·매화를 歲寒三友라 한다.
③하는 모양이 각기 다른 걸 보니 父傳子傳이다.
④모든 것을 事事件件 따지고 들어 머리가 아프다.

49. 전화에 관한 예절로 바르지 못한 자세는?

( )

①전화를 잘못 걸었을 때는 아무 말 없이 그냥 끊는다.
②상냥하고 친절한 음성으로 말한다.
③용건이 끝나면 정중하게 인사하고 끊는다.
④전화를 거는 곳의 시간, 장소가 적절한지 생각한다.

50. 우리 고유의 명절이 아닌 것은?

( )

①설   ②대보름   ③추석   ④성탄절

※ **한자의 훈음으로 바른 것을 고르시오.**

1. 甘 ( ) ①달 감 ②그 기
③싸움 전 ④볼 감

2. 關 ( ) ①물을 문 ②들을 문
③관계할 관 ④넓을 광

3. 支 ( ) ①벗 우 ②지탱할 지
③오른 우 ④아닐 미

4. 壇 ( ) ①짧을 단 ②농사 농
③제단 단 ④둥글 단

5. 盛 ( ) ①성스러울 성 ②재 성
③성할 성 ④정성 성

6. 星 ( ) ①돌 회 ②쇠 철
③칠 타 ④별 성

7. 惠 ( ) ①좋을 호 ②이름 호
③뜻 지 ④은혜 혜

8. 最 ( ) ①허락할 허 ②옳을 시
③가장 최 ④완전할 완

9. 敵 ( ) ①차례 서 ②원수 적
③그럴 연 ④쌓을 저

10. 偉 ( ) ①뜻 정 ②클 위
③살 주 ④다닐 행

※ **훈음에 맞는 한자를 고르시오.**

11. 견줄 비 ( ) ①放 ②敬 ③比 ④別

12. 볕 경 ( ) ①景 ②線 ③性 ④競

13. 남을 여 ( ) ①旅 ②飮 ③族 ④餘

14. 하여금 령 ( ) ①經 ②爭 ③令 ④領

15. 사례할 사 ( ) ①謝 ②祭 ③史 ④寫

16. 수고로울 로 ( ) ①勞 ②陸 ③歷 ④路

17. 본받을 효 ( ) ①訓 ②幸 ③數 ④效

18. 호수 호 ( ) ①洗 ②淸 ③湖 ④流

19. 곳 처 ( ) ①集 ②責 ③窓 ④處

20. 낱 개 ( ) ①個 ②任 ③客 ④角

※ **물음에 알맞은 답을 고르시오.**

21. 한자의 제자원리(六書) 중 '<u>지사</u>'에 해당하는
한자는? ( )
①寸 ②妹 ③村 ④雨

22. "경기 規<u>則</u>을 새롭게 만들었다"에서 밑줄 친 '則'의 훈음으로 알맞은 것은?

( )

①법칙 칙 ②곧 즉 ③성 즉 ④법칙 즉

23. 밑줄 친 '圖'의 뜻이 <u>다른</u> 것은?

( )

①地圖 ②圖表 ③試圖 ④圖畫紙

24. 한자를 쓰는 일반적인 순서로 바르지 <u>않은</u> 것은?

( )

①위에서 아래로 쓴다.

②세로획을 먼저 쓰고, 가로획은 나중에 쓴다.

③세로나 가로를 꿰뚫는 획은 맨 나중에 쓴다.

④왼쪽에서 오른쪽으로 쓴다.

25. '産'의 유의자는?

( )

①助 ②算 ③生 ④姓

26. '高'의 반의자는?

( )

①例 ②習 ③低 ④再

27. "□約, 季□, 守□"에서 □안에 공통으로 들어갈 알맞은 한자는?

( )

①束 ②節 ③省 ④世

※ 어휘의 독음이 바른 것을 고르시오.

28. 將軍 ( ) ①장군 ②국군 ③해군 ④장남

29. 冷待 ( ) ①냉시 ②영시 ③영대 ④냉대

30. 牧師 ( ) ①교주 ②목사 ③교사 ④목동

31. 着眼 ( ) ①성한 ②착한 ③착안 ④성안

32. 新鮮 ( ) ①신선 ②신양 ③친어 ④친선

33. 調味 ( ) ①주미 ②주료 ③조미 ④미두

34. 獨身 ( ) ①단신 ②독체 ③독신 ④단체

※ 어휘의 뜻으로 알맞은 것을 고르시오.

35. 眞空 ( )

①손으로 하는 비교적 간단한 공예.

②물질이 전혀 존재하지 아니하는 공간.

③사방의 하늘. ④참된 생각.

36. 花開 ( )

①밤이 옴. ②피가 남.

③꽃이 핌. ④높은 산.

37. 順次 ( )

①순번에 따라 정해진 지위. ②돌아오는 차례.

③마땅한 도리나 이치. ④하품을 크게 함.

38. 상식: 사람들이 보통 알고 있거나 알아야 하는 지식.

(   )

①知能　　②常識　　③知識　　④常知

39. 상품: 사고 파는 물품.

(   )

①上品　　②相品　　③商品　　④賞品

40. 冬至는 일년 중 밤이 가장 긴 날이다.

(   )

①하지　　②동계　　③동치　　④동지

41. 근해에서 漁船들이 조업을 하고 있다.

(   )

①연안　　②만선　　③어선　　④어부

42. 그는 국민적 英雄이 되었다.　(   )

①용맹　　②화웅　　③영웅　　④회장

43. 사고 원인을 정확하게 밝혔다.　(   )

①願因　　②元因　　③原因　　④圜因

44. 우리 회사가 수도권 지역 사업체로 선정되었다.

(   )

①先定　　②先正　　③選正　　④選定

45. 어휘의 짜임이 다른 것은?

(   )

①弱勢　　②吉凶　　③善惡　　④自他

46. '登用'의 유의어는?

(   )

①擧用　　②全用　　③使用　　④所用

47. '進步'의 반의어는?

(   )

①進退　　②退步　　③向上　　④減少

48. "꿩 먹고 알 먹기"와 같은 뜻의 성어는?

(   )

①一致團結　　　②亡子計齒
③一石二鳥　　　④君子三樂

49. 부모님이 부르실 때 취할 행동으로 가장 바른 것은?　(   )

①못 들은 체 한다.
②하던 일을 다 끝내고 대답한다.
③빨리 대답하고 나가본다.
④대답만 하고 나가보지 않는다.

50. 대보름날의 풍속이 아닌 것은?

(   )

①부럼깨기　②쥐불놀이　③부채선물　④더위팔기

※ 한자의 훈음으로 바른 것을 고르시오.

1. 唱 (   ) ①창문 창   ②낱 개
            ③채울 충   ④부를 창

2. 久 (   ) ①움직일 운 ②오랠 구
            ③새 조   ④갈 왕

3. 卓 (   ) ①아이 동   ②날쌜 용
            ③높을 탁   ④아이 아

4. 牧 (   ) ①코 비   ②놓을 방
            ③기다릴 대 ④칠 목

5. 質 (   ) ①종이 지   ②가난할 빈
            ③바탕 질   ④푸를 록

6. 願 (   ) ①멀 원   ②동산 원
            ③구름 운   ④원할 원

7. 祭 (   ) ①제사 제   ②찰 한
            ③해칠 해   ④바를 단

8. 船 (   ) ①정사 정   ②헤아릴 료
            ③배 선   ④글월 문

9. 到 (   ) ①이를 도   ②법식 례
            ③예도 례   ④호수 호

10. 協 (   ) ①합할 합   ②도울 협
             ③사라질 소 ④지경 계

※ 훈음에 맞는 한자를 고르시오.

11. 칠 타 (   ) ①眼 ②忠 ③打 ④調

12. 뜻 정 (   ) ①精 ②情 ③敵 ④族

13. 도읍 도 (   ) ①式 ②炭 ③始 ④都

14. 볼 감 (   ) ①季 ②監 ③甘 ④感

15. 해 세 (   ) ①送 ②勢 ③效 ④歲

16. 다툴 쟁 (   ) ①爭 ②災 ③責 ④基

17. 빌 축 (   ) ①畫 ②視 ③序 ④祝

18. 비 우 (   ) ①早 ②臣 ③雨 ④雪

19. 소리 성 (   ) ①音 ②聲 ③聖 ④城

20. 다리 교 (   ) ①橋 ②根 ③校 ④樹

※ 물음에 알맞은 답을 고르시오.

21. 한자의 제자원리(六書) 중 '형성자'가 아닌
    것은?   (   )
    ①曜   ②洋   ③角   ④關

22. "선수들이 예상을 뛰어넘는 善戰을 펼치고
있다"에서 밑줄 친 '善'의 뜻으로 바른 것은?

(   )

①착하다   ②잘하다   ③친하다   ④옳다

23. 밑줄 친 '曲'의 뜻이 다른 것은?

(   )

①曲目   ②曲線   ③作曲   ④歌曲

24. '鐵'을(를) 자전에서 찾을 때의 방법으로 바른
것은?   (   )

①부수로 찾을 때는 '金'부수의 13획에서 찾는다.

②부수로 찾을 때는 '戈'부수의 17획에서 찾는다.

③총획으로 찾을 때는 '22획'에서 찾는다.

④자음으로 찾을 때는 '재'음에서 찾는다.

25. '停'의 유의자는?   (   )

①庭   ②止   ③再   ④習

26. '姉'의 반의자는?   (   )

①性   ②姓   ③妹   ④兄

27. "韓□ → □上 → 上京"에서 □안에 공통으로
들어갈 알맞은 한자는?   (   )

①科   ②好   ③過   ④屋

※ 어휘의 독음이 바른 것을 고르시오.

28. 省察 (   ) ①생략 ②생시 ③성찰 ④성제

29. 切實 (   ) ①체신 ②절친 ③체실 ④절실

30. 和順 (   ) ①획순 ②화순 ③호순 ④후순

31. 神仙 (   ) ①신선 ②선산 ③신산 ④선신

32. 明朗 (   ) ①아량 ②명양 ③낭랑 ④명랑

33. 支局 (   ) ①기국 ②지국 ③지대 ④기대

34. 餘談 (   ) ①식염 ②여염 ③여담 ④사담

※ 어휘의 뜻으로 알맞은 것을 고르시오.

35. 廣野 (   )

①석양이 질 무렵   ②광물을 캐내는 곳

③버려두어 거친 논밭   ④텅 비고 아득히 넓은 들

36. 助言 (   )

①말로 깨우쳐 도와줌   ②말로 비아냥거림

③심하게 비난 하는 말   ④오래오래 도와줌

37. 是正 (   )

①정치를 시행함   ②바로 이것임

③잘못된 것을 바로잡음   ④옳은 생각

38. 웅대: 웅장하고 큼.

(   )

①雄志　　②意志　　③誠大　　④雄大

39. 사본: 원본을 베껴 놓은 문서나 책.

(   )

①原本　　②寫眞　　③寫本　　④原文

40. 그녀는 <u>每週</u> 등산을 한다. (   )
①매시　　②매일　　③매조　　④매주

41. <u>生鮮</u> 망신은 꼴뚜기가 시킨다. (   )
①성선　　②생양　　③생선　　④성양

42. 선생님께서 <u>宿題</u>를 꼼꼼히 검사하셨다.

(   )

①숙재　　②숙제　　③과제　　④과재

43. 축구 <u>경기</u>가 흥미진진했다.

(   )

①景記　　②競技　　③競記　　④景技

44. 학생들은 중간고사 <u>대비</u>에 힘을 쏟았다.

(   )

①代備　　②代費　　③對費　　④對備

45. 어휘의 짜임이 <u>다른</u> 것은?

(   )

①靑山　　②陽春　　③冷氣　　④求人

46. '面目'의 유의어는?

(   )

①反面　　②洗面　　③體面　　④白面

47. '加速'의 반의어는?

(   )

①增速　　②低束　　③減束　　④減速

48. 문장에서 밑줄 친 성어의 쓰임이 바르지 <u>않은</u>
것은? (   )
①<u>獨不將軍</u>이 제일 으뜸가는 장군이다.
②우리는 한 몸처럼 <u>一致團結</u>하였다.
③학생은 <u>溫故知新</u>하는 자세가 필요하다.
④그녀는 <u>事事件件</u> 내가 하는 일에 간섭하였다.

49. 선인들이 남긴 글을 대하는 태도로 바르지 <u>않은</u>
것은? (   )
①선인들의 좋은 가르침을 실천한다.
②글 속에 담긴 속뜻을 잘 헤아린다.
③시대에 맞지 않으므로 무시한다.
④오늘날에 적용할 수 있는 방법을 생각한다.

50. 단옷날 행해지는 민속이 <u>아닌</u> 것은?

(   )

①부럼깨기　②씨름　　③그네뛰기　④부채선물

11회 실전대비문제

시험시간 : 40분

점수:

※ 한자의 훈음으로 바른 것을 고르시오.

1. 貧 ( )　①가난할 빈　②쓸 비
　　　　　　③성씨 씨　④채울 충

2. 效 ( )　①학교 교　②가르칠 교
　　　　　　③본받을 효　④사귈 교

3. 許 ( )　①가르칠 훈　②좋을 호
　　　　　　③허락할 허　④한정 한

4. 是 ( )　①모일 사　②놓을 방
　　　　　　③지탱할 지　④옳을 시

5. 忠 ( )　①가운데 앙　②아이 아
　　　　　　③충성 충　④맏누이 자

6. 局 ( )　①판 국　②멀 원
　　　　　　③나라 국　④겉 표

7. 貯 ( )　①쌓을 저　②찰 한
　　　　　　③살 매　④바를 단

8. 給 ( )　①고칠 개　②줄 수
　　　　　　③줄 급　④더할 증

9. 爲 ( )　①클 위　②할 위
　　　　　　③예도 례　④베낄 사

10. 致 ( )　①원수 적　②이를 치
　　　　　　③도울 조　④이를 조

※ 훈음에 맞는 한자를 고르시오.

11. 책상 안 ( )　①安 ②完 ③案 ④室

12. 재주 기 ( )　①打 ②技 ③使 ④待

13. 정기 정 ( )　①消 ②情 ③料 ④精

14. 전할 전 ( )　①全 ②傳 ③電 ④展

15. 이를 도 ( )　①送 ②去 ③至 ④到

16. 은혜 혜 ( )　①惠 ②香 ③責 ④和

17. 달 감 ( )　①用 ②雨 ③序 ④甘

18. 옳을 의 ( )　①養 ②餘 ③義 ④意

19. 부를 창 ( )　①眼 ②唱 ③聖 ④回

20. 뭍 륙 ( )　①陸 ②場 ③類 ④樹

※ 물음에 알맞은 답을 고르시오.

21. 한자의 제자 원리(六書) 중 '형성자'가 <u>아닌</u> 것은?

( )

①根　　②城　　③林　　④放

22. "선생님께 궁금한 점을 質問하였다"에서 밑줄 친

‘質’의 훈음으로 알맞은 것은?　　　(　　　)

①바탕 질　②물을 질　③폐백 지　④볼모 질

23. 밑줄 친 ‘宿’의 독음이 다른 것은?　(　　　)

①星宿　　②宿直　　③合宿　　④宿題

24. ‘擧’을(를) 자전에서 찾을 때의 방법으로 바른

것은?　　　　　　　　　　　(　　　)

①부수로 찾을 때는 ‘手’부수의 14획에서 찾는다.

②부수로 찾을 때는 ‘臼’부수의 11획에서 찾는다.

③총획으로 찾을 때는 ‘17획’에서 찾는다.

④자음으로 찾을 때는 ‘여’음에서 찾는다.

25. ‘話’의 유의자는?　　　　　　(　　　)

①計　　②讀　　③說　　④詩

26. ‘存’의 반의자는?　　　　　　(　　　)

①再　　②在　　③無　　④生

27. "公□, 庭□, □藝"에서 □안에 공통으로

들어갈 알맞은 한자는?　　　(　　　)

①式　　②工　　③院　　④園

※ 어휘의 독음이 바른 것을 고르시오.

28. 武勇 (　　　) ①사용 ②시각 ③무용 ④무각

29. 固着 (　　　) ①고수 ②고도 ③고목 ④고착

30. 調定 (　　　) ①조절 ②조정 ③정가 ④정표

31. 競步 (　　　) ①경보 ②쟁보 ③경도 ④경쟁

32. 謝罪 (　　　) ①범죄 ②사비 ③신벌 ④사죄

33. 處理 (　　　) ①소리 ②처리 ③호리 ④처단

34. 備考 (　　　) ①비노 ②주노 ③비고 ④주고

※ 어휘의 뜻으로 알맞은 것을 고르시오.

35. 輕量 (　　　)

①가까운 거리　　　　②가볍고 무거움

③가벼운 무게　　　　④가깝게 다가감

36. 移送 (　　　)

①모두 버림　　　　②각자 떠남

③다른 데로 옮겨 보냄　　④자리를 바꿈

37. 宅地 (　　　)

①석탄이 많이 나는 지역　②우리가 사는 집

③뛰어난 의견　　　　④집을 지을 땅

38. 왕래: 가고 오고 함.　　　　　（　　　　）

　①往年　　②住來　　③住年　　④往來

39. 염두: 생각의 시초.　　　　　（　　　　）

　①念度　　②令頭　　③念頭　　④令度

40. 우리는 서로 筆談을(를) 주고받았다.

　　　　　　　　　　　　　　（　　　　）

　①농담　　②필담　　③잡담　　④율화

41. 監査 자료를 준비하느라 바쁘다.

　　　　　　　　　　　　　　（　　　　）

　①감사　　②감독　　③조사　　④성사

42. 양치는 牧童들은 넓은 초원에서 산다.

　　　　　　　　　　　　　　（　　　　）

　①목중　　②목동　　③시동　　④시중

43. 금강산은 경치가 수려하며 계절에 따라 부르는

　이름도 각각 다르다.　　　　（　　　　）

　①界節　　②季節　　③界切　　④節季

44. 모기는 사람에게 유해한 곤충이다.

　　　　　　　　　　　　　　（　　　　）

　①由害　　②有血　　③有害　　④油害

45. 어휘의 짜임이 다른 것은?　　（　　　　）

　①生水　　②赤色　　③人格　　④洗手

46. '志願'의 유의어는?　　　　　（　　　　）

　①志士　　②志原　　③志望　　④幸運

47. '主觀'의 반의어는?　　　　　（　　　　）

　①觀念　　②客觀　　③美觀　　④所關

48. "많은 전투를 치른 노련한 장수라는 뜻으로,

　세상풍파를 많이 겪어 여러 가지로 능란한 사람"을

　이르는 사자성어는?　　　　　（　　　　）

　①百戰百勝　　　　②能大能小

　③山戰水戰　　　　④百戰老將

49. 박물관에 見學갔을 때의 태도로 바르지 않은

　것은?　　　　　　　　　　　（　　　　）

　①우리 것에 긍지를 가진다.

　②잘 살펴보면서, 모르는 것은 기록한다.

　③진열된 물건을 만지고 두드려본다.

　④조상의 숨결을 느껴본다.

50. 우리나라 명절 중에서 '음력 8월 15일'에 해당하는

　것은?　　　　　　　　　　　（　　　　）

　①端午　　②秋夕　　③寒食　　④冬至

※ 한자의 훈음으로 바른 것을 고르시오.

1. 識 ( ) ①알 식 ②볼 감
③값 가 ④알 지

2. 香 ( ) ①향할 향 ②향기 향
③그림 화 ④꽃 화

3. 建 ( ) ①사건 건 ②가까울 근
③세울 건 ④건강할 건

4. 聖 ( ) ①이룰 성 ②별 성
③소리 성 ④성스러울 성

5. 姉 ( ) ①거느릴 부 ②갚을 보
③아랫누이 매 ④맏누이 자

6. 旅 ( ) ①기 기 ②겨레 족
③나그네 려 ④놓을 방

7. 鮮 ( ) ①고울 선 ②신선 선
③가릴 선 ④낳을 산

8. 賞 ( ) ①자리 석 ②항상 상
③차례 서 ④상줄 상

9. 歲 ( ) ①재 성 ②해 세
③씻을 세 ④세상 세

10. 雄 ( ) ①집 원 ②수컷 웅
③기다릴 대 ④원할 원

※ 훈음에 맞는 한자를 고르시오.

11. 충성 충 ( ) ①忠 ②充 ③祝 ④志

12. 클 위 ( ) ①位 ②備 ③偉 ④鼻

13. 숯 탄 ( ) ①打 ②炭 ③卓 ④板

14. 기를 양 ( ) ①陽 ②養 ③洋 ④藥

15. 완전할 완 ( ) ①原 ②元 ③全 ④完

16. 좋을 호 ( ) ①好 ②店 ③訓 ④和

17. 오랠 구 ( ) ①九 ②具 ③求 ④久

18. 헤아릴 료 ( ) ①要 ②浴 ③料 ④量

19. 익힐 련 ( ) ①例 ②練 ③習 ④歷

20. 스승 사 ( ) ①師 ②士 ③思 ④樹

※ 물음에 알맞은 답을 고르시오.

21. 한자의 제자 원리(六書) 중 '회의'에 해당하는
한자는? ( )
①根 ②韓 ③美 ④注

22. "節電을 생활화 하자"에서 밑줄 친 '節'의 훈음으로 가장 알맞은 것은?　　(　　　)

①절개 절　②마디 절　③계절 절　④절약할 절

23. 밑줄 친 '則'의 독음이 <u>다른</u> 것은?　(　　　)

①<u>然</u>則　②社<u>則</u>　③定<u>則</u>　④規<u>則</u>

24. '個'을(를) 자전에서 찾을 때의 방법으로 바른 것은?　　　　　　　(　　　)

①자음으로 찾을 때는 '고'음에서 찾는다.

②총획으로 찾을 때는 '11획'에서 찾는다.

③부수로 찾을 때는 '固'부수의 2획에서 찾는다.

④부수로 찾을 때는 '人'부수의 8획에서 찾는다.

25. '宅'의 유의자는?　　　　　(　　　)

①家　②可　③野　④區

26. '初'의 반의자는?　　　　　(　　　)

①未　②終　③始　④章

27. "□字, 倍□, 度□"에서 □안에 공통으로 들어갈 알맞은 한자는?　　(　　　)

①孫　②書　③展　④數

※ 어휘의 독음이 바른 것을 고르시오.

28. 進出 (　　) ①원출 ②신출 ③진출 ④진산

29. 過熱 (　　) ①과중 ②적중 ③과열 ④적열

30. 試圖 (　　) ①식단 ②시도 ③시험 ④지도

31. 都市 (　　) ①수도 ②도읍 ③수부 ④도시

32. 鐵路 (　　) ①철도 ②철오 ③철길 ④철로

33. 種目 (　　) ①이자 ②종목 ③이목 ④종자

34. 上限 (　　) ①상간 ②상함 ③상한 ④상퇴

※ 어휘의 뜻으로 알맞은 것을 고르시오.

35. 將來 (　　　)
①다가올 앞날　　　②장군이 돌아감
③이미 지나간 날　　④장군과 병졸들

36. 許多 (　　　)
①말이 많음　　　　②수효가 매우 많음
③모두 다 허락함　　④절대 허락하지 않음

37. 政勢 (　　　)
①세금을 거두어들임　②정치인의 자세
③정치상의 동향이나 형세 ④국가의 강력한 군사력

38. 천재: 자연현상으로 일어난 재난.

(   )

①天材   ②天才   ③千災   ④天災

39. 개선: 잘못된 점을 고치어 잘 되게 함.

(   )

①改選   ②開善   ③改善   ④開選

40. 계약서 寫本을 제시했다.

(   )

①정본   ②등본   ③원본   ④사본

41. 도서관에서 위인들의 傳記을(를) 읽었다.

(   )

①전기   ②전집   ③명언   ④명구

42. 모든 병은 早期에 치료하는 것이 좋다.

(   )

①초기   ②적기   ③조기   ④주기

43. 그는 매월 조금씩 저금을 하고 있다. (   )

①給食   ②貯金   ③消金   ④急賣

44. 회의 안건들을 거수로 결정했다. (   )

①擧手   ②去首   ③去手   ④擧首

45. 어휘의 짜임이 다른 것은?

(   )

①曲線   ②夫婦   ③高低   ④陸海

46. '餘白'의 유의어는? (   )

①空氣   ②明白   ③空白   ④黑白

47. '輕視'의 반의어는? (   )

①着視   ②重視   ③中視   ④放待

48. "미리 준비가 되어 있으면 걱정할 것이 없음"을 이르는 사자성어는? (   )

①十年知己   ②天下無敵

③右往左往   ④有備無患

49. 우리 조상들이 남긴 문화유산을 대하는 태도로 바르지 않은 것은? (   )

①자긍심을 가진다.   ②대충 소홀히 관리한다.

③소중히 아끼고 보존한다.   ④조상의 얼을 느껴본다.

50. 우리의 고유 명절로 바르지 않은 것은?

(   )

①대보름   ②설날   ③성탄절   ④추석

대한민국한자급수자격검정시험 **4급**

실전대비문제

시험시간 : 40분

점수:

※ **한자의 훈음으로 바른 것을 고르시오.**

1. 偉 ( ) ①벼슬할 사 ②지을 작
   　　　　　③높을 탁 ④클 위

2. 島 ( ) ①말 마 ②섬 도
   　　　　　③새 조 ④무리 류

3. 葉 ( ) ①약 약 ②잎 엽
   　　　　　③풀 초 ④꽃부리 영

4. 政 ( ) ①펼 전 ②정사 정
   　　　　　③권세 세 ④제사 제

5. 低 ( ) ①낮을 저 ②신선 선
   　　　　　③전할 전 ④성씨 씨

6. 序 ( ) ①정성 성 ②셀 계
   　　　　　③차례 서 ④도울 협

7. 停 ( ) ①정기 정 ②쌓을 저
   　　　　　③재물 재 ④머무를 정

8. 終 ( ) ①푸를 록 ②가난할 빈
   　　　　　③종이 지 ④마칠 종

※ **훈음에 맞는 한자를 고르시오.**

9. 기약할 기 ( ) ①期 ②記 ③旗 ④其

10. 널빤지 판 ( ) ①反 ②材 ③波 ④板

11. 다를 타 ( ) ①打 ②守 ③他 ④移

12. 지탱할 지 ( ) ①志 ②止 ③責 ④支

13. 견줄 비 ( ) ①鼻 ②備 ③費 ④比

14. 착할 선 ( ) ①線 ②善 ③船 ④美

15. 근심 환 ( ) ①凶 ②寒 ③患 ④惡

※ **물음에 알맞은 답을 고르시오.**

16. 한자의 제자원리(六書) 중 '형성'에 해당하는 한자가
    <u>아닌</u> 것은?

( )

①村 ②正 ③聞 ④課

---

17. 밑줄 친 '家'의 뜻이 다른 것은?

(   )

①本家   ②外家   ③畫家   ④家庭

18. "그 문제는 數學 공식을 대입해 풀었다"에서 밑줄 친 '數'의 훈음으로 가장 알맞은 것은?

(   )

①법도 도   ②셈 수   ③빽빽할 촉   ④자주 삭

19. '增'을(를) 자전에서 찾을 때의 방법으로 바른 것은?

(   )

①자음으로 찾을 때는 '승'음에서 찾는다.
②총획으로 찾을 때는 '16획'에서 찾는다.
③부수로 찾을 때는 '曰'부수의 8획에서 찾는다.
④부수로 찾을 때는 '土'부수의 12획에서 찾는다.

20. '知'의 유의자는?

(   )

①告   ②食   ③短   ④識

21. '冷'의 반의자는?

(   )

①活   ②溫   ③思   ④注

22. "□器, □物店, 古□"에서 □안에 공통으로 들어갈 알맞은 한자는?

(   )

①兵   ②舊   ③鐵   ④清

※ 어휘의 독음이 바른 것을 고르시오.

23. 考試 (   ) ①고시 ②고무 ③고식 ④효시

24. 魚鮮 (   ) ①어양 ②어주 ③어선 ④어군

25. 退場 (   ) ①태양 ②변장 ③진장 ④퇴장

26. 固體 (   ) ①개체 ②고체 ③고례 ④개례

27. 調節 (   ) ①조약 ②조절 ③주절 ④주번

28. 良質 (   ) ①양질 ②식질 ③양실 ④앙질

29. 意味 (   ) ①음미 ②음말 ③의미 ④입미

30. 無敵 (   ) ①유적 ②무적 ③무대 ④무상

31. 養老 (   ) ①앙로 ②식노 ③식로 ④양로

※ 어휘의 뜻으로 알맞은 것을 고르시오.

32. 新進 (   )

①새로 발견되었거나 새로 개량된 생물의 종
②자리를 내어 줌   ③새것과 묵은 것
④어떤 분야에 새로 나아감

33. 談話 (   )

①큰소리로 말함   ②묻는 말에 대답함
③말보다 듣기를 잘함
④서로 이야기를 주고받음

34. 順次 (   )

①돌아오는 차례   ②순번을 맞바꿈
③마땅한 도리나 이치   ④아이를 순조롭게 낳음

※ **낱말을 한자로 바르게 쓴 것을 고르시오.**

35. 소망: 어떤 일을 바람. (　　)
　①小望　②所亡　③所望　④小亡

36. 완패: 완전하게 패함. (　　)
　①完敗　②元貝　③完貝　④全敗

37. 영해: 영토에 인접한 해역으로서, 그 나라의 통치권이 미치는 범위. (　　)
　①領海　②令海　③令害　④領害

※ **밑줄 친 어휘의 알맞은 독음을 고르시오.**

38. 인터넷을 통해 많은 情報을(를) 얻고 있다. (　　)
　①청보　②성격　③정보　④정답

39. 전쟁이 끝나자 도시의 再建이(가) 이루어졌다. (　　)
　①재건　②재개　③공건　④재발

40. 교실에서 학생들이 授業을(를) 듣고 있다. (　　)
　①점수　②수업　③평가　④과제

41. 나는 지난 週末에 영화를 보았다. (　　)
　①주미　②주말　③매주　④주간

※ **밑줄 친 부분을 한자로 바르게 쓴 것을 고르시오.**

42. 설악산의 주변 경관이 수려하다. (　　)
　①景觀　②京觀　③京關　④景關

43. 그와 나는 처지가 같아 쉽게 친해졌다.(　　)
　①身世　②處身　③處地　④位地

44. 저의 장래 희망은 아픈 사람들의 병을 고쳐주는 의사가 되는 것입니다. (　　)
　①將來　②章來　③將未　④章未

※ **물음에 알맞은 답을 고르시오.**

45. 어휘의 짜임이 다른 것은? (　　)
　①公約　②兒童　③集合　④法律

46. '人工'의 유의어는? (　　)
　①自然　②木工　③天然　④人爲

47. '寫本'의 반의어는? (　　)
　①根本　②原因　③寫眞　④原本

48. "語不成說"의 속뜻으로 알맞은 것은? (　　)
　①말을 아주 잘함　②말수가 적음
　③말속에 깊은 뜻이 있음
　④말이 조금도 사리에 맞지 않음

49. 우리가 일상생활에서 할 수 있는 "예절 바른 행동"으로 바르지 않은 것은? (　　)
　①웃어른께는 항상 공손하게 인사를 드린다.
　②공공장소에서는 큰 소리로 떠든다.
　③친구, 형제간에 사이좋게 지낸다.
　④노약자에게 자리를 양보한다.

50. '24절기'에 속하지 않는 것은? (　　)
　①立春　②秋夕　③冬至　④夏至

※ 한자의 훈음으로 바른 것을 고르시오.

1. 期 (　　) ①볼　시　②철　계
　　　　③기약할　기　④기록할　기

2. 令 (　　) ①생각　념　②옷깃　령
　　　　③이제　금　④하여금　령

3. 次 (　　) ①버금　차　②붙을　착
　　　　③얼음　빙　④살필　찰

4. 往 (　　) ①본받을　효　②갈　왕
　　　　③다닐　행　④완전할　완

5. 災 (　　) ①성씨　씨　②가운데　앙
　　　　③재앙　재　④재주　재

6. 存 (　　) ①있을　존　②있을　재
　　　　③모일　사　④벼슬할　사

7. 炭 (　　) ①더울　열　②숯　탄
　　　　③두　재　④정기　정

8. 景 (　　) ①볕　경　②잎　엽
　　　　③약　약　④볕　양

※ 훈음에 맞는 한자를 고르시오.

9. 머무를 정 (　　) ①政 ②正 ③停 ④定

10. 변할 변 (　　) ①歷 ②勞 ③陸 ④變

11. 사건 건 (　　) ①建 ②洋 ③件 ④任

12. 베낄 사 (　　) ①寫 ②雲 ③島 ④雪

13. 마칠 종 (　　) ①公 ②終 ③共 ④卒

14. 뼈 골 (　　) ①賣 ②買 ③類 ④骨

15. 목욕할 욕 (　　) ①浴 ②害 ③油 ④決

※ 물음에 알맞은 답을 고르시오.

16. '根'의 제자원리(육서)로 알맞은 것은?
　　　　　　　　　　(　　)
①상형　②지사　③형성　④회의

17. 밑줄 친 '樹'의 뜻이 <u>다른</u> 것은?

(   )

①<u>樹</u>木　　②<u>樹</u>立　　③植<u>樹</u>　　④果<u>樹</u>

18. "그의 사전에 敗北은(는) 없다"에서 밑줄 친 '北'의 훈음으로 가장 알맞은 것은? (   )

①달아날 배　②달아날 북　③북녘 배　④북녘 북

19. '鐵'을(를) 자전에서 찾을 때의 방법으로 바른 것은?

(   )

①부수로 찾을 때는 '金'부수의 13획에서 찾는다.

②부수로 찾을 때는 '戈 ' 부수의 17획에서 찾는다.

③총획으로 찾을 때는 '22획'에서 찾는다.

④자음으로 찾을 때는 '재'음에서 찾는다.

20. 유의자의 연결이 바르지 <u>않은</u> 것은?

(   )

①規=則　　②番=序　　③法=式　　④苦=甘

21. 반의자의 연결이 바르지 <u>않은</u> 것은?

(   )

①貧↔富　　②減↔加　　③校↔敎　　④輕↔重

22. "生□, □地, 財□"에서 □안에 공통으로 들어갈 알맞은 한자는? (   )

①林　　②産　　③展　　④命

※ **어휘의 독음이 바른 것을 고르시오.**

23. 冷戰 (   ) ①냉시　②영시　③영단　④냉전

24. 藝術 (   ) ①원술　②운행　③예술　④학술

25. 明朗 (   ) ①명랑　②월양　③낭낭　④양량

26. 便所 (   ) ①변근　②변소　③편주　④편근

27. 住宅 (   ) ①귀댁　②왕댁　③저택　④주택

28. 支局 (   ) ①기국　②지대　③지국　④우국

29. 牧童 (   ) ①특종　②목경　③복종　④목동

30. 切實 (   ) ①절실　②체실　③절친　④체신

31. 救助 (   ) ①구력　②구조　③구휼　④구차

※ **어휘의 뜻으로 알맞은 것을 고르시오.**

32. 花開 (   )
①꽃이 핌　②밤이 옴　③피가 남　④높은 산

33. 宿願 (   )
①별자리　　　　②오래된 원칙
③오래 전부터의 원수
④오래전부터 품어 온 염원

34. 發説 (   )
①물체가 열을 냄　②생물이 차차 자라남
③입 밖으로 말을 냄　④병이 남

※ 낱말을 한자로 바르게 쓴 것을 고르시오.

35. 암향: 그윽이 풍기는 향기. ( )
①暗色 ②音色 ③音香 ④暗香

36. 신의: 믿음과 의리. ( )
①身義 ②信義 ③身意 ④信意

37. 퇴장: 어떤 장소에서 물러남. ( )
①退步 ②登場 ③退場 ④廣場

※ 밑줄 친 어휘의 알맞은 독음을 고르시오.

38. 할머니의 病勢이(가) 호전되고 있다. ( )
①병실 ②기세 ③병력 ④병세

39. 근해에서 漁船들이 조업을 하고 있다. ( )
①어선 ②만선 ③연안 ④어부

40. 사람을 웃기는 特技(이)가 있다. ( )
①대처 ②특기 ③특지 ④대지

41. 상을 받기 위해 壇上에 올랐다. ( )
①단위 ②탁상 ③단상 ④정상

※ 밑줄 친 부분을 한자로 바르게 쓴 것을 고르시오.

42. 삼촌은 아르바이트를 해서 용돈과 학비를 벌었다. ( )
①學費 ②學比 ③學備 ④學米

43. 갈수록 가족 간의 대화가 부족해지고 있다. ( )
①待談 ②對談 ③待話 ④對話

44. 사고 원인을 정확하게 밝혔다. ( )
①院因 ②元因 ③原因 ④圍因

※ 물음에 알맞은 답을 고르시오.

45. '授賞'와(과) 같이 '술목관계'로 이루어진 것은? ( )
①報恩 ②長橋 ③民心 ④兩方

46. '洗面'의 유의어는? ( )
①前面 ②洗車 ③洗手 ④面刀

47. 반의어가 잘못 연결된 것은? ( )
①吉日↔凶日 ②代金↔代價
③好材↔惡材 ④高溫↔低溫

48. "一石二鳥"의 속뜻으로 바른 것은? ( )
①군자의 세 가지 즐거움
②여럿이 마음을 합쳐 한 덩어리로 굳게 뭉침
③동시에 두 가지 이득을 봄
④이미 그릇된 일은 생각하여도 아무 소용이 없음

49. 父母님께 행하는 孝의 방법으로 바르지 않은 것은? ( )
①飮食은 투정부리지 않고 먹는다.
②父母님이 들어오시면 일어나 人事를 한다.
③밖에 나갈 때는 父母님께 갈 곳을 알린다.
④父母님께서 잘못이 있으시면 성내며 忠告한다.

50. '단옷날'에 행해지는 풍속이 아닌 것은? ( )
①부채선물 ②부럼깨기 ③씨름 ④그네뛰기

※ **한자의 훈음으로 바른 것을 고르시오.**

1. 監 ( ) ①덜 감 ②역사 사 ③볼 감 ④나타날 현

2. 唱 ( ) ①나눌 구 ②창문 창 ③성스러울 성 ④부를 창

3. 固 ( ) ①굳을 고 ②예 고 ③그림 도 ④공변될 공

4. 費 ( ) ①곧을 직 ②쓸 비 ③제단 단 ④앉을 좌

5. 協 ( ) ①도울 협 ②사라질 소 ③지경 계 ④합할 합

6. 恩 ( ) ①굽을 곡 ②펼 전 ③은혜 은 ④완전할 완

7. 處 ( ) ①바 소 ②온전할 전 ③구할 구 ④곳 처

8. 무 ( ) ①풀 초 ②이를 조 ③높을 탁 ④말미암을 유

※ **훈음에 맞는 한자를 고르시오.**

9. 굳셀 무 ( ) ①强 ②式 ③武 ④試

10. 나그네 려 ( ) ①方 ②旅 ③令 ④族

11. 갖출 비 ( ) ①備 ②質 ③湖 ④城

12. 주일 주 ( ) ①送 ②州 ③紙 ④週

13. 재주 예 ( ) ①術 ②技 ③藝 ④典

14. 맏누이 자 ( ) ①味 ②姉 ③妹 ④如

15. 허락할 허 ( ) ①可 ②洞 ③河 ④許

※ **물음에 알맞은 답을 고르시오.**

16. '角'의 제자원리(육서)로 알맞은 것은?

( )

①상형 ②지사 ③형성 ④회의

17. 밑줄 친 '失'의 뜻이 <u>다른</u> 것은?

(   )

①<u>失</u>望   ②過<u>失</u>   ③<u>失</u>業   ④<u>失</u>格

18. "그는 재산 一切을(를) 학교에 기부하였다"에서 밑줄 친 '切'의 훈음으로 가장 알맞은 것은?

(   )

①끊을 절   ②모두 절   ③모두 체   ④간절할 절

19. '宅'을(를) 자전에서 찾을 때의 방법으로 바르지 <u>않은</u> 것은? (   )

①총획으로 찾을 때는 '6획'에서 찾는다.

②자음으로 찾을 때는 '택'음에서 찾는다.

③부수로 찾을 때는 '宀'부수의 3획에서 찾는다.

④부수로 찾을 때는 '宀'부수의 4획에서 찾는다.

20. 유의자의 연결이 바르지 <u>않은</u> 것은?

(   )

①順=最   ②爭=戰   ③寒=冷   ④陸=地

21. '師'의 반의자는?   (   )

①第   ②孫   ③弟   ④兄

22. "韓□ → □上 → 上京"에서 □안에 공통으로 들어갈 알맞은 한자는?

(   )

①屋   ②好   ③在   ④生

※ 어휘의 독음이 바른 것을 고르시오.

23. 祭器 (   ) ①찰구 ②제기 ③혈기 ④제구

24. 熱氣 (   ) ①집세 ②열세 ③숙기 ④열기

25. 餘談 (   ) ①식담 ②여담 ③여염 ④식염

26. 增便 (   ) ①증경 ②가변 ③단편 ④증편

27. 獨身 (   ) ①단체 ②독체 ③독신 ④단신

28. 要領 (   ) ①요령 ②요냉 ③구금 ④구령

29. 省察 (   ) ①성제 ②생략 ③성찰 ④생시

30. 基本 (   ) ①기미 ②기본 ③기말 ④근본

31. 意志 (   ) ①의지 ②의심 ③음의 ④의사

※ 어휘의 뜻으로 알맞은 것을 고르시오.

32. 移植 (   )

①옮겨 심음   ②곧게 자람

③충분히 멀어짐   ④몹시 저조함

33. 偉大 (   )

①큰일을 할 사람   ②일이 점점 커짐

③맡은 일을 훌륭히 해냄   ④뛰어나고 훌륭함

34. 敬待 (   )

①음식을 차려 접대함   ②공경하여 대접함

③공손하게 스승을 높임   ④날씨가 매우 추움

35. 국한: 범위를 일정한 부분에 한정함.

(   )

①局良   ②國限   ③局限   ④國良

36. 상품: 사고파는 물품. (   )

①常品   ②商品   ③相品   ④賞品

37. 타산: 자신에게 도움이 되는지를 따져 헤아림.

(   )

①打算   ②他算   ③打産   ④他山

※ 밑줄 친 어휘의 알맞은 독음을 고르시오.

38. 이 사건이 있은 후 그는 英雄이 되었다.

(   )

①성웅   ②용맹   ③회장   ④영웅

39. 졸업식장에서 환송사가 朗讀되었다.

(   )

①낭속   ②양독   ③낭독   ④양속

40. 설악산의 주변 景觀이(가) 수려하다.

(   )

①관광   ②경관   ③경치   ④관객

41. 진리란 永久 불변한 것이다.

(   )

①영구   ②영장   ③수구   ④장구

※ 밑줄 친 부분을 한자로 바르게 쓴 것을 고르시오.

42. 시험기간에는 도서관이 늘 붐빈다. (   )

①其間   ②己間   ③記間   ④期間

43. 방금 뉴스 속보가 보도되었다. (   )

①速報   ②束步   ③速步   ④束報

44. 우리말 왜곡과 은어, 비속어 등의 사용 실태를 조사하여 대책을 마련해야 한다. (   )

①助思   ②調査   ③調思   ④助査

※ 물음에 알맞은 답을 고르시오.

45. 어휘의 짜임이 다른 것은? (   )

①吉凶   ②善惡   ③遠近   ④弱勢

46. '同種'의 유의어는? (   )

①入場   ②富力   ③同類   ④登用

47. '都市'의 반의어는? (   )

①都邑   ②農村   ③農民   ④市內

48. "몸을 움직여서 하는 모든 짓"을 뜻하는 성어는?

(   )

①行動擧止   ②自給自足

③一進一退   ④言行一致

49. 우리의 문화유산을 이해하고 발전시키는 방법으로 바르지 않은 것은? (   )

①우리의 것을 아끼고 사랑하는 마음을 가져야 한다.
②조상의 지혜와 슬기가 담겨 있는 곳을 찾아가 본다.
③우리의 문화유산을 세계에 알릴 필요는 없다.
④후대에게 물려줄 소중한 유산을 아끼고 보존한다.

50. 우리 고유의 세시풍속이 행해지는 '음력 8월 15일'의 명칭은? (   )

①秋夕   ②端午   ③冬至   ④夏至

모|범|답|안

 심화학습문제 (133~134쪽)

1.④ 2.③ 3.① 4.② 5.③ 6.② 7.④ 8.② 9.① 10.③ 11.② 12.④ 13.③ 14.② 15.① 16.③ 17.① 18.④
19.② 20.② 21.③ 22.② 23.② 24.④ 25.② 26.④ 27.④ 28.③ 29.④ 30.② 31.③ 32.③ 33.① 34.②
35.④ 36.③ 37.④ 38.① 39.③ 40.④ 41.③ 42.② 43.② 44.① 45.④ 46.② 47.③ 48.① 49.④ 50.③

 심화학습문제 (135~136쪽)

1.③ 2.② 3.④ 4.① 5.③ 6.② 7.④ 8.③ 9.② 10.④ 11.② 12.④ 13.① 14.② 15.③ 16.④ 17.③ 18.①
19.② 20.④ 21.② 22.① 23.① 24.① 25.④ 26.② 27.④ 28.④ 29.③ 30.③ 31.① 32.② 33.③ 34.④
35.③ 36.② 37.③ 38.③ 39.④ 40.④ 41.③ 42.② 43.③ 44.② 45.③ 46.② 47.④ 48.② 49.③ 50.④

 심화학습문제 (137~138쪽)

1.④ 2.① 3.② 4.② 5.③ 6.③ 7.③ 8.① 9.② 10.④ 11.④ 12.③ 13.② 14.① 15.③ 16.② 17.③ 18.①
19.② 20.④ 21.② 22.③ 23.① 24.① 25.④ 26.④ 27.② 28.④ 29.③ 30.② 31.① 32.② 33.② 34.④
35.③ 36.② 37.① 38.④ 39.② 40.② 41.① 42.③ 43.② 44.③ 45.④ 46.④ 47.② 48.③ 49.③ 50.④

 심화학습문제 (139~140쪽)

1.③ 2.② 3.③ 4.④ 5.④ 6.② 7.③ 8.④ 9.④ 10.① 11.① 12.③ 13.② 14.④ 15.③ 16.③ 17.④ 18.②
19.③ 20.① 21.① 22.② 23.④ 24.② 25.④ 26.③ 27.④ 28.① 29.④ 30.③ 31.③ 32.④ 33.② 34.④
35.② 36.④ 37.② 38.④ 39.④ 40.③ 41.④ 42.③ 43.④ 44.① 45.② 46.④ 47.③ 48.② 49.② 50.③

 심화학습문제 (141~142쪽)

1.③ 2.④ 3.④ 4.④ 5.② 6.① 7.③ 8.④ 9.② 10.④ 11.② 12.② 13.① 14.④ 15.① 16.③ 17.② 18.④
19.④ 20.③ 21.④ 22.② 23.④ 24.② 25.② 26.④ 27.① 28.② 29.③ 30.③ 31.② 32.② 33.① 34.②
35.③ 36.③ 37.② 38.③ 39.③ 40.④ 41.③ 42.② 43.② 44.④ 45.③ 46.④ 47.② 48.③ 49.④ 50.②

실전대비문제

모|범|답|안 ①회

■ 다음 물음에 맞는 답의 번호를 골라 답안지의 해당 답란에 표시하시오.

※ 한자의 훈음으로 바른 것을 고르시오.

1. 財 (②)　①패할　패　②재물　재
　　　　　　　③있을　재　④조개　패
[설명] ◎敗(패할 패), 在(있을 재), 貝(조개 패).

2. 其 (④)　①기약할 기　②재주　기
　　　　　　　③터　　　기　④그　　　기
[설명] ◎期(기약할 기), 技(재주 기), 基(터 기).

3. 備 (②)　①견줄　비　②갖출　비
　　　　　　　③바람　풍　④겉　　　표
[설명] ◎比(견줄 비), 風(바람 풍), 表(겉 표).

4. 將 (①)　①장수　장　②군사　졸
　　　　　　　③군사　병　④꽃부리 영
[설명] ◎卒(군사 졸), 兵(군사 병), 英(꽃부리 영).

5. 今 (①)　①하여금 령　②이제　금
　　　　　　　③옷깃　령　④생각　념
[설명] ◎今(이제 금), 領(옷깃 령), 念(생각 념).

6. 限 (④)　①한수　한　②어질　량
　　　　　　　③짧을　단　④한정　한
[설명] ◎漢(한수 한), 良(어질 량), 短(짧을 단).

7. 香 (②)　①굽을　곡　②향기　향
　　　　　　　③동산　원　④뼈　　　골
[설명] ◎曲(굽을 곡), 園(동산 원), 骨(뼈 골).

8. 倍 (③)　①소리　음　②벼슬할 사
　　　　　　　③갑절　배　④신선　선
[설명] ◎音(소리 음), 仕(벼슬할 사), 仙(신선 선).

9. 都 (①)　①도읍　도　②대답할 대
　　　　　　　③은　　　은　④섬　　　도
[설명] ◎對(대답할 대), 銀(은 은), 島(섬 도).

10. 藝 (②)　①잎　　　엽　②재주　예
　　　　　　　③재주　술　④줄　　　선
[설명] ◎葉(잎 엽), 術(재주 술), 線(줄 선).

※ 훈음에 맞는 한자를 고르시오.

11. 볕　경 (①)　①景 ②童 ③陽 ④京
[설명] ◎童(아이 동), 陽(볕 양), 京(서울 경).

12. 거느릴 통 (③)　①級 ②給 ③統 ④綠
[설명] ◎級(등급 급), 給(줄 급), 綠(푸를 록).

13. 씨　종 (④)　①始 ②末 ③終 ④種
[설명] ◎始(처음 시), 末(끝 말), 終(마칠 종).

14. 곳　처 (④)　①窓 ②責 ③貯 ④處

[설명] ◎窓(창문 창), 責(꾸짖을 책), 貯(쌓을 저).

15. 전할 전 (②)　①全 ②傳 ③展 ④典
[설명] ◎全(온전할 전), 展(펼 전), 典(법 전).

16. 낮을 저 (③)　①場 ②才 ③低 ④的
[설명] ◎場(마당 장), 才(재주 재), 的(과녁 적).

17. 널빤지 판 (③)　①反 ②任 ③板 ④波
[설명] ◎反(돌이킬 반), 任(맡길 임), 波(물결 파).

18. 베낄 사 (④)　①查 ②調 ③謝 ④寫
[설명] ◎查(조사할 사), 調(고를 조), 謝(사례할 사).

19. 더할 증 (①)　①增 ②進 ③眞 ④直
[설명] ◎進(나아갈 진), 眞(참 진), 直(곧을 직).

20. 다리 교 (③)　①格 ②具 ③橋 ④根
[설명] ◎格(격식 격), 具(갖출 구), 根(뿌리 근).

※ 물음에 알맞은 답을 고르시오.

21. 한자의 제자원리(六書) 중 '형성자'가 아닌 것은?
　　　　　　　　　　　　　　　　　　　(②)

　①健　　②角　　③城　　④放
[설명] ◎健(건강할 건), 城(재 성), 放(놓을 방)은 모두 '형성자'이며, 角(뿔 각)은 '상형자'이다.

22. "端正"에서 밑줄 친 '端'의 훈음으로 가장 알맞은 것은?　　　　　　　　　　　　　　　　　(③)
　①근본 단　②끝 단　　③바를 단　④실마리 단
[설명] ◎端(단·천·전): 끝, 가, 한계, 처음, 시초, 길이의 단위, 실마리, 일의 단서, 까닭, 원인, 막료, 예복, 조짐, 생각, 느낌, 등차, 등급, 가지, 갈래, 문, 정문, 도대체, 대관절, 단정하다, 때마침, 공교롭게도, 바르게 하다, 바르다, 살피다 (단) / (숨을)헐떡이다 (천) / 홀 (전). ◎端正(단정): 옷차림새나 몸가짐 따위가 얌전하고 바르다.

23. "그 문제는 數學 공식을 대입해 풀었다"에서 밑줄 친 '數'의 훈음으로 가장 알맞은 것은?　(④)
　①자주 삭　②빽빽할 촉 ③법도 도　④셈 수
[설명] ◎數(수·삭·촉): 셈, 산법, 역법, 일정한 수량이나 수효, 등급, 구분, 이치, 도리, 규칙, 예법, 정세, 되어 가는 형편, 꾀, 책략, 기술, 재주, 솜씨, 운명, 운수, 수단, 방법, 몇, 두서너, 대여섯, 셀, 계산할, 셈할, 조사하여 볼, 책망할, 헤아릴, 생각할 (수) / 자주, 자주할, 여러 번 되풀이할, 빨리할, 빠를, 황급할, 바빠 서두를, 급히 서둘러 할, 다가설, 접근할 (삭) / 촘촘할 (촉). ◎數學(수학): 수량 및 공간의 성질에 관하여 연구하는 학문. 대수학, 기하학, 해석학 및 이를 응용하는 학문을 통틀어 이르는 말이다.

24. 한자와 총획의 연결이 바르지 <u>않은</u> 것은?(　③　)
①筆-총12획 ②醫-총18획 ③美-총7획 ④支-총4획
[설명] ◎美(아름다울 미): 羊(양 양, 6획)부수의 3획, 총 9획.

25. 반의자의 연결이 바르지 <u>않은</u> 것은?　（　②　）
①發↔着　②順↔序　③善↔惡　④冷↔溫
[설명] ◎順(순할, 차례 순) = 序(차례 서).

26. '至'의 유의자는?　（　①　）
①到　②然　③貧　④番
[설명] ◎至(이를 지) ↔ 到(이를 도).

27. "□客, 多□, □光"에서 □안에 공통으로 들어갈 알맞은 한자는?　（　③　）
①吉　②旅　③觀　④關
[설명] ◎觀客(관객): 운동 경기, 공연, 영화 따위를 보거나 듣는 사람. ◎參觀(참관): 어떤 자리에 직접 나아가서 봄. ◎觀光(관광):「1」나라의 성덕(盛德)과 광휘(光輝)를 봄.「2」다른 지방이나 다른 나라에 가서 그곳의 풍경, 풍습, 문물 따위를 구경함.

※ 어휘의 독음이 바른 것을 고르시오.

28. 敵軍（　④　）①전군 ②전차 ③적운 ④적군
[설명] ◎敵軍(적군):「1」적의 군대나 군사.「2」운동 경기나 시합 따위에서 상대편을 이르는 말.

29. 古鐵（　②　）①구식 ②고철 ③고전 ④고물
[설명] ◎古鐵(고철): 아주 낡고 오래된 쇠. 또는 그 조각.

30. 地球（　②　）①지수 ②지구 ③지반 ④지식
[설명] ◎地球(지구): 태양에서 셋째로 가까운 행성. 인류가 사는 천체로, 달을 위성으로 가진다. 자전 주기는 약 24시간, 공전 주기는 약 365일이다. 극반지름은 약 6,357km, 적도 반지름은 약 6,378km로 타원체를 이루고 있으며, 지각·맨틀·지핵부로 이루어져 있다. 표면적은 약 5억 2천만 ㎢이며, 70%가 바다이다.

31. 固體（　②　）①개례 ②고체 ③개체 ④고례
[설명] ◎固體(고체):『물리』일정한 모양과 부피가 있으며 쉽게 변형되지 않는 물질의 상태. 나무, 돌, 쇠, 얼음 따위의 상태이다.

32. 本質（　④　）①본성 ②소재 ③체질 ④본질
[설명] ◎本質(본질):「1」본디부터 가지고 있는 사물 자체의 성질이나 모습.「2」사물이나 현상을 성립시키는 근본적인 성질.「3」『철학』실존(實存)에 상대되는 말로, 어떤 존재에 관해 '그 무엇'이라고 정의될 수 있는 성질.「4」『철학』후설(Husserl, E.)의 현상학에서, 사물의 시공적(時空的)·특수적·우연적인 존재의 근저에 있으면서 사물을 그 사물답게 만드는 초시공적·보편적·필연적인 것. 본질 직관으로 이것을 포착할 수 있다고 한다.

33. 武器（　②　）①기무 ②무기 ③기술 ④무술
[설명] ◎武器(무기):「1」전쟁에 사용되는 기구를 통틀어 이르는 말.「2」어떤 일을 하거나 이루기 위한 중요한 수단이나 도구를 비유적으로 이르는 말.

34. 果樹（　③　）①과목 ②목수 ③과수 ④목두
[설명] ◎果樹(과수): 과실나무. 열매를 얻기 위하여 가꾸는 나무를 통틀어 이르는 말.

35. 孝婦（　①　）①효부 ②효자 ③고부 ④노부
[설명] ◎孝婦(효부): 시부모를 잘 섬기는 며느리.

※ 어휘의 뜻으로 알맞은 것을 고르시오.

36. 面識（　③　）
①처음 본 사람임.　②얼굴을 씻음.
③얼굴을 서로 알 정도의 관계.
④서로 만나서 이야기 함.

37. 熱量（　④　）
①뜨거운 기운.　②열렬한 정성.
③학문이나 기예 따위를 되풀이하여 익힘.
④열에너지의 양.

※ 낱말을 한자로 바르게 쓴 것을 고르시오.

38. 통설: 세상에 널리 알려지거나 일반적으로 인정되고 있는 설.　（　②　）
①說明　②通說　③說話　④通過

39. 웅지: 웅대한 뜻.　（　④　）
①誠意　②雄大　③意志　④雄志

※ 밑줄 친 어휘의 알맞은 독음을 고르시오.

40. 인터넷을 통해 많은 <u>情報</u>을(를) 얻고 있다.
　（　③　）
①성격　②정답　③정보　④청보
[설명] ◎情報(정보):「1」관찰이나 측정을 통하여 수집한 자료를 실제 문제에 도움이 될 수 있도록 정리한 지식. 또는 그 자료.「2」『군사』일차적으로 수집한 첩보를 분석·평가하여 얻은, 적의 실정에 관한 구체적인 소식이나 자료.「3」『컴퓨터』어떤 자료나 소식을 통하여 얻는 지식이나 상태의 총량. 정보 원천에서 발생하며 구체적 양, 즉 정보량으로 측정할 수 있다. 자동화 부문이나 응용 언어학 분야에서도 쓰인다.

41. 죄의 <u>輕重</u>에 따라 부과된 형벌이 다르다.(　④　)
①비중　②경동　③운동　④경중
[설명] ◎輕重(경중):「1」가벼움과 무거움. 또는 가볍고 무거운 정도.「2」중요함과 중요하지 않음.

42. 선생님은 <u>助言</u>와(과) 격려를 아끼지 않았다.

(④)
①당부　②역언　③충고　④조언
[설명] ◎助言(조언): 말로 거들거나 깨우쳐 주어서 도움. 또는 그 말.

※ 다음 면에 계속

※ 밑줄 친 부분을 한자로 바르게 쓴 것을 고르시오.

43. 할아버지께선 작년에 <u>정년</u> 퇴임을 하셨다.
(③)
①庭年　②定年　③停年　④政年
[설명] ◎停年(정년): 관청이나 학교, 회사 따위에 근무하는 공무원이나 직원이 직장에서 물러나도록 정하여져 있는 나이.

44. 난 오늘 몸이 아파서 <u>조퇴</u>를 했다. (④)
①朝退　②祖退　③卓退　④早退
[설명] ◎早退(조퇴): 정하여진 시간 이전에 물러남.

※ 물음에 알맞은 답을 고르시오.

45. 어휘의 짜임이 <u>다른</u> 것은? (④)
①送電　②植木　③卒業　④藥水
[설명] ◎送電(송전, 보낼 송·번개 전): 발전소에서 생산된 전력을 변전소로 보내는 일. ◎植木(식목, 심을 식·나무 목): 나무를 심음. 또는 그 나무. ◎卒業(졸업, 군사·마칠 졸·일 업): 「1」학생이 규정에 따라 소정의 교과 과정을 마침. 「2」어떤 일이나 기술, 학문 따위에 통달하여 익숙해짐. 이상은 모두 '~을 ~하다'로 풀이되는 '술목관계'이다. ◎藥水(약수, 약 약·물 수): 먹거나 몸을 담그거나 하면 약효가 있는 샘물. 이는 앞 글자가 뒤 글자를 꾸며주는 '수식관계'이다.

46. '空白'의 유의어는? (②)
①空氣　②餘白　③白紙　④黑白
[설명] ◎空白(공백): 「1」종이나 책 따위에서 글씨나 그림이 없는 빈 곳. 「2」아무것도 없이 비어 있음. 「3」특정한 활동이나 업적이 없이 비어 있음. 「4」어떤 일의 빈구석이나 빈틈. = 餘白(여백): 종이 따위에, 글씨를 쓰거나 그림을 그리고 남은 빈 자리.

47. 반의어의 연결로 바르지 <u>않은</u> 것은? (①)
①兩親↔父母　②登校↔下校
③音讀↔訓讀　④壇上↔壇下
[설명] ◎兩親(양친): 부친과 모친을 아울러 이르는 말. = 父母(부모): 아버지와 어머니를 아울러 이르는 말. ◎登校(등교): 학생이 학교에 감. ↔ 下校(하교): 공부를 끝내고 학교에서 집으로 돌아옴. ◎音讀(음독):

「1」글 따위를 소리 내어 읽음. 「2」한자를 음으로 읽음. ↔ 訓讀(훈독): 한자의 뜻을 새겨서 읽음. ◎壇上(단상): 교단이나 강단 따위의 위. ↔ 壇下(단하): 교단이나 강단 따위의 단 아래.

48. 문장에서 성어의 쓰임이 바르지 <u>않은</u> 것은?
(①)
①마음을 바르게 하여 <u>坐不安席</u>하였다.
②나는 동생이 둘이나 있는데, 친구는 <u>無男獨女</u>이다.
③살면서 적어도 <u>骨肉相爭</u>만은 없어야 한다.
④<u>兄弟姉妹</u>는 우애가 있어야 한다.
[설명] ◎坐不安席(좌불안석): 앉아도 자리가 편안하지 않다는 뜻으로, 마음이 불안하거나 걱정스러워서 한 군데에 가만히 앉아 있지 못하고 안절부절못하는 모양을 이르는 말. ◎無男獨女(무남독녀): 아들이 없는 집안의 외동딸. ◎骨肉相爭(골육상쟁): 가까운 혈족끼리 서로 싸움. ◎兄弟姉妹(형제자매): 남자 형제와 여자 형제를 아울러 이르는 말.

49. 선인들이 남긴 글을 대하는 태도로 바르지 <u>않은</u> 것은? (②)
①글 속에 담긴 속뜻을 잘 헤아린다.
②시대에 맞지 않으므로 무시한다.
③선인들의 좋은 가르침을 실천한다.
④오늘날에 적용할 수 있는 방법을 생각한다.

50. "歲寒三友"에 속하지 <u>않는</u> 것은? (①)
①벗나무　②매화나무　③소나무　④대나무
[설명] ◎歲寒三友(세한삼우): 추운 겨울철의 세 벗이라는 뜻으로, 추위에 잘 견디는 소나무·대나무·매화나무를 통틀어 이르는 말. 흔히 한 폭의 그림에 그려서 '송죽매'라고 한다.

♣ 수고하셨습니다.

모|범|답|안 ②회

■ 다음 물음에 맞는 답의 번호를 골라 답안지의 해당 답란에 표시하시오.

※ 한자의 훈음으로 바른 것을 고르시오.

1. 査 (③)　①이를　조　②벼슬할　사
　　　　　　　③조사할　사　④잡을　조
[설명] ◎早(이를 조), 仕(벼슬할 사), 操(잡을 조).

2. 葉 (④)　①권세　세　②약　약
　　　　　　　③풀　초　④잎　엽
[설명] ◎勢(권세 세), 藥(약 약), 草(풀 초).

3. 餘 (②)　①기를　양　②남을　여
　　　　　　　③푸를　록　④마실　음
[설명] ◎養(기를 양), 綠(푸를 록), 飮(마실 음).

4. 廣 (③)　①누를　황　②빛　광
　　　　　　　③넓을　광　④법도　도
[설명] ◎黃(누를 황), 光(빛 광), 度(법도 도).

5. 船 (②)　①갑절　배　②배　선
　　　　　　　③쌓을　저　④가릴　선
[설명] ◎倍(갑절 배), 貯(쌓을 저), 選(가릴 선).

6. 完 (②)　①원수　적　②완전할　완
　　　　　　　③집　원　④으뜸　원
[설명] ◎敵(원수 적), 院(집 원), 元(으뜸 원).

7. 炭 (①)　①숯　탄　②필　발
　　　　　　　③두　재　④병　병
[설명] ◎發(필 발), 再(두 재), 病(병 병).

8. 城 (④)　①덜　감　②성할　성
　　　　　　　③대신할　대　④재　성
[설명] ◎減(덜 감), 盛(성할 성), 代(대신할 대).

9. 次 (②)　①얼음　빙　②버금　차
　　　　　　　③찰　랭　④칠　목
[설명] ◎冰(얼음 빙), 冷(찰 랭), 牧(칠 목).

10. 練 (③)　①익힐　습　②줄　선
　　　　　　　③익힐　련　④빠를　속
[설명] ◎習(익힐 습), 線(줄 선), 速(빠를 속).

※ 훈음에 맞는 한자를 고르시오.

11. 나그네 려 (③)　①方　②令　③旅　④族
[설명] ◎方(모 방), 令(하여금 령), 族(겨레 족).

12. 굳셀 무 (④)　①式　②强　③試　④武
[설명] ◎式(법 식), 强(강할 강), 試(시험 시).

13. 사건 건 (④)　①季　②建　③巾　④件
[설명] ◎季(철 계), 建(세울 건), 巾(수건 건).

14. 터 기 (③)　①旗　②期　③基　④其

[설명] ◎旗(기 기), 期(기약할 기), 其(그 기).

15. 제단 단 (①)　①壇　②增　③圓　④短
[설명] ◎增(더할 증), 圓(둥글 단), 短(짧을 단).

16. 본받을 효 (③)　①政　②數　③效　④曜
[설명] ◎政(정사 정), 數(셈 수), 曜(빛날 요).

17. 호수 호 (①)　①湖　②海　③號　④浴
[설명] ◎海(바다 해), 號(이름 호), 浴(목욕할 욕).

18. 도울 협 (②)　①勞　②協　③移　④加
[설명] ◎勞(수고로울 로), 移(옮길 이), 加(더할 가).

19. 옳을 의 (②)　①奉　②義　③業　④醫
[설명] ◎奉(받들 봉), 業(일 업), 醫(의원 의).

20. 고를 조 (③)　①許　②誠　③調　④朝
[설명] ◎許(허락할 허), 誠(정성 성), 朝(아침 조).

※ 물음에 알맞은 답을 고르시오.

21. 나무 위에 새가 모여서 앉아 있는 것을 나타낸 글자로 '모이다'를 뜻하는 한자는? (②)
①合　②集　③雄　④鳥
[설명] ◎集(모일 집).

22. "그는 재산 一切을(를) 학교에 기부하였다"에서 밑줄 친 '切'의 훈음으로 가장 알맞은 것은? (②)
①모두 절　②모두 체　③끊을 절　④간절할 절
[설명] ◎切(절·체): 끊다, 베다, 정성스럽다, 적절하다, 중요하다, 절박하다, 진맥하다, 문지방, 반절(反切: 한자의 음을 나타낼 때 다른 두 한자의 음을 반씩 따서 합치는 방법), 간절히 (절) / 모두, 온통 (체). ◎一切(일체): 「1」모든 것. 「2」'전부' 또는 '완전히'의 뜻을 나타내는 말.

23. 밑줄 친 '節'의 뜻이 다른 것은? (①)
①節電　②節氣　③名節　④時節
[설명] ◎節(절): (식물의)마디, (동물의)관절, 예절(禮節), 절개(節概·節介), 절조(節操: 절개와 지조를 아울러 이르는 말), 철, 절기(節氣), 기념일, 축제일, 명절(名節), 항목, 사항, 조항, 단락, 박자, 풍류 가락, 절도(節度), 알맞은 정도, 절약하다, 절제하다, 높고 험(險)하다, 우뚝하다, 요약하다, 초록(抄錄)하다, 뽑아서 적다, 제한하다 (절). ◎節氣(절기): 「1」한 해를 스물넷으로 나눈, 계절의 표준이 되는 것. 「2」이십사절기 가운데 양력 매월 상순에 드는 것. 입춘, 경칩, 청명 따위이다. 「3」철. 한 해 가운데서 어떤 일을 하기에 좋은 시기나 때. ◎名節(명절): 「1」해마다 일정하게 지키어 즐기거나 기념하는 때. 우리나라에는 설날, 대보름날, 단오, 추석, 동짓날 따위가 있다. 「2」국가나

사회적으로 정하여 경축하는 기념일. 「3」명분과 절의를 아울러 이르는 말. ◎時節(시절): 「1」일정한 시기나 때. 「2」계절(季節). 「3」철에 따르는 날씨. 「4」세상의 형편. 이상은 모두 '節'이 '철이나 때, 절기' 등의 뜻을 가지고 있다. ◎節電(절전): 전기를 아껴 씀. 또는 전력을 절약함. 이 경우 '節'은 동사로 '절약하다'의 뜻이다.

24. '宅'을(를) 자전에서 찾을 때의 방법으로 바르지 않은 것은?　　　　　　(①)
①부수로 찾을 때는 '宀'부수의 6획에서 찾는다.
②총획으로 찾을 때는 '6획'에서 찾는다.
③부수로 찾을 때는 '宀'부수의 3획에서 찾는다.
④자음으로 찾을 때는 '택'음에서 찾는다.
[설명] ◎宅(집 택): 宀(집 면, 3획)부수의 3획, 총6획.

25. 유의자의 연결이 바르지 <u>않은</u> 것은?　(③)
①生=産　　②量=料　　③晝=牛　　④明=朗
[설명] ◎晝(낮 주), 牛(소 우).

26. 반의자의 연결이 바르지 <u>않은</u> 것은?　(①)
①貧↔部　　②君↔臣　　③賣↔買　　④成↔敗
[설명] ◎貧(가난할 빈), 部(거느릴 부).

27. "□器, □物店, 古□"에서 □안에 공통으로 들어갈 알맞은 한자는?　　　　　　　(①)
①鐵　　　②淸　　　③兵　　　④舊
[설명] ◎鐵器(철기): 쇠로 만든 그릇이나 기구. ◎鐵物店(철물점): 철물을 파는 가게. ◎古鐵(고철): 아주 낡고 오래된 쇠. 또는 그 조각.

※ 어휘의 독음이 바른 것을 고르시오.

28. 將軍 (③) ①적군 ②상군 ③장군 ④장차
[설명] ◎將軍(장군): 「1」군의 우두머리로 군을 지휘하고 통솔하는 무관. 「2」장관(將官) 자리의 사람을 높여 이르는 말. 「3」힘이 아주 센 사람을 비유적으로 이르는 말. 「4」『군사』준장, 소장, 중장, 대장을 통틀어 이르는 말.

29. 信望 (④) ①어망 ②신용 ③언망 ④신망
[설명] ◎信望(신망): 믿고 기대함. 또는 그런 믿음과 덕망.

30. 藝術 (①) ①예술 ②원술 ③운행 ④학술
[설명] ◎藝術(예술): 「1」기예와 학술을 아울러 이르는 말. 「2」특별한 재료, 기교, 양식 따위로 감상의 대상이 되는 아름다움을 표현하려는 인간의 활동 및 그 작품. 공간 예술, 시간 예술, 종합 예술 따위로 나눌 수 있다. 「3」아름답고 높은 경지에 이른 숙련된 기술을 비유적으로 이르는 말.

31. 天惠 (④) ①특혜 ②천은 ③대은 ④천혜
[설명] ◎天惠(천혜): 하늘이 베푼 은혜. 또는 자연의 은혜.

32. 結束 (③) ①결말 ②약속 ③결속 ④결과
[설명] ◎結束(결속): 「1」한 덩어리가 되게 묶음. 「2」뜻이 같은 사람끼리 서로 단결함. 「3」여행을 떠나거나 싸움터에 나설 때에 몸단속을 함. 또는 그럴 때의 몸단속. 「4」하던 일이나 말을 수습하고 정리하여 끝맺음. 「5」전선 따위를 서로 통할 수 있도록 연결함.

33. 停止 (④) ①주차 ②정차 ③주지 ④정지
[설명] ◎停止(정지): 「1」움직이고 있던 것이 멎거나 그침. 또는 중도에서 멎거나 그치게 함. 「2」하고 있던 일을 그만둠.

34. 良質 (②) ①시질 ②양질 ③양실 ④량질
[설명] ◎良質(양질): 좋은 바탕이나 품질.

35. 要領 (①) ①요령 ②구령 ③요냉 ④구금
[설명] ◎要領(요령): 「1」가장 긴요하고 으뜸이 되는 골자나 줄거리. 「2」일을 하는 데 꼭 필요한 묘한 이치. 「3」적당히 해 넘기는 잔꾀.

※ 어휘의 뜻으로 알맞은 것을 고르시오.

36. 傳授 (④)
①남의 일에 간섭함.　　②윗사람에게 아룀.
③늘 갖추어 둠.　　④기술 따위를 전하여 줌.

37. 故意 (①)
①일부러 하는 생각이나 태도.
②실수로 저지른 태도.
③낡은 사고 방식.　　④나쁜 생각.

※ 낱말을 한자로 바르게 쓴 것을 고르시오.

38. 진상: 사물이나 현상의 거짓 없는 모습이나 내용.
　　　　　　　　　　　　　(①)
①眞相　　②進賞　　③進上　　④眞常

39. 독백: 혼자서 중얼거림.　　　　　(④)
①獨百　　②道百　　③童白　　④獨白

※ 밑줄 친 어휘의 알맞은 독음을 고르시오.

40. 문법에 어긋난 <u>文章</u>을(를) 고쳤다.　(②)
①교장　　②문장　　③문제　　④문서
[설명] ◎文章(문장): 「1」문장가. 글을 뛰어나게 잘 짓는 사람. 「2」한 나라의 문명을 이룬 예악(禮樂)과 제도. 또는 그것을 적어 놓은 글. 「3」『언어』생각이나 감정을 말과 글로 표현할 때 완결된 내용을 나타내는 최소의 단위. 주어와 서술어를 갖추고 있는 것이 원칙이나 때로 이런 것이 생략될 수도 있다. 글의 경우, 문장의 끝에 '.', '?', '!' 따위의 마침표를 찍는다. '철수는 몇 살이니?', '세 살.', '정말?' 따위이다.

41. 모든 일이 <u>順序</u>대로 착착 진행되었다. (④)

①순리   ②과정   ③질서   ④순서
[설명] ◎順序(순서):「1」정하여진 기준에서 말하는 전
후, 좌우, 상하 따위의 차례 관계.「2」무슨 일을 행
하거나 무슨 일이 이루어지는 차례.

42. 그는 여러 편의 시를 暗記하고 있다.   (③)
①음기   ②표기   ③암기   ④암송
[설명] ◎暗記(암기): 외워 잊지 아니함.

※ 다음 면에 계속

※ 밑줄 친 부분을 한자로 바르게 쓴 것을 고르시오.
---

43. 갈수록 사회가 급변하고 있다.   (④)
①給變   ②急便   ③級變   ④急變
[설명] ◎急變(급변):「1」상황이나 상태가 갑자기 달라
짐.「2」갑자기 일어난 변고.

44. 야구에서, 타자가 베이스에 나아갈 수 있도록 공을
치는 일을 안타라 한다.   (③)
①夜景   ②野談   ③野球   ④夜食
[설명] ◎野球(야구): 9명씩으로 이루어진 두 팀이 9회
씩 공격과 수비를 번갈아 하며 승패를 겨루는 구기
경기. 공격하는 쪽은 상대편 투수가 던진 공을 배트
(bat)로 치고 1, 2, 3루를 돌아 본루로 돌아오면 1점
을 얻는다.

※ 물음에 알맞은 답을 고르시오.
---

45. '送金'과 같이 술목구조로 이루어진 것은?(①)
①求人   ②外家   ③高聲   ④今週
[설명] ◎送金(송금, 보낼 송·쇠 금): 돈을 부처 보냄.
또는 그 돈. ◎求人(구인, 구할 구·사람 인): 일할 사
람을 구함. 이상은 '~을 ~하다'로 풀이되는 '술목관
계'이다. ◎外家(외가, 바깥 외·집 가): 어머니의 친정.
◎高聲(고성, 높을 고·소리 성): 크고 높은 목소리. ◎
今週(금주, 이제 금·주일 주): 이번 주일. 이상은 앞
글자가 뒤 글자를 꾸며주는 '수식관계'이다.

46. '正坐'의 유의어는?   (②)
①坐向   ②端坐   ③對坐   ④坐視
[설명] ◎正坐(정좌): 몸을 바르게 하고 앉음. = ◎端坐
(단좌): 단정하게 앉음.

47. '主觀'의 반의어는?   (②)
①觀念   ②客觀   ③美觀   ④所關
[설명] ◎主觀(주관):「1」자기만의 견해나 관점.「2」
『철학』외부 세계·현실 따위를 인식, 체험, 평가하
는 의식과 의지를 가진 존재. ↔ ◎客觀(객관):「1」
자기와의 관계에서 벗어나 제삼자의 입장에서 사물

을 보거나 생각함.「2」『철학』주관 작용의 객체가
되는 것으로 정신적·육체적 자아에 대한 공간적 외
계. 또는 인식 주관에 대한 인식 내용.「3」『철학』
세계나 자연 따위가 주관의 작용과는 독립하여 존재
한다고 생각되는 것.

48. "亡子計齒"의 속뜻으로 알맞은 것은?   (①)
①이미 지나간 일은 생각하여도 아무 소용이 없음.
②말 속에 깊은 뜻이 있음.
③아들이 아버지를 닮음.
④아들이 없는 집안의 외딸.
[설명] ◎亡子計齒(망자계치): 죽은 자식 나이 세기라는
뜻으로, 이미 그릇된 일은 생각하여도 아무 소용이
없음을 이르는 말.

49. '學問'하는 자세로 바르지 않은 것은?   (①)
①숙제는 친구 것을 보고 베낀다.
②글자의 획을 곧고 바르게 쓴다.
③남에게 빌린 책은 온전하게 돌려준다.
④바른 자세로 앉아서 工夫한다.

50. 다음 중 단오날 행해지는 민속이 아닌 것은?
                                        (③)
①그네뛰기   ②씨름   ③부럼깨기   ④부채선물
[설명] ◎端午(단오): 우리나라 명절의 하나. 음력 5월 5
일로, 단오떡을 해 먹고 여자는 창포물에 머리를 감
고 그네를 뛰며 남자는 씨름을 한다. 부럼은 음력 정
월 대보름날 새벽에 깨물어 먹는 딱딱한 열매류인
땅콩, 호두, 잣, 밤, 은행 따위를 통틀어 이르는 말.
이런 것을 깨물면 한 해 동안 부스럼이 생기지 않는
다고 한다.

♣ 수고하셨습니다.

실전대비문제

모|범|답|안 3회

■ 다음 물음에 맞는 답의 번호를 골라 답안지의 해당 답란에 표시하시오.

※ 한자의 훈음으로 바른 것을 고르시오.

1. 患 (④)　①숯　　탄　　②갈　　왕
　　　　　　　③누를　황　　④근심　환
[설명] ◎炭(숯 탄), 往(갈 왕), 黃(누를 황).

2. 災 (①)　①재앙　재　　②가운데　앙
　　　　　　　③성씨　씨　　④재주　재
[설명] ◎央(가운데 앙), 氏(성씨 씨), 才(재주 재).

3. 致 (③)　①사귈　교　　②친할　친
　　　　　　　③이를　치　　④채울　충
[설명] ◎交(사귈 교), 親(친할 친), 充(채울 충).

4. 擧 (④)　①건강할　건　②세울　건
　　　　　　　③사건　건　　④들　거
[설명] ◎健(건강할 건), 建(세울 건), 件(사건 건).

5. 寫 (②)　①남을　여　　②베낄　사
　　　　　　　③마실　음　　④먹을　식
[설명] ◎餘(남을 여), 飮(마실 음), 食(먹을 식).

6. 屋 (③)　①놈　자　　②도읍　도
　　　　　　　③집　옥　　④완전할　완
[설명] ◎者(놈 자), 都(도읍 도), 完(완전할 완).

7. 謝 (④)　①몸　신　　②낳을　산
　　　　　　　③변할　변　　④사례할　사
[설명] ◎身(몸 신), 産(낳을 산), 變(변할 변).

8. 是 (②)　①발　족　　②옳을　시
　　　　　　　③보일　시　　④저자　시
[설명] ◎足(발 족), 示(보일 시), 市(저자 시).

9. 商 (③)　①한정　한　　②뜰　정
　　　　　　　③장사　상　　④낮을　저
[설명] ◎限(한정 한), 庭(뜰 정), 低(낮을 저).

10. 監 (①)　①볼　감　　②달　감
　　　　　　　③느낄　감　　④덜　감
[설명] ◎甘(달 감), 感(느낄 감), 減(덜 감).

※ 훈음에 맞는 한자를 고르시오.

11. 본받을 효 (④)　①訓 ②族 ③數 ④效
[설명] ◎訓(가르칠 훈), 族(겨레 족), 數(셈 수).

12. 클 위 (④)　①全 ②電 ③戰 ④偉
[설명] ◎全(온전할 전), 電(번개 전), 戰(싸움 전).

13. 헤아릴 량 (②)　①車 ②量 ③重 ④動
[설명] ◎車(수레 거), 重(무거울 중), 動(움직일 동).

14. 상줄 상 (③)　①勢 ②舊 ③賞 ④參

[설명] ◎勢(권세 세), 舊(예 구), 參(참여할 참).

15. 연고 고 (④)　①告 ②苦 ③固 ④故
[설명] ◎告(알릴 고), 苦(괴로울 고), 固(굳을 고).

16. 머무를 정 (③)　①政 ②正 ③停 ④定
[설명] ◎政(정사 정), 正(바를 정), 定(정할 정).

17. 기약할 기 (④)　①記 ②其 ③基 ④期
[설명] ◎記(기록할 기), 其(그 기), 基(터 기).

18. 가게 점 (②)　①求 ②店 ③節 ④具
[설명] ◎求(구할 구), 節(마디 절), 具(갖출 구).

19. 참 진 (④)　①進 ②鳥 ③質 ④眞
[설명] ◎進(나아갈 진), 鳥(새 조), 質(바탕 질).

20. 뜻 정 (①)　①情 ②精 ③赤 ④旗
[설명] ◎精(정기 정), 赤(붉을 적), 旗(기 기).

※ 물음에 알맞은 답을 고르시오.

21. 한자의 제자원리(六書) 중 '형성자'가 아닌 것은?
　　　　　　　　　　　　　　　　(②)
　①昨　②美　③根　④注
[설명] ◎昨(어제 작), 根(뿌리 근), 注(물댈 주)는 모두 '형성자'이다. 美(아름다울 미)는 '회의자'임.

22. 밑줄 친 '樹'의 뜻이 다른 것은? (④)
　①果樹　②樹木　③植樹　④樹立
[설명] ◎樹(수): 나무, 세울, 심을, 막을. ◎果樹(과수): 과실나무. ◎樹木(수목):「1」살아 있는 나무.「2」『식물』목본 식물을 통틀어 이르는 말. ◎植樹(식수): 나무를 심음. 또는 심은 나무. 이상은 모두 '나무'의 뜻으로 쓰임. ◎樹立(수립): 국가나 정부, 제도, 계획 따위를 이룩하여 세움. 여기서는 '세우다'의 뜻으로 쓰임.

23. "그는 畫家로 명성이 자자하다"에서 밑줄 친 '家'의 훈음으로 알맞은 것은? (②)
　①문벌 가 ②전문가 가 ③집 가 ④남편 가
[설명] ◎家(가·고): 집, 자기 집, 가족, 집안, 문벌, 지체, 조정, 도성, 전문가, 정통한 사람, 용한이, 학자, 학파, 남편, 마나님, 살림살이, 아내, 집을 장만하여 살 (가) / 여자 (고). ◎畫家(화가): 그림 그리는 것을 직업으로 하는 사람.

24. 한자와 부수의 연결이 바르지 않은 것은?(③)
　①島-山　②席-巾　③相-木　④盛-皿
[설명] ◎相(서로 상): 目(눈 목, 5획)부수의 4획, 총9획.

25. 반의자의 연결이 바르지 않은 것은? (①)
　①暗↔黑　②勝↔敗　③加↔減　④始↔終
[설명] ◎暗(어두울 암), 黑(검을 흑).

실전대비문제 **모|범|답|안** ③회

26. '過'의 유의자는? (④)
①任　　②買　　③賣　　④失
[설명] ◎過(잘못, 허물 과) = 失(잘못, 허물 실).

27. "□衣□食"에서 □안에 공통으로 들어갈 알맞은 한
자는? (①)
①好　　②孝　　③角　　④號
[설명] ◎好衣好食(호의호식): 좋은 옷을 입고 좋은 음
식을 먹음.

※ 어휘의 독음이 바른 것을 고르시오.

28. 貧農 (②) ①부농 ②빈농 ③패농 ④빈곡
[설명] ◎貧農(빈농):「1」가난한 농가나 농민.「2」『사
회』토지 경작만으로는 생계를 유지할 수 없어 다른
임금 노동을 하는 농민.

29. 祭禮 (④) ①성찰 ②차례 ③제단 ④제례
[설명] ◎祭禮(제례): 제사를 지내는 의례(儀禮).

30. 傳統 (②) ①편충 ②전통 ③전충 ④편통
[설명] ◎傳統(전통): 어떤 집단이나 공동체에서, 지난
시대에 이미 이루어져 계통을 이루며 전하여 내려오
는 사상·관습·행동 따위의 양식.

31. 退場 (②) ①변장 ②퇴장 ③태양 ④진장
[설명] ◎退場(퇴장):「1」어떤 장소에서 물러남.「2」회
의장에서 회의를 마치기 전에 자리를 뜸.「3」연극
무대에서 등장인물이 무대 밖으로 나감.「4」경기 중
에 선수가 반칙이나 부상 따위로 물러남.

32. 良材 (④) ①량제 ②량재 ③양제 ④양재
[설명] ◎良材(양재):「1」좋은 재목이나 재료.「2」훌륭
한 인재.

33. 可觀 (②) ①하관 ②가관 ③가능 ④하견
[설명] ◎可觀(가관):「1」꼴이 볼만하다는 뜻으로, 남의
언행이나 어떤 상태를 비웃는 뜻으로 이르는 말.
「2」경치 따위가 꽤 볼 만함.

34. 新鮮 (④) ①신양 ②친어 ③친선 ④신선
[설명] ◎新鮮(신선):「1」새롭고 산뜻하다.「2」채소나
과일, 생선 따위가 싱싱하다.

35. 冷待 (②) ①랭대 ②냉대 ③영시 ④냉시
[설명] ◎冷待(냉대): 푸대접. 정성을 들이지 않고 아무
렇게나 하는 대접.

※ 어휘의 뜻으로 알맞은 것을 고르시오.

36. 許多 (②)
①모두 다 허락함. ②수효가 매우 많음.
③말이 많음. ④절대 허락하지 않음.

37. 世波 (③)

①세상의 모든 사람. ②세상살이의 즐거움.
③모질고 거센 세상의 어려움.
④거센 파도.

※ 낱말을 한자로 바르게 쓴 것을 고르시오.

38. 장래: 다가올 앞날. (①)
①將來　　②長次　　③將次　　④長來
39. 타산: 자신에게 도움이 되는지를 따져 헤아림.
(④)
①他山　　②他算　　③打産　　④打算

※ 밑줄 친 어휘의 알맞은 독음을 고르시오.

40. 강연회는 每週 수요일마다 있다. (③)
①매일　　②해조　　③매주　　④매조
[설명] ◎每週(매주):「명사」각각의 주(週).「부사」
각각의 주마다.

41. 우리는 서로 筆談을(를) 주고받았다. (④)
①잡담　　②율화　　③농담　　④필담
[설명] ◎筆談(필담): 말이 통하지 아니하거나 말을 할
수 없을 때에, 글로 써서 서로 묻고 대답함.

42. 언니는 料理를 아주 잘한다. (④)
①요가　　②조리　　③과리　　④요리
[설명] ◎料理(요리):「1」여러 조리 과정을 거쳐 음식
을 만듦. 또는 그 음식. 주로 가열한 것을 이른다.
「2」어떤 대상을 능숙하게 처리함을 속되게 이르는
말.

※ 다음 면에 계속

※ 밑줄 친 부분을 한자로 바르게 쓴 것을 고르시오.

43. '이백'이 詩仙이라면 '두보'는 시성이다. (④)
①詩成　　②詩星　　③詩性　　④詩聖
[설명] ◎詩聖(시성):「1」고금(古今)에 뛰어난 위대한
시인을 이르는 말.「2」이백을 시선(詩仙)이라 이르
는 데 상대하여 '두보'를 이르는 말.

44. 도처에 도사리고 있는 유해한 환경으로부터 아이들
을 보호할 수 있는 방법이 강구되어야 한다.
(②)
①圖案　　②到處　　③道處　　④獨步
[설명] ◎到處(도처): 이르는 곳.

※ 물음에 알맞은 답을 고르시오.

45. 어휘의 짜임이 다른 것은? (②)
①習字 ②眼藥 ③報恩 ④讀書
[설명] ◎習字(습자, 익힐 습·글자 자): 글씨 쓰기를 배워 익힘. 특히 붓글씨를 연습하는 것을 이른다. ◎報恩(보은, 갚을 보·은혜 은): 은혜를 갚음. ◎讀書(독서, 읽을 독·글 서): 책을 읽음. 이상은 모두 '~을 ~하다'로 풀이되는 '술목관계'이다. ◎眼藥(안약, 눈 안·약 약): 눈병을 고치는 데 쓰는 약. 이는 앞 글자가 뒤 글자를 꾸며주는 '수식관계'이다.

46. '志願'의 유의어는? (③)
①志士 ②志原 ③志望 ④幸運
[설명] ◎志願(지원): 지극히 바람. 또는 그런 소원이나 염원. = ◎志望(지망): 뜻을 두어 바람. 또는 그 뜻.

47. 반의어의 연결이 바르지 않은 것은? (③)
①陸路 ↔ 海路 ②低價 ↔ 高價
③同窓 ↔ 同門 ④前半 ↔ 後半
[설명] ◎同窓(동창): 「1」같은 학교에서 공부를 한 사이. 「2」동창생. 같은 학교를 같은 해에 나온 사람. = ◎同門(동문): 「1」같은 문. 「2」같은 학교에서 수학하였거나 같은 스승에게서 배운 사람. 「3」같은 문중이나 종파.

48. "草綠同色"과 뜻이 통하는 속담은? (①)
①가재는 게 편이다. ②꿩 먹고 알 먹기.
③우물 안의 개구리.
④아니 땐 굴뚝에 연기나랴.
[설명] ◎草綠同色(초록동색): 풀빛과 녹색(綠色)은 같은 빛깔이란 뜻으로, 같은 처지(處地)의 사람과 어울리거나 기우는 것.

49. 自然을 사랑하는 방법으로 바르지 않은 것은? (②)
①一回用 물건을 되도록 사용하지 않는다.
②못쓰는 器物을 산 속에 버린다.
③들판의 꽃을 함부로 꺾지 않는다.
④登山 후에 남은 쓰레기는 집으로 가져 온다.

50. 한자문화권에 속하지 않는 나라는? (②)
①중국 ②러시아 ③일본 ④한국

♣ 수고하셨습니다.

모|범|답|안 4회

■ 다음 물음에 맞는 답의 번호를 골라 답안지의 해당 답란에 표시하시오.

※ 한자의 훈음으로 바른 것을 고르시오.

1. 固 (④) ①예　　　고　　②귀할　　귀
　　　　　　　③연고　　　고　　④군을　　고
[설명] ◎古(예 고), 貴(귀할 귀), 故(연고 고).

2. 序 (④) ①들　　　야　　②바를　　정
　　　　　　　③글　　　　서　　④차례　　서
[설명] ◎野(들 야), 正(바를 정), 書(글 서).

3. 惠 (②) ①성품　　성　　②은혜　　혜
　　　　　　　③생각　　사　　④뜻　　　의
[설명] ◎性(성품 성), 思(생각 사), 意(뜻 의).

4. 産 (④) ①정할　　정　　②조사할　사
　　　　　　　③하여금　사　　④낳을　　산
[설명] ◎定(정할 정), 査(조사할 사), 使(하여금 사).

5. 規 (③) ①법　　　률　　②채울　　충
　　　　　　　③법　　　　규　　④볼　　　견
[설명] ◎律(법 률), 充(채울 충), 見(볼 견).

6. 武 (②) ①군사　　병　　②굳셀　　무
　　　　　　　③법　　　　식　　④싸움　　전
[설명] ◎兵(군사 병), 式(법 식), 戰(싸움 전).

7. 景 (①) ①볕　　　경　　②잎　　　엽
　　　　　　　③약　　　　약　　④볕　　　양
[설명] ◎葉(잎 엽), 藥(약 약), 陽(볕 양).

8. 停 (②) ①정사　　정　　②머무를　정
　　　　　　　③붉을　　적　　④뜰　　　정
[설명] ◎政(정사 정), 赤(붉을 적), 庭(뜰 정).

9. 統 (①) ①거느릴　통　　②팔　　　매
　　　　　　　③통할　　통　　④푸를　　록
[설명] ◎賣(팔 매), 通(통할 통), 綠(푸를 록).

10. 助 (③) ①잡을　　조　　②철　　　계
　　　　　　　③도울　　조　　④사건　　건
[설명] ◎操(잡을 조), 季(철 계), 件(사건 건).

※ 훈음에 맞는 한자를 고르시오.

11. 허락할 허 (④) ①可 ②洞 ③河 ④許
[설명] ◎可(옳을 가), 洞(고을 동), 河(물 하).

12. 장사 상 (②) ①賞 ②商 ③常 ④店
[설명] ◎賞(상줄 상), 常(항상 상), 店(가게 점).

13. 재물 재 (③) ①材 ②才 ③財 ④敗
[설명] ◎材(재목 재), 才(재주 재), 敗(패할 패).

14. 견줄 비 (④) ①明 ②費 ③能 ④比
[설명] ◎明(밝을 명), 費(쓸 비), 能(능할 능).

15. 좋을 호 (④) ①現 ②訓 ③協 ④好
[설명] ◎現(나타날 현), 訓(가르칠 훈), 協(도울 협).

16. 지탱할 지 (③) ①責 ②村 ③支 ④紙
[설명] ◎責(꾸짖을 책), 村(마을 촌), 紙(종이 지).

17. 해 세 (①) ①歲 ②洗 ③雪 ④習
[설명] ◎洗(씻을 세), 雪(눈 설), 習(익힐 습).

18. 널빤지 판 (③) ①休 ②林 ③板 ④祝
[설명] ◎休(쉴 휴), 林(수풀 림), 祝(빌 축).

19. 코 비 (②) ①算 ②鼻 ③省 ④價
[설명] ◎算(셈 산), 省(살필 성), 價(값 가).

20. 고칠 개 (②) ①客 ②改 ③個 ④開
[설명] ◎客(손님 객), 個(낱 개), 開(열 개).

※ 물음에 알맞은 답을 고르시오.

21. 한자의 제자원리(六書) 중 '상형자'가 <u>아닌</u> 것은?
　　　　　　　　　　　　　　　　　　　(④)
①要　　②主　　③羊　　④夜
[설명] ◎要(구할 요), 主(주인 주), 羊(양 양)은 모두 '상형자'이다. 夜(밤 야)는 '형성자'이다.

22. "節電을 생활화 하자"에서 밑줄 친 '節'의 훈음으로 가장 알맞은 것은?　　　　　　　　(④)
①계절 절 ②마디 절 ③절개 절 ④절약할 절
[설명] ◎節(절): 절약하다, 절제하다, 마디, 관절, 예절, 절개, 절조, 철, 절기, 기념일, 축제일, 명절, 항목, 사항, 조항, 단락, 박자, 풍류 가락, 절도, 알맞은 정도, 높고 험하다, 우뚝하다, 요약하다, 초록하다, 제한하다. ◎節電(절전): 전기를 아껴 씀. 또는 전력을 절약함.

23. 밑줄 친 '宅'의 독음이 <u>다른</u> 것은?　(①)
①<u>宅</u>內　②古<u>宅</u>　③住<u>宅</u>　④別<u>宅</u>
[설명] ◎宅(택·댁·탁): 집, 주거, 구덩이, 무덤, 묘지, 살, 벼슬살이할, 임용할, 안정시킬, 자리잡을, 정할, 포괄할, 망라할 (택) / 댁 (댁) / 터질, 찢어질 (탁). ◎宅內(댁내): 남의 집안을 높여 이르는 말. ◎古宅(고택): 옛날에 지은, 오래된 집. ◎住宅(주택):「1」사람이 들어가 살 수 있게 지은 건물.「2」『건설』단독 주택. ◎別宅(별택):「1」본가 이외에 따로 지어 놓은 집.「2」별가(別家).

24. 한자와 총획의 연결이 바르지 않은 것은?(①)
①善-13획　②雄-12획　③都-12획　④道-13획
[설명] ◎善(착할 선): 口(입 구, 3획)부수의 9획, 총12획.

25. 유의자의 연결이 바르지 <u>않은</u> 것은? 　(④)
 ①陸=地　②存=在　③寒=冷　④順=術
[설명] ◎順(순할 순), 術(재주 술).

26. 반의자의 연결이 바르지 <u>않은</u> 것은? 　(③)
 ①利↔害　②新↔舊　③師↔第　④當↔落
[설명] ◎師(스승 사), 第(차례 제).

27. "法□, 草□, □件"에서 □안에 공통으로 들어갈 알맞은 한자는? 　(④)
 ①公　②安　③然　④案
[설명] ◎法案(법안): 법률의 안건이나 초안. ◎草案(초안): 「1」초를 잡아 적음. 또는 그런 글발.「2」애벌로 안(案)을 잡음. 또는 그 안. ◎案件(안건): 토의하거나 조사하여야 할 사실.

※ 어휘의 독음이 바른 것을 고르시오.

28. 聖堂 (③) ①전당 ②임상 ③성당 ④성상
[설명] ◎聖堂(성당):「1」『가톨릭』천주교의 종교 의식이 행해지는 집.「2」『기독교』그리스 정교회와 프로테스탄트 일부 분파에서 '「1」'을 이르는 말.「3」『고적』문묘(文廟).

29. 合唱 (④) ①함구 ②흠창 ③합장 ④합창
[설명] ◎合唱(합창):「1」여러 사람이 목소리를 맞추어서 노래를 부름. 또는 그 노래.「2」『음악』여러 사람이 여러 성부로 나뉘어 서로 화성을 이루면서 다른 선율로 노래를 부름. 또는 그 노래.「3」『북한어』다른 사람이 주장하는 의견이나 견해에 동조하여 같이 주장함.

30. 到着 (①) ①도착 ②지착 ③도간 ④치욕
[설명] ◎到着(도착): 목적한 곳에 다다름.

31. 念願 (③) ①념원 ②영원 ③염원 ④금원
[설명] ◎念願(염원): 마음에 간절히 생각하고 기원함. 또는 그런 것.

32. 放送 (④) ①방식 ②방과 ③방원 ④방송
[설명] ◎放送(방송): 라디오나 텔레비전을 통하여 널리 듣고 볼 수 있도록 음성이나 영상을 전파로 내보내는 일. 특정 지역을 대상으로 유선(有線)으로 행하는 것을 포함하기도 한다.

33. 汽船 (③) ①기차 ②기배 ③기선 ④기주
[설명] ◎汽船(기선): 증기 기관의 동력으로 움직이는 배를 통틀어 이르는 말. 증기선, 화륜선 따위가 있다.

34. 養老 (①) ①양로 ②앙로 ③식로 ④양노
[설명] ◎養老(양로):「1」노인을 위로하여 안락하게 지내도록 받듦. 또는 그런 일.「2」『역사』나라에서 노인들을 대우하며 대접하던 행사. 음식과 포백(布帛) 따위를 베풀고 벼슬도 내렸다.「3」『한의학』수태양 소장경에 속하는 혈(穴). 손등 쪽 자뼈, 노뼈 관절 부위이다.

35. 精進 (③) ①정퇴 ②청진 ③정진 ④요리
[설명] ◎精進(정진):「1」힘써 나아감.「2」몸을 깨끗이 하고 마음을 가다듬음.「3」고기를 삼가고 채식함.「4」『불교』일심(一心)으로 불도를 닦아 게을리하지 않음.

※ 어휘의 뜻으로 알맞은 것을 고르시오.

36. 子婦 (③)
 ①자형.　②아내.
 ③며느리.　④딸.

37. 宿命 (④)
 ①오래된 명령.　②죽은 목숨.
 ③오래 전부터 바라던 소원.
 ④날 때부터 타고난 정해진 운명.

※ 낱말을 한자로 바르게 쓴 것을 고르시오.

38. 성량: 목소리의 크기나 분량의 정도. 　(③)
 ①良質　②質量　③聲量　④名聲

39. 차례: 순서 있게 구분하여 벌여 나가는 관계. 　(②)
 ①次禮　②次例　③車例　④車禮

※ 밑줄 친 어휘의 알맞은 독음을 고르시오.

40. 친구들이 싸우는 모습을 그냥 <u>坐視</u>할 수 없었다. 　(③)
 ①무시　②좌우　③좌시　④참관
[설명] ◎坐視(좌시): 참견하지 아니하고 앉아서 보기만 함.

41. 계약서 <u>寫本</u>을 제시했다. 　(④)
 ①정본　②등본　③원본　④사본
[설명] ◎寫本(사본):「1」원본을 그대로 베낌. 또는 베낀 책이나 서류.「2」원본을 사진으로 찍거나 복사하여 만든 책이나 서류.

42. 사물을 보는 그의 <u>洞察力</u>은 날카로웠다. (②)
 ①동잘역　②통찰력　③동찰력　④통잘역
[설명] ◎洞察力(통찰력): 사물이나 현상을 통찰하는 능력.

※ 다음 면에 계속

※ 밑줄 친 부분을 한자로 바르게 쓴 것을 고르시오.

43. 지금부터라도 조금씩 <u>저금</u>을 해야 한다. (②)
 ①給食　②貯金　③消金　④急減
[설명] ◎貯金(저금):「1」돈을 모아 둠. 또는 그 돈.

모|범|답|안 ④회

「2」금융 기관에 돈을 맡김. 또는 그 돈.

44. 인간은 자연과 <u>조화</u>를 이루면서 공존하고 있다.
(②)

①調化　②調和　③祖和　④祖化

[설명] ◎調和(조화): 서로 잘 어울림.

※ 물음에 알맞은 답을 고르시오.

45. '韓屋'와(과) 어휘의 짜임이 같은 것은? (①)

①溫水　②往來　③下山　④愛民

[설명] ◎韓屋(한옥): 우리나라 고유의 형식으로 지은 집을 양식 건물에 상대하여 이르는 말. ◎溫水(온수): 더운물. 이는 앞 글자가 뒤 글자를 꾸며주는 '수식관계'이다. ◎往來(왕래):「1」가고 오고 함.「2」서로 교제하여 사귐.「3」노자(路資). 이는 '상대병렬관계'이다. ◎下山(하산):「1」산에서 내려오거나 내려감. 「2」깨달음을 얻거나 생활할 수 없어 산에서의 생활을 그만둠.「3」땔나무, 숯, 재목 따위를 산에서 날라 내려가거나 내려옴. 이는 '술보관계'이다. ◎愛民(애민): 백성을 사랑함. 이는 '술목관계'이다.

46. '親筆'의 유의어가 <u>아닌</u> 것은? (③)

①眞筆　②肉筆　③代筆　④自筆

[설명] ◎親筆(친필): 손수 쓴 글씨. ◎眞筆(진필): 친필. ◎肉筆(육필): 손으로 직접 쓴 글씨. ◎自筆(자필): 자기가 직접 글씨를 씀. 또는 그 글씨. ◎代筆(대필): 남을 대신하여 글씨나 글을 씀. 또는 그 글씨나 글.

47. 반의어의 연결이 바르지 <u>않은</u> 것은? (③)

①立體↔平面　　②主觀↔客觀
③過去↔過失　　④貧農↔富農

[설명] ◎過去(과거):「1」이미 지나간 때.「2」지나간 일이나 생활.「3」『언어』시제의 하나. 현재보다 앞선 시간 속의 사건임을 나타낸다. 활용하는 단어의 어간에 어미 '-ㄴ/-은'이나 '-았-/-었-', '-더-' 따위를 붙여 나타낸다. ◎過失(과실):「1」부주의나 태만 따위에서 비롯된 잘못이나 허물.「2」『법률』부주의로 인하여, 어떤 결과의 발생을 미리 내다보지 못한 일.

48. "사실에 토대를 두어 진리를 탐구하는 일"을 뜻하는 사자성어는? (③)

①始終如一　②言行一致　③實事求是　④以實直告

[설명] ◎實事求是(실사구시): 사실에 토대를 두어 진리를 탐구하는 일. 공리공론을 떠나서 정확한 고증을 바탕으로 하는 과학적·객관적 학문 태도를 이른 것으로, 중국 청나라 고증학의 학문 태도에서 볼 수 있다. 조선 시대 실학파의 학문에 큰 영향을 주었다.

49. 문화유산을 대하는 태도로 바르지 <u>않은</u> 것은?
(②)

①문화재를 *所重*히 아끼고 잘 보존해야 한다.
②낡고 오래된 것에 관심을 갖지 않는다.
③우리의 문화를 *世界*에 알릴 수 있도록 한다.
④조상의 숨결을 느껴보는 *時間*을 갖도록 한다.

50. 우리의 전통놀이가 <u>아닌</u> 것은? (②)

①탈놀이　②스키　③그네뛰기　④농악놀이

[설명] ◎스키:「1」눈 위를 지치는 데 쓰는 좁고 긴 판 상(板狀)의 기구. 나무나 금속, 플라스틱으로 만들어 신발이 부착되어 있으며 2개의 지팡이를 짚고 달린다.「2」'「1」'을 신고 눈 위를 달리고 활강하고 점프하는 운동.

♣ 수고하셨습니다.

■ 다음 물음에 맞는 답의 번호를 골라 답안지의 해당 답란에 표시하시오.

※ 한자의 훈음으로 바른 것을 고르시오.

1. 唱 (①)　①부를　창　②나눌　구
　　　　　　　　③그림　도　④창문　창
[설명] ◎區(나눌 구), 圖(그림 도), 窓(창문 창).

2. 聖 (②)　①살필　성　②성스러울 성
　　　　　　　　③성할　성　④소리　성
[설명] ◎省(살필 성), 盛(성할 성), 聲(소리 성).

3. 齒 (④)　①벌레　충　②뜰　정
　　　　　　　　③바랄　망　④이　치
[설명] ◎蟲(벌레 충), 庭(뜰 정), 望(바랄 망).

4. 具 (③)　①쌓을　저　②가장　최
　　　　　　　　③갖출　구　④구원할 구
[설명] ◎貯(쌓을 저), 最(가장 최), 救(구원할 구).

5. 倍 (③)　①철　계　②집　택
　　　　　　　　③갑절　배　④소리　음
[설명] ◎季(철 계), 宅(집 택), 音(소리 음).

6. 罪 (④)　①앉을　좌　②옳을　의
　　　　　　　　③비　우　④허물　죄
[설명] ◎坐(앉을 좌), 義(옳을 의), 雨(비 우).

7. 局 (①)　①판　국　②임금　군
　　　　　　　　③코　비　④펼　전
[설명] ◎君(임금 군), 鼻(코 비), 展(펼 전).

8. 價 (②)　①살　매　②값　가
　　　　　　　　③낱　개　④팔　매
[설명] ◎買(살 매), 個(낱 개), 賣(팔 매).

9. 浴 (④)　①빛날　요　②큰바다 양
　　　　　　　　③고을　동　④목욕할 욕
[설명] ◎曜(빛날 요), 洋(큰바다 양), 洞(고을 동).

10.傳 (②)　①법　전　②전할　전
　　　　　　　　③원수　적　④높을　탁
[설명] ◎典(법 전), 敵(원수 적), 卓(높을 탁).

※ 훈음에 맞는 한자를 고르시오.

11. 이를 치 (①) ①致 ②則 ③序 ④到
[설명] ◎則(법칙 칙), 序(차례 서), 到(이를 도).

12. 조사할 사 (②) ①謝 ②査 ③香 ④社
[설명] ◎謝(사례할 사), 香(향기 향), 社(모일 사).

13. 잡을 조 (④) ①助 ②技 ③早 ④操
[설명] ◎助(도울 조), 技(재주 기), 早(이를 조).

14. 터 기 (④) ①久 ②旗 ③己 ④基

[설명] ◎久(오랠 구), 旗(기 기), 己(몸 기).

15. 신선 선 (②) ①休 ②仙 ③仕 ④任
[설명] ◎休(쉴 휴), 仕(벼슬할 사), 任(맡길 임).

16. 나아갈 진 (④) ①鳥 ②凶 ③城 ④進
[설명] ◎鳥(새 조), 凶(흉할 흉), 城(재 성).

17. 지탱할 지 (③) ①決 ②以 ③支 ④失
[설명] ◎決(결단할 결), 以(써 이), 失(잃을 실).

18. 정기 정 (②) ①淸 ②精 ③政 ④正
[설명] ◎淸(맑을 청), 政(정사 정), 正(바를 정).

19. 다툴 경 (②) ①爭 ②競 ③比 ④孫
[설명] ◎爭(다툴 쟁), 比(견줄 비), 孫(손자 손).

20. 호수 호 (③) ①號 ②故 ③湖 ④江
[설명] ◎號(이름 호), 故(연고 고), 江(강 강).

※ 물음에 알맞은 답을 고르시오.

21. '이제 금'과 '마음 심'을 합하여 '생각하다'의 뜻을 나타내는 한자는? (④)
①考 ②今 ③忠 ④念
[설명] ◎念(생각 념).

22. "惡法은(는) 철폐되어야 한다"에서 밑줄 친 '惡'의 훈음으로 가장 알맞은 것은? (②)
①미워할 오 ②악할 악 ③어찌 오 ④흉년들 악
[설명] ◎惡(악·오): 악하다, 나쁘다, 더럽다, 추하다, 못생기다, 흉년 들다, 병들다, 앓다, 죄인을 형벌로써 죽이다, 더러움, 추악함, 똥, 대변, 병, 질병, 재난, 화액, 잘못, 바르지 아니한 일, 악인, 나쁜 사람, 위세, 권위 (악) / 미워하다, 헐뜯다, 부끄러워하다, 기피하다, 두려워하다, 불길하다, 불화하다, 비방하다, 싫어하다, 어찌, 어찌하여, 어느, 어디 (오). ◎惡法(악법): 「1」 사회에 해를 끼치는 나쁜 법규나 제도. 「2」 나쁜 방법.

23. "至誠感天"에서 밑줄 친 '至'의 훈음으로 가장 알맞은 것은? (③)
①이를 치 ②이를 도 ③지극할 지 ④지극할 극
[설명] ◎至誠感天(지성감천): 지극한 정성에는 하늘도 감동한다라는 뜻으로, 무엇이든 정성껏하면 하늘이 움직여 좋은 결과를 맺는다는 뜻.

24. 한자와 부수의 연결이 바르지 않은 것은?(②)
①求-水 ②骨-肉 ③黃-黃 ④牧-牛
[설명] ◎骨(뼈 골): 제부수, 총10획.

25. '止'의 유의자는? (④)
①堂 ②中 ③動 ④停
[설명] ◎止(그칠 지) = 停(머무를 정).

실전대비문제

모|범|답|안 ⑤회

26. 반의자의 연결로 바르지 <u>않은</u> 것은? (②)

①苦↔甘 ②存↔往 ③舊↔新 ④自↔他

[설명] ◎存(있을 존), 往(갈 왕).

27. "韓□ → □上 → 上京"에서 □안에 공통으로 들어
갈 알맞은 한자는? (②)

①在 ②屋 ③生 ④好

[설명] ◎韓屋(한옥): 우리나라 고유의 형식으로 지은
집을 양식 건물에 상대하여 이르는 말. ◎屋上(옥상):
지붕의 위. 특히 현대식 양옥 건물에서 마당처럼 편
평하게 만든 지붕 위를 이른다. ◎上京(상경): 지방에
서 서울로 올라옴.

※ 어휘의 독음이 바른 것을 고르시오.

28. 案件 (③) ①사건 ②물건 ③안건 ④안전

[설명] ◎案件(안건): 토의하거나 조사하여야 할 사실.

29. 祭器 (②) ①찰구 ②제기 ③혈기 ④제구

[설명] ◎祭器(제기): 제사에 쓰는 그릇. 놋그릇, 사기그
릇, 나무 그릇이 있다.

30. 農樂 (④) ①농낙 ②농락 ③농요 ④농악

[설명] ◎農樂(농악): 풍물놀이.

31. 熱氣 (④) ①집세 ②숙기 ③열세 ④열기

[설명] ◎熱氣(열기):「1」뜨거운 기운.「2」몸에 열이
있는 기운.「3」뜨겁게 가열된 기체.「4」흥분한 분위
기.

32. 調節 (③) ①주절 ②주번 ③조절 ④조약

[설명] ◎調節(조절):「1」균형이 맞게 바로잡음. 또는
적당하게 맞추어 나감.「2」『의학』눈의 망막과 수
정체의 거리를 알맞게 맞추거나 수정체의 모양을 바
꾸어 외계(外界)의 상(像)을 망막 위에 맺도록 하는
작용.

33. 移植 (②) ①다식 ②이식 ③이직 ④추수

[설명] ◎移植(이식):「1」옮겨심기.「2」『의학』살아 있
는 조직이나 장기를 생체로부터 떼어 내어, 같은 개체
의 다른 부분 또는 다른 개체에 옮겨 붙이는 일.

34. 當爲 (②) ①당면 ②당위 ③당조 ④상당

[설명] ◎當爲(당위):「1」마땅히 그렇게 하거나 되어야
하는 것.「2」『철학』마땅히 있어야 하는 것. 또는
마땅히 행하여야 하는 것.

35. 料食 (④) ①과식 ②미식 ③요리 ④요식

[설명] ◎料食(요식):「1」몫몫으로 나눈 밥에서 한 몫
이 되는 분량의 밥.「2」『역사』벼슬아치에게 주는
잡급(雜給).

※ 어휘의 뜻으로 알맞은 것을 고르시오.

36. 冷待 (③)

①날씨 따위가 춥고 참. ②음식을 차려 접대함.

③정성을 들이지 않고 아무렇게나 하는 대접.

④온대와 한대의 중간 지역.

37. 發說 (③)

①병이 남. ②물체가 열을 냄.

③입 밖으로 말을 냄. ④생물이 차차 자라남.

※ 낱말을 한자로 바르게 쓴 것을 고르시오.

38. 송별: 떠나는 사람을 이별하여 보냄. (①)

①送別 ②曲直 ③特別 ④別曲

39. 완패: 완전하게 패함. (④)

①完貝 ②全敗 ③元貝 ④完敗

※ 밑줄 친 어휘의 알맞은 독음을 고르시오.

40. 강한 <u>意志</u>를 키우고 싶다. (④)

①의사 ②음지 ③음의 ④의지

[설명] ◎意志(의지): 어떠한 일을 이루고자 하는 마음.

41. <u>都會地</u>의 중심에는 항상 사람들이 많다. (①)

①도회지 ②군회지 ③군의회 ④도의회

[설명] ◎都會地(도회지): 사람이 많이 살고 상공업이
발달한 번잡한 지역.

42. 내일은 임원 <u>選擧</u>가 있는 날이다. (③)

①투표 ②선수 ③선거 ④선출

[설명] ◎選擧(선거):「1」일정한 조직이나 집단이 대표
자나 임원을 뽑는 일.「2」『정치』선거권을 가진 사
람이 공직에 임할 사람을 투표로 뽑는 일.

※ 다음 면에 계속

※ 밑줄 친 부분을 한자로 바르게 쓴 것을 고르
시오.

43. 그는 일반적인 <u>상식</u>을 많이 알고 있다. (②)

①上式 ②常識 ③相識 ④常式

[설명] ◎常識(상식): 사람들이 보통 알고 있거나 알아
야 하는 지식. 일반적 견문과 함께 이해력, 판단력,
사리 분별 따위가 포함된다.

44. 방금 뉴스 <u>속보</u>가 보도되었다. (①)

①速報 ②速步 ③束報 ④束步

[설명] ◎速報(속보): 빨리 알림. 또는 그런 보도.

※ 물음에 알맞은 답을 고르시오.

45. 앞 글자가 뒤 글자를 꾸며주는 어휘는? (④)

①高低　②夫婦　③陸海　④赤色

[설명] ◎赤色(적색):「1」 짙은 붉은색.「2」『사회』 공산주의나 사회주의를 상징하는 빛깔. 이는 앞 글자가 뒤 글자를 꾸며주는 '수식관계'이다. ◎高低(고저): 높음과 낮음. ◎夫婦(부부): 남편과 아내를 아울러 이르는 말. ◎陸海(육해): 육지와 바다를 아울러 이르는 말. 이상은 서로 상대(반대)되는 뜻의 한자로 이루어진 '병렬관계'이다.

46. '開國'의 유의어는?　(　④　)

①健國　②亡國　③開眼　④建國

[설명] ◎開國(개국):「1」 새로 나라를 세움.「2」 나라의 문호를 열어 다른 나라와 교류함. = ◎建國(건국): 나라가 세워짐. 또는 나라를 세움.

47. '年末'의 반의어는?　(　③　)

①始末　②本末　③年初　④年時

[설명] ◎年末(연말): 한 해의 마지막 무렵. ↔ ◎年初(연초): 새해의 첫머리.

48. "많은 전투를 치른 노련한 장수라는 뜻으로, 세상풍파를 많이 겪어 여러 가지로 능란한 사람"을 이르는 사자성어는?　(　④　)

①百戰百勝　②能大能小　③山戰水戰　④百戰老將

[설명] ◎百戰老將(백전노장):「1」 수많은 싸움을 치른 노련한 장수.「2」 온갖 어려운 일을 많이 겪은 노련한 사람.

49. '아홉 가지 생각(九思)'으로 바르지 않은 것은?　(　④　)

①의심나는 것이 있을 때는 물어 알아볼 것을 생각함.
②분하고 화가 날 때에는 어려움이 닥칠 것을 생각함.
③자신에게 이로운 것을 보면 옳은 것인가를 생각함.
④얻을 것을 보았을 때에는 먼저 취할 것만을 생각함.

[설명] ◎九思(구사): 군자가 항상 명심하여야 할 아홉 가지 일. 볼 때는 밝기를 생각하고, 들을 때는 총명하기를 생각하고, 안색은 온화하기를 생각하고, 태도는 공손하기를 생각하고, 말할 때는 성실하기를 생각하고, 일할 때는 공경하기를 생각하고, 의심스러울 때는 묻기를 생각하고, 분할 때는 어려움을 생각하고, 이익을 보면 의로운가를 생각한다.

50. 우리의 전통문화를 이해하기 위한 태도로 바르지 않은 것은?　(　④　)

①현장 학습을 통해서 잘 살펴본다.
②관련 서적을 통해 간접 경험을 해 본다.
③우리 것이 소중한 것임을 잊지 않는다.
④옛날 것보다는 지금 것이 더 좋다고만 생각한다.

■ 다음 물음에 맞는 답의 번호를 골라 답안지의 해당 답란에 표시하시오.

※ 한자의 훈음으로 바른 것을 고르시오.
---

1. 城 (②)　①정성　성　②재　성
　　　　　　　③살필　성　④성할　성
[설명] ◎誠(정성 성), 省(살필 성), 盛(성할 성).

2. 令 (①)　①하여금 령　②이제　금
　　　　　　　③생각　사　④옷깃　령
[설명] ◎今(이제 금), 思(생각 사), 領(옷깃 령).

3. 約 (①)　①맺을　약　②근심　환
　　　　　　　③은혜　혜　④사랑　애
[설명] ◎患(근심 환), 惠(은혜 혜), 愛(사랑 애).

4. 聲 (④)　①들을　문　②소리　음
　　　　　　　③마실　음　④소리　성
[설명] ◎聞(들을 문), 音(소리 음), 飮(마실 음).

5. 類 (③)　①차례　번　②푸를　록
　　　　　　　③무리　류　④예도　례
[설명] ◎番(차례 번), 綠(푸를 록), 禮(예도 례).

6. 災 (②)　①이　치　②재앙　재
　　　　　　　③채울　충　④법칙　칙
[설명] ◎齒(이 치), 充(채울 충), 則(법칙 칙).

7. 財 (①)　①재물　재　②볼　견
　　　　　　　③널빤지　판　④재주　재
[설명] ◎見(볼 견), 板(널빤지 판), 才(재주 재).

8. 端 (②)　①곧을　직　②바를　단
　　　　　　　③앉을　좌　④제단　단
[설명] ◎直(곧을 직), 坐(앉을 좌), 壇(제단 단).

9. 終 (①)　①마칠　종　②겨레　족
　　　　　　　③군사　졸　④군사　병
[설명] ◎族(겨레 족), 卒(군사 졸), 兵(군사 병).

10. 熱 (④)　①권세　세　②씻을　세
　　　　　　　③재주　술　④더울　열
[설명] ◎勢(권세 세), 洗(씻을 세), 術(재주 술).

※ 훈음에 맞는 한자를 고르시오.
---

11. 말씀 담 (①) ①談 ②和 ③許 ④話
[설명] ◎和(화할 화), 許(허락할 허), 話(말씀 화).
12. 정사 정 (④) ①展 ②正 ③電 ④政
[설명] ◎展(펼 전), 正(바를 정), 電(번개 전).
13. 맛　미 (③) ①計 ②未 ③味 ④美
[설명] ◎計(셀 계), 未(아닐 미), 美(아름다울 미).
14. 다를 타 (③) ①位 ②太 ③他 ④守

[설명] ◎位(자리 위), 太(클 태), 守(지킬 수).
15. 법　률 (④) ①筆 ②奉 ③店 ④律
[설명] ◎筆(붓 필), 奉(받들 봉), 店(가게 점).
16. 주일 주 (①) ①週 ②退 ③運 ④送
[설명] ◎退(물러날 퇴), 運(움직일 운), 送(보낼 송).
17. 굳셀 무 (③) ①線 ②等 ③武 ④旅
[설명] ◎線(줄 선), 等(무리 등), 旅(나그네 려).
18. 예　구 (③) ①藥 ②苦 ③舊 ④草
[설명] ◎藥(약 약), 苦(괴로울 고), 草(풀 초).
19. 옳을 의 (④) ①醫 ②億 ③業 ④義
[설명] ◎醫(의원 의), 億(억 억), 業(일 업).
20. 다리 교 (③) ①樹 ②根 ③橋 ④校
[설명] ◎樹(나무 수), 根(뿌리 근), 校(학교 교).

※ 물음에 알맞은 답을 고르시오.
---

21. 한자의 제자원리(六書) 중 '상형자'가 <u>아닌</u> 것은?
　　　　　　　　　　　　　　　　(①)
①甘　　②木　　③日　　④馬
[설명] ◎甘(달 감)은 '지사자'이다.
22. 밑줄 친 '事'의 뜻이 <u>다른</u> 어휘는? (③)
①事件　②事由　③事親　④行事
[설명] ◎事(사): 일, 직업, 재능, 공업, 사업, 관직, 벼슬, 국가 대사, 경치, 흥치, 변고, 사고, ~벌, 섬길, 부릴, 일을 시킬, 일삼을, 종사할, 글을 배울, 꽂을, 다스릴, 시집갈, 출가할, 힘쓸, 노력할. ◎事件(사건, 일 사·사건 건): 사회적으로 문제를 일으키거나 주목을 받을 만한 뜻밖의 일. ◎事由(사유, 일 사·말미암을 유): 일의 까닭. ◎行事(행사, 행할 행·일 사): 어떤 일을 시행함. 또는 그 일. 이상은 모두 '事'의 뜻이 '일'이다. ◎事親(사친, 섬길 사·어버이 친): 어버이를 섬김. 이는 '事'의 뜻이 '섬기다'이다.
23. 밑줄 친 '宿'의 독음이 <u>다른</u> 것은? (①)
①星宿　②宿直　③合宿　④宿題
[설명] ◎宿(숙·수): (잠을)자다, 숙박하다, 묵다, 오래되다, 나이가 많다, 한 해 묵다, 지키다, 숙위하다, 안심시키다, 찾아 구하다, 재계하다, 크다, 숙직, 당직, 숙소, 여관, 잠든 새, 미리, 사전에, 본다, 평소, 전부터, 여러해살이의, 크게 (숙) / 별자리, 성수 (수). ◎星宿(성수): 「1」 이십팔수(二十八宿)의 스물다섯째 별자리. 「2」 모든 별자리의 별들. 이는 '宿'의 음이 '수'이다. ◎宿直(숙직): 관청, 회사, 학교 따위의 직장에서 밤에 교대로 잠을 자면서 지키는 일. 또는 그런 사람. ◎合宿(합숙): 여러 사람이 한곳에서 집단적으

로 묶음. ◎宿題(숙제):「1」학생들에게 복습이나 예습을 위하여 집에서 하도록 내 주는 과제.「2」두고 생각해 보거나 해결해야 할 문제.「3」모이기 며칠 전에 미리 내어서 돌리는 시나 글의 제목. 이상은 모두 '宿'의 음이 '숙'이다.

24. 한자와 부수의 연결이 바르지 <u>않은</u> 것은?(　②　)
①買-貝　　②料-米　　③將-寸　　④兩-入
[설명] ◎料(헤아릴 료): 斗(말 두, 4획)부수의 6획, 총10획.

25. '具'의 유의자는?　　　　　　　　　　　（　②　）
①選　　②備　　③處　　④服
[설명] ◎具(갖출 구) = 備(갖출 비).

26. '冷'의 반의자는?　　　　　　　　　　　（　④　）
①注　　②古　　③思　　④溫
[설명] ◎冷(찰 랭) ↔ 溫(따뜻할 온).

27. "地□, □書, 試□"에서 □안에 공통으로 들어갈 알맞은 한자는?　　　　　　　　　　　（　①　）
①圖　　②讀　　③球　　④上
[설명] ◎地圖(지도): 지구 표면의 상태를 일정한 비율로 줄여, 이를 약속된 기호로 평면에 나타낸 그림. ◎圖書(도서):「1」책(冊). 일정한 목적, 내용, 체재에 맞추어 사상, 감정, 지식 따위를 글이나 그림으로 표현하여 적거나 인쇄하여 묶어 놓은 것.「2」그림, 글씨, 책 따위를 통틀어 이르는 말. ◎試圖(시도): 어떤 것을 이루어 보려고 계획하거나 행동함.

※ 어휘의 독음이 바른 것을 고르시오.

28. 團旗（　②　）①전기 ②단기 ③원기 ④단족
[설명] ◎團旗(단기): '단(團)'의 이름이 붙은 단체나 모임의 상징이 되는 기.

29. 敗北（　①　）①패배 ②패북 ③배북 ④배패
[설명] ◎敗北(패배):「1」겨루어서 짐.「2」패주(敗走). 싸움에 져서 달아남.

30. 季節（　③　）①이절 ②추절 ③계절 ④계조
[설명] ◎季節(계절): 규칙적으로 되풀이되는 자연 현상에 따라서 일 년을 구분한 것. 일반적으로 온대 지방은 기온의 차이를 기준으로 하여 봄, 여름, 가을, 겨울의 네 계절로 나누고, 열대 지방에서는 강우량을 기준으로 하여 건기와 우기로 나눈다. 천문학적으로는 춘분, 하지, 추분, 동지로 나눈다.

31. 改良（　④　）①개종 ②개량 ③개앙 ④개량
[설명] ◎改良(개량): 나쁜 점을 보완하여 더 좋게 고침.

32. 種目（　④　）①종일 ②중일 ③과목 ④종목
[설명] ◎種目(종목):「1」여러 가지 종류에 따라 나눈 항목.「2」『경제』증권 시장에서, 매매 거래의 대상이 되는 유가 증권을 내용과 형식에 따라 분류한 것. 일반적으로 회사명을 붙여 사용하나 동일한 회사의 주식이라 하더라도 신주(新株)와 우선주 따위는 보통주와 구별하여 별도로 취급한다.

33. 牧童（　④　）①목경 ②특종 ③복종 ④목동
[설명] ◎牧童(목동): 풀을 뜯기며 가축을 치는 아이.

34. 給食（　②　）①음식 ②급식 ③합식 ④흡사
[설명] ◎給食(급식): 식사를 공급함. 또는 그 식사.

35. 忠犬（　③　）①심견 ②환대 ③충견 ④중개
[설명] ◎忠犬(충견):「1」주인에게 충성스러운 개.「2」상전에게 충실한 앞잡이 노릇을 하는 사람을 비유적으로 이르는 말.

※ 어휘의 뜻으로 알맞은 것을 고르시오.

36. 暗記（　④　）
①몰래 기록함.　　②안 좋은 기억.
③소리내어 읽음.　　④외워 잊지 아니함.

37. 救助（　①　）
①어려운 처지에 빠진 사람을 구하여 줌.
②서로 힘을 합침.　　③일할 사람을 구함.
④도와줄 필요가 없음.

※ 낱말을 한자로 바르게 쓴 것을 고르시오.

38. 가해: 다른 사람의 생명이나 신체, 재산, 명예 따위에 해를 끼침.　　　　　　　（　①　）
①加害　　②材罪　　③可害　　④有罪

39. 재차: 두 번째. 또다시.　　　　　　　（　②　）
①再車　　②再次　　③在車　　④在次

※ 밑줄 친 어휘의 알맞은 독음을 고르시오.

40. 양념이 <u>生鮮</u>에 고루 배어 맛이 있었다.（　②　）
①성양　　②생선　　③생양　　④성선
[설명] ◎生鮮(생선): 먹기 위해 잡은 신선한 물고기.

41. 그는 <u>遠大</u>한 포부를 지니고 있다.　　（　①　）
①원대　　②방대　　③현대　　④근대
[설명] ◎遠大(원대): 계획이나 희망 따위의 장래성과 규모가 큼.

42. 소나무를 배경으로 <u>寫眞</u>을 찍었다.　　（　①　）
①사진　　②사실　　③사물　　④진실
[설명] ◎寫眞(사진):「1」물체의 형상을 감광막 위에 나타나도록 찍어 오랫동안 보존할 수 있게 만든 영상. 물체로부터 오는 광선을 사진기 렌즈로 모아 필름, 건판 따위에 결상(結像)을 시킨 뒤에, 이것을 현상액으로 처리하여 음화(陰畫)를 만들고 다시 인화지로 양화(陽畫)를 만든다.「2」물체를 있는 모양 그대로 그려 냄. 또는 그렇게 그려 낸 형상.

실전대비문제

모|범|답|안

※ 다음 면에 계속

※ 밑줄 친 부분을 한자로 바르게 쓴 것을 고르시오.

43. 우리나라는 계절의 변화에 따라 아름다운 경치가 펼쳐진다. (④)

①視察　　②理致　　③風景　　④景致

[설명] ◎景致(경치): 산이나 들, 강, 바다 따위의 자연이나 지역의 모습.

44. 무조건 유행을 따르기보다는 자신의 개성을 살리는 것이 중요하다. (③)

①性格　　②個人　　③個性　　④性品

[설명] ◎個性(개성): 다른 사람이나 개체와 구별되는 고유의 특성.

※ 물음에 알맞은 답을 고르시오.

45. 어휘의 짜임이 다른 것은? (④)

①定說　　②黄色　　③好意　　④建國

[설명] ◎定說(정설, 정할 정·말씀 설): 일정한 결론에 도달하여 이미 확정하거나 인정한 설. ◎黄色(황색, 누를 황·빛 색): 누런색. ◎好意(호의, 좋을 호·뜻 의): 친절한 마음씨. 또는 좋게 생각하여 주는 마음. 이상은 모두 앞 글자가 뒤 글자를 꾸며주는 '수식관계'이다. ◎建國(건국, 세울 건·나라 국): 나라를 세움. 이는 "~을 ~하다"로 해석되는 '술목관계'이다.

46. '空白'의 유의어는? (②)

①空氣　　②餘白　　③黑白　　④明白

[설명] ◎空白(공백): 「1」종이나 책 따위에서 글씨나 그림이 없는 빈 곳. 「2」아무것도 없이 비어 있음. 「3」특정한 활동이나 업적이 없이 비어 있음. 「4」어떤 일의 빈구석이나 빈틈. = ◎餘白(여백): 종이 따위에, 글씨를 쓰거나 그림을 그리고 남은 빈 자리.

47. '完工'의 반의어는? (③)

①成功　　②手工　　③着工　　④木工

[설명] ◎完工(완공): 공사를 완성함. ↔ ◎着工(착공): 공사를 시작함.

48. 문장에서 밑줄 친 성어의 쓰임이 바르지 않은 것은? (①)

①마음을 바르게 하여 坐不安席하였다.

②兄弟☒妹는 우애가 있어야 한다.

③살면서 적어도 骨肉相爭만은 없어야 한다.

④나는 동생이 둘이나 있는데, 친구는 無男獨女이다.

[설명] ◎坐不安席(좌불안석): 앉아도 자리가 편안하지 않다는 뜻으로, 마음이 불안하거나 걱정스러워서 한 군데에 가만히 앉아 있지 못하고 안절부절못하는 모

양을 이르는 말. ◎兄弟姉妹(형제자매): 남자 형제와 여자 형제를 아울러 이르는 말. ◎骨肉相爭(골육상쟁): 가까운 혈족끼리 서로 싸움. ◎無男獨女(무남독녀): 아들이 없는 집안의 외동딸.

49. 우리가 일상생활에서 할 수 있는 "예절 바른 행동"이 아닌 것은? (②)

①웃어른께는 항상 공손하게 인사를 드린다.

②공공장소에서는 큰 소리로 떠든다.

③노약자에게 자리를 양보한다.

④친구, 형제간에 사이좋게 지낸다.

50. '단오날' 행해지는 풍속이 아닌 것은? (③)

①그네뛰기　②씨름　③부럼깨기　④부채선물

[설명] ◎端午(단오): 우리나라 명절의 하나. 음력 5월 5일로, 단오떡을 해 먹고 여자는 창포물에 머리를 감고 그네를 뛰며 남자는 씨름을 한다. ◎'부럼깨기'는 음력 정월 대보름날에 행해지는 풍습이다.

♣ 수고하셨습니다.

■ 다음 물음에 맞는 답의 번호를 골라 답안지의 해당 답란에 표시하시오.

※ 한자의 훈음으로 바른 것을 고르시오.

1. 鼻 (①) ①코   비   ②견줄   비
              ③쓸   비   ④셈   산
[설명] ◎比(견줄 비), 費(쓸 비), 算(셈 산).

2. 島 (①) ①섬   도   ②말   마
              ③일만   만   ④새   조
[설명] ◎馬(말 마), 萬(일만 만), 鳥(새 조).

3. 完 (②) ①집   실   ②완전할   완
              ③열매   실   ④온전할   전
[설명] ◎室(집 실), 實(열매 실), 全(온전할 전).

4. 移 (④) ①움직일   동   ②가을   추
              ③모일   집   ④옮길   이
[설명] ◎動(움직일 동), 秋(가을 추), 集(모일 집).

5. 蟲 (③) ①구할   요   ②서울   경
              ③벌레   충   ④채울   충
[설명] ◎要(구할 요), 京(서울 경), 充(채울 충).

6. 曜 (④) ①어제   작   ②따뜻할   온
              ③헤아릴   료   ④빛날   요
[설명] ◎昨(어제 작), 溫(따뜻할 온), 料(헤아릴 료).

7. 賞 (①) ①상줄   상   ②아이   동
              ③장사   상   ④마땅할   당
[설명] ◎童(아이 동), 商(장사 상), 當(마땅할 당).

8. 坐 (①) ①앉을   좌   ②자리   석
              ③바랄   망   ④붉을   적
[설명] ◎席(자리 석), 望(바랄 망), 赤(붉을 적).

9. 骨 (②) ①몸   신   ②뼈   골
              ③약할   약   ④고기   육
[설명] ◎身(몸 신), 弱(약할 약), 肉(고기 육).

10. 炭 (④) ①누를   황   ②병   병
               ③놈   자   ④숯   탄
[설명] ◎黃(누를 황), 病(병 병), 者(놈 자).

※ 훈음에 맞는 한자를 고르시오.

11. 칠 목 (③) ①敗 ②改 ③牧 ④能
[설명] ◎敗(패할 패), 改(고칠 개), 能(능할 능).

12. 넓을 광 (②) ①端 ②廣 ③是 ④患
[설명] ◎端(바를 단), 是(옳을 시), 患(근심 환).

13. 재주 예 (④) ①樹 ②花 ③葉 ④藝
[설명] ◎樹(나무 수), 花(꽃 화), 葉(잎 엽).

14. 쌓을 저 (①) ①貯 ②停 ③財 ④低

[설명] ◎停(머무를 정), 財(재물 재), 低(낮을 저).

15. 나그네 려 (②) ①餘 ②旅 ③客 ④族
[설명] ◎餘(남을 여), 客(손님 객), 族(겨레 족).

16. 수컷 웅 (③) ①到 ②支 ③雄 ④至
[설명] ◎到(이를 도), 支(지탱할 지), 至(이를 지).

17. 세울 건 (①) ①建 ②件 ③健 ④筆
[설명] ◎件(사건 건), 健(건강할 건), 筆(붓 필).

18. 쇠 철 (③) ①極 ②板 ③鐵 ④格
[설명] ◎極(다할 극), 板(널빤지 판), 格(격식 격).

19. 재 성 (③) ①成 ②星 ③城 ④省
[설명] ◎成(이룰 성), 星(별 성), 省(살필 성).

20. 물결 파 (①) ①波 ②洋 ③進 ④汽
[설명] ◎洋(큰바다 양), 進(나아갈 진), 汽(물끓는김 기).

※ 물음에 알맞은 답을 고르시오.

21. "칼로 옷을 만들기 위해 마르다"는 뜻으로, 그것이 옷을 만드는 첫 단계인 데서 '처음'을 뜻하는 한자는?
(③)
①始   ②分   ③初   ④表
[설명] ◎初(처음 초).

22. "선생님께 궁금한 점을 質問하였다"에서 밑줄 친 '質'의 훈음으로 알맞은 것은? (②)
①바탕 질 ②물을 질 ③폐백 지 ④볼모 질
[설명] ◎質(질·지): 물을, 바탕, 본질, 품질, 성질, 품성, 저당물, 저당품, 맹세, 모양, 소박할, 질박할, 대답할, 솔직할, 이룰, 정할, 저당잡힐 (질) / 폐백, 예물 (지).
◎質問(질문): 알고자 하는 바를 얻기 위해 물음.

23. 밑줄 친 '則'의 독음이 다른 것은? (①)
①然則   ②定則   ③社則   ④規則
[설명] ◎則(칙·즉): 법칙, 준칙, 이치, 대부의 봉지, 본보기로 삼을, 본받을, 모범으로 삼을 (칙) / 곧, 만일 ~이라면, ~하면, ~할 때에는 (즉). ◎然則(연즉): '그러면', '그런즉'의 뜻을 나타내는 접속 부사. 이는 '즉'으로 읽는다. ◎定則(정칙): 바른 규칙이나 법칙. ◎社則(사칙): 회사나 결사 단체의 규칙. ◎規則(규칙): 여러 사람이 다 같이 지키기로 작성한 법칙. 이 상은 모두 '칙'으로 읽는다.

24. 부수가 다른 한자는? (③)
①祝   ②祭   ③視   ④祖
[설명] ◎祝(빌 축): 示(보일 시, 5획)부수의 5획, 총10획. ◎祭(제사 제): 示(보일 시, 5획)부수의 6획, 총11획. ◎祖(할아비 조): 示(보일 시, 5획)부수의 5획, 총10획. 이상은 모두 부수가 '示(보일 시)'이다. ◎視(볼

시): 見(볼 견, 7획)부수의 5획, 총12획. 이는 부수가 '見(볼 견)'이다.

25. '技'의 유의자는? (③)
①味 ②電 ③術 ④度
[설명] ◎技(재주 기) = 術(재주 술).

26. '甘'의 반의자는? (②)
①船 ②苦 ③果 ④淸
[설명] ◎甘(달 감) ↔ 苦(괴로울, 쓸 고).

27. "固□, □門將, 郡□"에서 □안에 공통으로 들어갈 알맞은 한자는? (③)
①有 ②場 ③守 ④形
[설명] ◎固守(고수): 차지한 물건이나 형세 따위를 굳게 지킴. ◎守門將(수문장): 「1」 『역사』 각 궁궐이나 성의 문을 지키던 무관 벼슬. 「2」 『민속』 대문을 지키는 신장(神將). 귀신 장수를 그려 붙이거나 만들어 세운다. ◎郡守(군수): 「1」 『법률』 군(郡)의 행정을 맡아보는 으뜸 직위에 있는 사람. 또는 그 직위. 「2」 『역사』 조선 시대에 둔, 지방 행정 단위인 군의 으뜸 벼슬. 종사품으로 군의 행정을 맡아보았다.

※ 어휘의 독음이 바른 것을 고르시오.

28. 備考 (②) ①비율 ②비고 ③비수 ④비교
[설명] ◎備考(비고): 「1」 참고하기 위하여 준비하여 놓음. 또는 그런 것. 「2」 문서 따위에서, 그 내용에 참고가 될 만한 사항을 보충하여 적는 것. 또는 그 사항.

29. 試圖 (①) ①시도 ②시험 ③시단 ④식도
[설명] ◎試圖(시도): 어떤 것을 이루어 보려고 계획하거나 행동함.

30. 特惠 (④) ①특수 ②지혜 ③특별 ④특혜
[설명] ◎特惠(특혜): 특별한 은혜나 혜택.

31. 失效 (②) ①시효 ②실효 ③부교 ④부효
[설명] ◎失效(실효): 효력을 잃음.

32. 卓球 (③) ①족구 ②조구 ③탁구 ④탁상
[설명] ◎卓球(탁구): 『운동』 나무로 만든 대(臺)의 가운데에 네트를 치고 라켓으로 공을 쳐 넘겨 승부를 겨루는 구기 경기. 한 경기는 5게임 또는 7게임으로 이루어지며 매 게임에서 11점을 먼저 득점하면 이긴다. 남녀 단식과 복식, 혼합 복식, 단체전이 있다.

33. 鮮血 (④) ①미혈 ②어혈 ③우혈 ④선혈
[설명] ◎鮮血(선혈): 생생한 피.

34. 樂觀 (①) ①낙관 ②악관 ③오관 ④약관
[설명] ◎樂觀(낙관): 「1」 인생이나 사물을 밝고 희망적인 것으로 봄. 「2」 앞으로의 일 따위가 잘되어 갈 것으로 여김.

35. 兩親 (①) ①양친 ②가친 ③양신 ④량신
[설명] ◎兩親(양친): 부친과 모친을 아울러 이르는 말.

※ 어휘의 뜻으로 알맞은 것을 고르시오.

36. 獨步的 (④)
①자신만이 옳다고 믿고 행동하는 것.
②이익을 혼자서 차지함.
③혼자 걷는 것.
④남이 따를 수 없을 정도로 뛰어난 것.

37. 政勢 (②)
①올바른 정치. ②정치상의 동향이나 형세.
③정치상의 강한 세력. ④일이 되어가는 형세.

※ 낱말을 한자로 바르게 쓴 것을 고르시오.

38. 미안: 남에게 폐를 끼쳐 마음이 편하지 못함. (③)
①美案 ②美安 ③未安 ④未案

39. 영해: 그 나라의 통치권이 미치는 범위 내의 해역. (①)
①領海 ②領害 ③令害 ④令海

※ 밑줄 친 어휘의 알맞은 독음을 고르시오.

40. 이 일의 성공을 위해서는 그의 協助가 매우 필요하다. (③)
①협회 ②구조 ③협조 ④방조
[설명] ◎協助(협조): 힘을 보태어 도움.

41. 자연을 지키고 살리는 것은 우리 모두의 課題다. (①)
①과제 ②과시 ③숙제 ④과외
[설명] ◎課題(과제): 처리하거나 해결해야 할 문제.

42. 진리란 永久 불변한 것이다. (②)
①수구 ②영구 ③영장 ④장구
[설명] ◎永久(영구): 어떤 상태가 시간상으로 무한히 이어짐.

※ 다음 면에 계속

※ 밑줄 친 부분을 한자로 바르게 쓴 것을 고르시오.

43. 과연 봄은 계절의 여왕다웠다. (③)
①界切 ②節季 ③季節 ④界節
[설명] ◎季節(계절): 규칙적으로 되풀이되는 자연 현상에 따라서 일 년을 구분한 것. 일반적으로 온대 지방

은 기온의 차이를 기준으로 하여 봄, 여름, 가을, 겨울의 네 계절로 나누고, 열대 지방에서는 강우량을 기준으로 하여 건기와 우기로 나눈다. 천문학적으로는 춘분, 하지, 추분, 동지로 나눈다.

44. 제품 사용 설명서를 자세히 읽어보세요. (④)

①使勇　②史勇　③史用　④使用

[설명] ◎使用(사용):「1」일정한 목적이나 기능에 맞게 씀.「2」사람을 다루어 이용함.

※ 물음에 알맞은 답을 고르시오.

45. 어휘의 짜임이 다른 것은? (②)

①休日　②無罪　③明月　④誠心

[설명] ◎休日(휴일, 쉴 휴·날 일): 일요일이나 공휴일 따위의 일을 하지 아니하고 쉬는 날. ◎明月(명월, 밝을 명·달 월):「1」밝은 달.「2」음력 팔월 보름날 밤의 달. ◎誠心(성심, 정성 성·마음 심): 정성스러운 마음. 이상은 모두 앞 글자가 뒤 글자를 꾸며주는 '수식관계'이다. ◎無罪(무죄, 없을 무·허물 죄): 아무 잘못이나 죄가 없음. 이는 "무엇이 어떠하다"로 해석되는 '술보관계'이다.

46. '仙人'의 유의어는? (④)

①好人　②新仙　③新人　④神仙

[설명] ◎仙人(선인):「1」신선(神仙).「2」도를 닦은 사람. = ◎神仙(신선): 도(道)를 닦아서 현실의 인간 세계를 떠나 자연과 벗하며 산다는 상상의 사람. 세속적인 상식에 구애되지 않고, 고통이나 질병도 없으며 죽지 않는다고 한다.

47. '都市'의 반의어는? (③)

①市内　②首都　③村落　④農民

[설명] ◎都市(도시): 일정한 지역의 정치·경제·문화의 중심이 되는, 사람이 많이 사는 지역. ↔ ◎村落(촌락):「1」마을.「2」시골의 작은 마을.

48. "兵家常事"의 속뜻으로 알맞은 것은? (①)

①한 번의 실패에 절망하지 말라.
②많은 것이 모두 서로 같지 아니함.
③힘이 비슷하여 이겼다 졌다 함.
④이익과 손해가 반반으로 맞섬.

[설명] ◎兵家常事(병가상사):「1」군사 전문가도 전쟁에서 이기고 지는 일은 흔히 있는 일임을 이르는 말.「2」실패하는 일은 흔히 있으므로 낙심할 것이 없다는 말.

49. 부모님께 행하는 태도로 바르지 않은 것은?(③)

①부모님이 들어오시면 일어나 인사한다.
②음식은 투정부리지 않고 감사하는 마음으로 먹는다.
③부모님께서 잘못이 있으시면 성내며 충고한다.
④밖에 나갈 때는 부모님께 갈 곳을 알린다.

50. 兄弟간에 가장 필요한 덕목은? (②)

①友情　②友愛　③忠孝　④孝道

♣ 수고하셨습니다.

실전대비문제

모|범|답|안 8회

■ 다음 물음에 맞는 답의 번호를 골라 답안지의 해당 답란에 표시하시오.

※ 한자의 훈음으로 바른 것을 고르시오.

1. 視 (①) ①볼　시 ②귀신　신
　　　　　　③할아비　조 ④친할　친
[설명] ◎神(귀신 신), 祖(할아비 조), 親(친할 친).

2. 富 (④) ①빌　축 ②복　복
　　　　　　③다행　행 ④부자　부
[설명] ◎祝(빌 축), 福(복 복), 幸(다행 행).

3. 恩 (③) ①생각　사 ②창문　창
　　　　　　③은혜　은 ④펼　전
[설명] ◎思(생각 사), 窓(창문 창), 展(펼 전).

4. 增 (③) ①며느리　부 ②더할　가
　　　　　　③더할　증 ④모일　사
[설명] ◎婦(며느리 부), 加(더할 가), 社(모일 사).

5. 義 (②) ①곧을　직 ②옳을　의
　　　　　　③양　양 ④일　업
[설명] ◎直(곧을 직), 羊(양 양), 業(일 업).

6. 宅 (②) ①먼저　선 ②집　택
　　　　　　③집　실 ④오얏　리
[설명] ◎先(먼저 선), 室(집 실), 李(오얏 리).

7. 比 (④) ①코　비 ②지킬　수
　　　　　　③북녘　북 ④견줄　비
[설명] ◎鼻(코 비), 守(지킬 수), 北(북녘 북).

8. 練 (②) ①가르칠　훈 ②익힐　련
　　　　　　③많을　다 ④익힐　습
[설명] ◎訓(가르칠 훈), 多(많을 다), 習(익힐 습).

9. 查 (③) ①베낄　사 ②그림　화
　　　　　　③조사할　사 ④새　조
[설명] ◎寫(베낄, 쓸 사), 畫(그림 화), 鳥(새 조).

10. 望 (③) ①의원　의 ②쌓을　저
　　　　　　③바랄　망 ④느낄　감
[설명] ◎醫(의원 의), 貯(쌓을 저), 感(느낄 감).

※ 훈음에 맞는 한자를 고르시오.

11. 변할 변 (③) ①便 ②樂 ③變 ④葉
[설명] ◎便(편할 편), 樂(즐거울 락), 葉(잎 엽).

12. 클　위 (②) ①英 ②偉 ③勢 ④卓
[설명] ◎英(꽃부리 영), 勢(권세 세), 卓(높을 탁).

13. 향기 향 (①) ①香 ②害 ③和 ④重
[설명] ◎害(해칠 해), 和(화할 화), 重(무거울 중).

14. 널빤지 판 (①) ①板 ②陽 ③術 ④朴

[설명] ◎陽(볕 양), 術(재주 술), 朴(순박할 박).

15. 차례 서 (③) ①席 ②順 ③序 ④存
[설명] ◎席(자리 석), 順(순할 순), 存(있을 존).

16. 관계할 관 (④) ①觀 ②間 ③使 ④關
[설명] ◎觀(볼 관), 間(사이 간), 使(하여금 사).

17. 판　국 (①) ①局 ②洋 ③星 ④億
[설명] ◎洋(큰바다 양), 星(별 성), 億(억 억).

18. 덜　감 (③) ①決 ②浴 ③減 ④輕
[설명] ◎決(결단할 결), 浴(목욕할 욕), 輕(가벼울 경).

19. 묶을 속 (③) ①根 ②米 ③束 ④骨
[설명] ◎根(뿌리 근), 米(쌀 미), 骨(뼈 골).

20. 충성 충 (②) ①令 ②忠 ③過 ④念
[설명] ◎令(하여금 령), 過(지날 과), 念(생각 념).

※ 물음에 알맞은 답을 고르시오.

21. 한자의 제자원리(六書) 중 '형성자'가 아닌 것은?
　　　　　　　　　　　　　　(①)
①正 ②聞 ③淸 ④課
[설명] ◎正(바를 정)은 '회의자'이다.

22. "아버지께서 樹上에서 열매를 따고 계신다"에서 밑줄 친 '樹'의 훈음으로 알맞은 것은? (①)
①나무 수 ②심을 수 ③세울 수 ④막을 수
[설명] ◎樹(수): 나무, 심다, 세우다, 막다. ◎樹上(수상): 나무의 위.

23. 밑줄 친 '洞'의 독음이 다른 것은? (④)
①洞里 ②空洞 ③洞口 ④洞察
[설명] ◎洞(동·통): 골, 골짜기, 고을, 마을, 동네, 굴, 동굴, 공경하는 모양, 혼돈한 모양, 서로 이어진 모양, 깊다, 그윽하다, 비다, 공허하다, 빨리 흐르다, (물이 세차게)치솟다, 설사하다 (동) / 밝다, 꿰뚫다, 통하다, 통달하다 (통). ◎洞察(통찰): 「1」예리한 관찰력으로 사물을 꿰뚫어 봄. 「2」 『심리』 새로운 사태에 직면하여 장면의 의미를 재조직화함으로써 갑작스럽게 문제를 해결함. 또는 그런 과정. 쾰러는 학습이 시행착오에 의하여 일어나는 것이 아니라 이러한 과정에 의하여 일어난다고 보았다. 「3」 『심리』 심리 치료에서, 환자가 이전에는 인식하지 못하였던 자신의 심적 상태를 알게 되는 일. 이는 '洞'의 음이 '통'이다. ◎洞里(동리): 「1」주로 시골에서 여러 집이 모여 사는 곳. 「2」지방 행정 구역의 최소 구획인 동(洞)과 이(里)를 아울러 이르는 말. ◎空洞(공동): 「1」아무것도 없이 텅 비어 있는 굴. 「2」아무것도 없이 텅 빈 큰 골짜기. 「3」물체 속에 아무것도 없이 빈 것. 또는

그런 구멍. 「4」 『의학』 상하거나 염증을 일으킨 조직이 밖으로 배출되거나 흡수되어 장기(臟器)에 생긴 빈 공간. ◎洞口(동공): 「1」 동네 어귀. 「2」 절로 들어가는 산문(山門)의 어귀. 이상은 모두 '洞'의 음이 '동'이다.

24. '橋'을(를) 자전에서 찾을 때의 방법으로 바르지 않은 것은? (②)
① 부수로 찾을 때는 '木'부수의 12획에서 찾는다.
② 총획으로 찾을 때는 '15획'에서 찾는다.
③ 자음으로 찾을 때는 '교'음에서 찾는다.
④ 총획으로 찾을 때는 '16획'에서 찾는다.
[설명] ◎橋(다리 교): 木(나무 목, 4획)부수의 12획, 총 16획.

25. '競'의 유의자는? (③)
①止 ②旅 ③爭 ④溫
[설명] ◎競(다툴 경) = 爭(다툴 쟁).

26. '師'의 반의자는? (②)
①兄 ②弟 ③第 ④孫
[설명] ◎師(스승 사) ↔ 弟(아우,제자 제).

27. "夏□, □近, □急"에서 □안에 공통으로 들어갈 알맞은 한자는? (①)
①至 ②致 ③遠 ④時
[설명] ◎夏至(하지): 이십사절기의 하나. 망종과 소서 사이에 들며, 양력 6월 21일경으로, 북반구에서는 낮이 가장 길고 밤이 가장 짧다. ◎至近(지근): 거리나 정의 따위가 더할 수 없이 가까움. ◎至急(지급): 매우 급함.

※ 어휘의 독음이 바른 것을 고르시오.
28. 漁船 (③) ①어항 ②풍선 ③어선 ④어로
[설명] ◎漁船(어선): 고기잡이를 하는 배.
29. 夜景 (④) ①우친 ②야영 ③경야 ④야경
[설명] ◎夜景(야경): 밤의 경치.
30. 國産 (③) ①국생 ②국상 ③국산 ④산국
[설명] ◎國産(국산): 자기 나라에서 생산함. 또는 그 물건.
31. 特技 (②) ①대지 ②특기 ③특별 ④대기
[설명] ◎特技(특기): 남이 가지지 못한 특별한 기술이나 기능.
32. 當到 (①) ①당도 ②부지 ③당지 ④부도
[설명] ◎當到(당도): 어떤 곳에 다다름.
33. 餘地 (③) ①식염 ②여염 ③여지 ④식담
[설명] ◎餘地(여지): 「명사」 남은 땅. 「의존명사」 어떤 일을 하거나 어떤 일이 일어날 가능성이나 희망.
34. 極限 (④) ①특약 ②시혜 ③대은 ④극한
[설명] ◎極限(극한): 「1」 궁극의 한계. 사물이 진행하여 도달할 수 있는 최후의 단계나 지점을 이른다. 「2」

『수학』 어떤 양이 일정한 규칙에 따라 어떤 일정한 값에 한없이 가까워지는 일.

※ 어휘의 뜻으로 알맞은 것을 고르시오.
35. 公倍數 (①)
①둘 이상의 정수 또는 정식에 공통되는 배수.
②덧셈을 함. ③뺄셈을 함.
④나눗셈을 함.
36. 試圖 (①)
①어떤 것을 이루어 보려고 계획하거나 행동함.
②토목, 건축, 기계 따위의 구조나 설계.
③나타내 보이어 지도함. ④처음으로 꾀함.
37. 暗示 (③)
①어두운 느낌의 빛깔. ②밝음과 어두움.
③넌지시 알림. ④기억할 수 있도록 외움.

※ 낱말을 한자로 바르게 쓴 것을 고르시오.
38. 개선: 잘못된 점을 고치어 잘되게 함. (①)
①改善 ②個善 ③個選 ④改選
39. 퇴장: 어떤 장소에서 물러남. (④)
①登場 ②退步 ③廣場 ④退場

※ 밑줄 친 어휘의 알맞은 독음을 고르시오.
40. 졸업식장에서 환송사가 朗讀되었다. (①)
①낭독 ②독랑 ③양독 ④월독
[설명] ◎朗讀(낭독): 글을 소리 내어 읽음.
41. 精誠이 지극하면 하늘도 움직인다. (③)
①성정 ②청언 ③정성 ④운동
[설명] ◎精誠(정성): 온갖 힘을 다하려는 참되고 성실한 마음.
42. 학교 앞에 오락실을 許可해서는 안 된다. (②)
①설득 ②허가 ③인가 ④허락
[설명] ◎許可(허가): 「1」 행동이나 일을 하도록 허용함. 「2」 『법률』 법령에 의하여 일반적으로 금지되어 있는 행위를 행정 기관이 특정한 경우에 해제하고 적법하게 이를 행할 수 있게 하는 일. 권리를 설정하는 특허나 법률의 효력을 보완하는 인가와 구별된다.

※ 다음 면에 계속

※ 밑줄 친 부분을 한자로 바르게 쓴 것을 고르시오.
43. 다음 주까지 입학 원서를 제출하여야 한다. (②)
①原書 ②願書 ③原畫 ④願畫

[설명] ◎願書(원서): 지원하거나 청원하는 내용을 적은 서류.

44. 글짓기 대회에서 받은 상품을 동생에게 주었다. (③)

①性品 ②常品 ③賞品 ④下品

[설명] ◎賞品(상품): 상으로 주는 물품.

※ 물음에 알맞은 답을 고르시오.

45. 어휘의 짜임이 다른 것은? (①)

①曲線 ②法律 ③集合 ④兒童

[설명] ◎曲線(곡선, 굽을 곡·줄 선):「1」모나지 아니하고 부드럽게 굽은 선.「2」『수학』점이 평면 위나 공간 안을 연속적으로 움직일 때 생기는 선. 좁은 뜻으로는 그 가운데에서 직선이 아닌 것을 이른다. 이는 앞 글자가 뒤 글자를 꾸며주는 '수식관계'이다. ◎法律(법률, 법 법·법 률):「1」국가의 강제력을 수반하는 사회 규범. 국가 및 공공 기관이 제정한 법률, 명령, 규칙, 조례 따위이다.「2」『법률』국회의 의결을 거쳐 대통령이 서명하고 공포함으로써 성립하는 국법(國法). 헌법의 다음 단계에 놓이며, 행정부의 명령이나 입법부와 사법부의 규칙 따위와 구별되어 명령·규칙이 법률에 위반되면 법원에서 그 규칙이나 명령의 적용은 거부되고 법률이 헌법에 위반되면 법원은 그 법률의 적용을 거부한다. ◎集合(집합, 모을 집·합할 합):「1」사람들을 한곳으로 모으거나 모임.「2」『수학』특정 조건에 맞는 원소들의 모임. 임의의 한 원소가 그 모임에 속하는지를 알 수 있고, 그 모임에 속하는 임의의 두 원소가 다른가 같은가를 구별할 수 있는 명확한 표준이 있는 것을 이른다. ◎兒童(아동, 아이 아·아이 동): 나이가 적은 아이. 대개 유치원에 다니는 나이로부터 사춘기 전의 아이를 이른다. 이상은 서로 유사한 뜻의 한자로 이루어진 '병렬관계'이다.

46. '宿患'의 유의어는? (②)

①患者 ②宿病 ③宿敵 ④外患

[설명] ◎宿患(숙환): 오래 묵은 병. = ◎宿病(숙병): 오래전부터 앓고 있는 병.

47. '放心'의 반의어는? (④)

①本心 ②熱心 ③苦心 ④操心

[설명] ◎放心(방심): 마음을 다잡지 아니하고 풀어 놓아 버림. ↔ ◎操心(조심): 잘못이나 실수가 없도록 말이나 행동에 마음을 씀.

48. 문장에서 밑줄 친 성어의 쓰임이 바르지 않은 것은? (③)

①사기꾼의 甘言利説에 속아 돈을 떼일 뻔 했다.
②소나무·대나무·매화를 歲寒三友라 한다.
③하는 모양이 각기 다른 걸 보니 父傳子傳이다.
④모든 것을 事事件件 따지고 들어 머리가 아프다.

[설명] ◎父傳子傳(부전자전): 아들의 성격이나 생활 습관 따위가 아버지로부터 대물림된 것처럼 같거나 비슷함.

49. 전화에 관한 예절로 바르지 못한 자세는?(①)
①전화를 잘못 걸었을 때는 아무 말 없이 그냥 끊는다.
②상냥하고 친절한 음성으로 말한다.
③용건이 끝나면 정중하게 인사하고 끊는다.
④전화를 거는 곳의 시간, 장소가 적절한지 생각한다.

50. 우리 고유의 명절이 아닌 것은? (④)

①설 ②대보름 ③추석 ④성탄절

[설명] ◎성탄절: 12월 24일부터 1월 6일까지 예수의 성탄을 축하하는 명절. 우리나라에서는 12월 25일을 공휴일로 하고 있다.

♣ 수고하셨습니다.

■ 다음 물음에 맞는 답의 번호를 골라 답안지의 해당 답란에 표시하시오.

※ 한자의 훈음으로 바른 것을 고르시오.

1. 甘 (①) ①달 감 ②그 기
　　　　　　　③싸움 전 ④볼 감
[설명] ◎其(그 기), 戰(싸움 전), 監(볼 감).

2. 關 (③) ①물을 문 ②들을 문
　　　　　　　③관계할 관 ④넓을 광
[설명] ◎問(물을 문), 聞(들을 문), 廣(넓을 광).

3. 支 (②) ①벗 우 ②지탱할 지
　　　　　　　③오른 우 ④아닐 미
[설명] ◎友(벗 우), 右(오른 우), 未(아닐 미).

4. 壇 (③) ①짧을 단 ②농사 농
　　　　　　　③제단 단 ④둥글 단
[설명] ◎短(짧을 단), 農(농사 농), 團(둥글 단).

5. 盛 (③) ①성스러울 성 ②재 성
　　　　　　　③성할 성 ④정성 성
[설명] ◎聖(성스러울 성), 城(재 성), 誠(정성 성).

6. 星 (④) ①돌 회 ②쇠 철
　　　　　　　③칠 타 ④별 성
[설명] ◎回(돌 회), 鐵(쇠 철), 打(칠 타).

7. 惠 (④) ①좋을 호 ②이름 호
　　　　　　　③뜻 지 ④은혜 혜
[설명] ◎好(좋을 호), 號(이름 호), 志(뜻 지).

8. 最 (③) ①허락할 허 ②옳을 시
　　　　　　　③가장 최 ④완전할 완
[설명] ◎許(허락할 허), 是(옳을 시), 完(완전할 완).

9. 敵 (①) ①차례 서 ②원수 적
　　　　　　　③그럴 연 ④쌓을 저
[설명] ◎序(차례 서), 然(그럴 연), 貯(쌓을 저).

10. 偉 (②) ①뜻 정 ②클 위
　　　　　　　③살 주 ④다닐 행
[설명] ◎情(뜻 정), 住(살 주), 行(다닐 행).

※ 훈음에 맞는 한자를 고르시오.

11. 견줄 비 (③) ①放 ②敬 ③比 ④別
[설명] ◎放(놓을 방), 敬(공경할 경), 別(다를 별).

12. 볕 경 (①) ①景 ②線 ③性 ④競
[설명] ◎線(줄 선), 性(성품 성), 競(다툴 경).

13. 남을 여 (④) ①旅 ②飮 ③族 ④餘
[설명] ◎旅(나그네 려), 飮(마실 음), 族(겨레 족).

14. 하여금 령 (③) ①經 ②爭 ③令 ④領
[설명] ◎經(지날 경), 爭(다툴 쟁), 領(옷깃 령).

15. 사례할 사 (①) ①謝 ②祭 ③史 ④寫
[설명] ◎祭(제사 제), 史(역사 사), 寫(베낄 사).

16. 수고로울 로 (①) ①勞 ②陸 ③歷 ④路
[설명] ◎陸(뭍 륙), 歷(지날 력), 路(길 로).

17. 본받을 효 (④) ①訓 ②幸 ③數 ④效
[설명] ◎訓(가르칠 훈), 幸(다행 행), 數(셈 수).

18. 호수 호 (③) ①洗 ②淸 ③湖 ④流
[설명] ◎洗(씻을 세), 淸(맑을 청), 流(흐를 류).

19. 곳 처 (④) ①集 ②責 ③窓 ④處
[설명] ◎集(모일 집), 責(꾸짖을 책), 窓(창문 창).

20. 낱 개 (①) ①個 ②任 ③客 ④角
[설명] ◎任(맡길 임), 客(손님 객), 角(뿔 각).

※ 물음에 알맞은 답을 고르시오.

21. 한자의 제자원리(六書) 중 '지사'에 해당하는 한자는? (①)
①寸 ②妹 ③村 ④雨
[설명] ◎妹(아랫누이 매)와 村(마을 촌)은 '형성자'이고, 雨(비 우)는 '상형자'이다. 寸(마디 촌)은 '지사자'이다.

22. "경기 規則을 새롭게 만들었다"에서 밑줄 친 '則'의 훈음으로 알맞은 것은? (①)
①법칙 칙 ②곧 즉 ③성 즉 ④법칙 즉
[설명] ◎則(칙·즉): 법칙, 준칙, 이치, 대부의 봉지(封地), 본보기로 삼다, 본받다, 모범으로 삼다 (칙) / 곧, 만일 ~이라면, ~하면, ~할 때에는 (즉). ◎規則(규칙): 「1」 여러 사람이 다 같이 지키기로 작정한 법칙. 또는 제정된 질서. 「2」 『법률』 헌법이나 법률에 입각하여 정립되는 제정법의 한 형식. 입법·사법·행정의 각 부에서 제정되며, 국회 인사 규칙·감사원 사무 처리 규칙·법원 사무 규칙 따위가 있다.

23. 밑줄 친 '圖'의 뜻이 다른 것은? (③)
①地圖 ②圖表 ③試圖 ④圖畵紙
[설명] ◎圖(도): 그림, 도장, 서적, 책, 규칙, 그릴, 베낄, 꾀할, 대책과 방법을 세울, 꾀하여 손에 넣을, 헤아릴, 계산할, 셀, 얻을. ◎地圖(지도): 지구 표면의 상태를 일정한 비율로 줄여, 이를 약속된 기호로 평면에 나타낸 그림. ◎圖表(도표): 여러 가지 자료를 분석하여 그 관계를 일정한 양식의 그림으로 나타낸 표. ◎圖畵紙(도화지): 그림을 그리는 데 쓰는 종이. 이상은 '圖'의 뜻이 '그림'이다. ◎試圖(시도): 어떤 것을 이루어 보려고 계획하거나 행동함. 이는 '圖'의 뜻이 '꾀하다'이다.

24. 한자를 쓰는 일반적인 순서로 바르지 않은 것은?
(②)
①위에서 아래로 쓴다.
②세로획을 먼저 쓰고, 가로획은 나중에 쓴다.
③세로나 가로를 꿰뚫는 획은 맨 나중에 쓴다.
④왼쪽에서 오른쪽으로 쓴다.
[설명] ◎가로획과 세로획이 교차될 때에는 가로획을 먼저 쓴다.

25. ‘産’의 유의자는? (③)
①助 ②算 ③生 ④姓
[설명] ◎産(낳을 산) = 生(날 생).

26. ‘高’의 반의자는? (③)
①例 ②習 ③低 ④再
[설명] ◎高(높을 고) ↔ 低(낮을 저).

27. “□約, 季□, 守□”에서 □안에 공통으로 들어갈 알맞은 한자는? (②)
①束 ②節 ③省 ④世
[설명] ◎節約(절약): 함부로 쓰지 아니하고 꼭 필요한 데에만 써서 아낌. ◎季節(계절): 규칙적으로 되풀이되는 자연 현상에 따라서 일 년을 구분한 것. 일반적으로 온대 지방은 기온의 차이를 기준으로 하여 봄, 여름, 가을, 겨울의 네 계절로 나누고, 열대 지방에서는 강우량을 기준으로 하여 건기와 우기로 나눈다. 천문학적으로는 춘분, 하지, 추분, 동지로 나눈다. ◎守節(수절):「1」절의(節義)를 지킴.「2」정절을 지킴.

※ 어휘의 독음이 바른 것을 고르시오.

28. 將軍 (①) ①장군 ②국군 ③해군 ④장남
[설명] ◎將軍(장군):「1」군의 우두머리로 군을 지휘하고 통솔하는 무관.「2」장관(將官) 자리의 사람을 높여 이르는 말.「3」힘이 아주 센 사람을 비유적으로 이르는 말.「4」『군사』준장, 소장, 중장, 대장을 통틀어 이르는 말.「5」『역사』신라 때에 둔, 육정(六停)·구서당·시위부의 으뜸 벼슬. 또는 그 벼슬아치. 위계는 급벌찬에서 아찬까지이다.「6」『역사』발해 때에 둔 무관 벼슬. 또는 그 벼슬아치. 발해는 당나라 군사 제도를 본떠서 중앙군으로 십위(十衛)를 베풀고, 각 위에 대장군 1인과 장군 1인을 두었다.「7」『역사』고려 시대에 둔 정사품 무관 벼슬. 또는 그 벼슬아치. 중앙군의 셋째 위계로, 공민왕 때 호군(護軍)으로 고쳤다.「8」『역사』조선 초기에 둔 종사품 무관 벼슬. 고려 시대의 제도를 계승하여 각 영(領)에 한 명씩 두었으나 세조 3년(1457)에 군제 개편으로 없앴다.

29. 冷待 (④) ①냉시 ②영시 ③영대 ④냉대
[설명] ◎冷待(냉대): 푸대접. 정성을 들이지 않고 아무렇게나 하는 대접.

30. 牧師 (②) ①교주 ②목사 ③교사 ④목동
[설명] ◎牧師(목사): 개신교 성직자의 하나. 교회에서 예배를 인도하고 교회나 교구의 관리 및 신자의 영적 생활을 지도하는 성직자.

31. 着眼 (③) ①성한 ②착한 ③착안 ④성안
[설명] ◎着眼(착안): 어떤 일을 주의하여 봄. 또는 어떤 문제를 해결하기 위한 실마리를 잡음.

32. 新鮮 (①) ①신선 ②신양 ③친어 ④친선
[설명] ◎新鮮(신선):「1」새롭고 산뜻하다.「2」채소나 과일, 생선 따위가 싱싱하다.

33. 調味 (③) ①주미 ②주료 ③조미 ④미두
[설명] ◎調味(조미): 음식의 맛을 알맞게 맞춤.

34. 獨身 (③) ①단신 ②독체 ③독신 ④단체
[설명] ◎獨身(독신):「1」형제자매가 없는 사람.「2」배우자가 없는 사람.

※ 어휘의 뜻으로 알맞은 것을 고르시오.

35. 眞空 (②)
①손으로 하는 비교적 간단한 공예.
②물질이 전혀 존재하지 아니하는 공간.
③사방의 하늘. ④참된 생각.

36. 花開 (③)
①밤이 옴. ②피가 남.
③꽃이 핌. ④높은 산.

37. 順次 (②)
①순번에 따라 정해진 지위. ②돌아오는 차례.
③마땅한 도리나 이치. ④하품을 크게 함.

※ 낱말을 한자로 바르게 쓴 것을 고르시오.

38. 상식: 사람들이 보통 알고 있거나 알아야 하는 지식. (②)
①知能 ②常識 ③知識 ④常知

39. 상품: 사고 파는 물품. (③)
①上品 ②相品 ③商品 ④賞品

※ 밑줄 친 어휘의 알맞은 독음을 고르시오.

40. 冬至는 일년 중 밤이 가장 긴 날이다. (④)
①하지 ②동계 ③동치 ④동지
[설명] ◎冬至(동지): 이십사절기의 하나. 대설(大雪)과 소한(小寒) 사이에 들며 태양이 동지점을 통과하는 때인 12월 22일이나 23일경이다. 북반구에서는 일 년 중 낮이 가장 짧고 밤이 가장 길다. 동지에는 음기가 극성한 가운데 양기가 새로 생겨나는 때이므로 일 년의 시작으로 간주한다. 이날 각 가정에서는 팥죽을 쑤어 먹으며 관상감에서는 달력을 만들어 벼슬아치들에게 나누어 주었다고 한다.

※ 다음 면에 계속

41. 근해에서 <u>漁船</u>들이 조업을 하고 있다. (③)
①연안 ②만선 ③어선 ④어부
[설명] ◎漁船(어선): 고기잡이를 하는 배.

42. 그는 국민적 <u>英雄</u>이 되었다. (③)
①용맹 ②화웅 ③영웅 ④회장
[설명] ◎英雄(영웅): 지혜와 재능이 뛰어나고 용맹하여 보통 사람이 하기 어려운 일을 해내는 사람.

※ 밑줄 친 부분을 한자로 바르게 쓴 것을 고르시오.

43. 사고 <u>원인</u>을 정확하게 밝혔다. (③)
①願因 ②元因 ③原因 ④園因
[설명] ◎原因(원인): 어떤 사물이나 상태를 변화시키거나 일으키게 하는 근본이 된 일이나 사건.

44. 우리 회사가 수도권 지역 사업체로 <u>선정</u>되었다. (④)
①先定 ②先正 ③選正 ④選定
[설명] ◎選定(선정): 여럿 가운데서 어떤 것을 뽑아 정함.

※ 물음에 알맞은 답을 고르시오.

45. 어휘의 짜임이 <u>다른</u> 것은? (①)
①弱勢 ②吉凶 ③善惡 ④自他
[설명] ◎弱勢(약세, 약할 약·권세 세): 약한 세력이나 기세. 이는 앞 글자가 뒤 글자를 꾸며주는 '수식관계'임. ◎吉凶(길흉, 길할 길·흉할 흉): 운이 좋고 나쁨. ◎善惡(선악, 착할 선·악할 악): 착한 것과 악한 것을 아울러 이르는 말. ◎自他(자타, 스스로 자·다를 타): 자기와 남을 아울러 이르는 말. 이상은 모두 '상대병렬관계'임.

46. '登用'의 유의어는? (①)
①擧用 ②全用 ③使用 ④所用
[설명] ◎登用(등용): 인재를 뽑아서 씀. = ◎擧用(거용): 사람을 천거하거나 추천하여 씀.

47. '進步'의 반의어는? (②)
①進退 ②退步 ③向上 ④減少
[설명] ◎進步(진보):「1」정도나 수준이 나아지거나 높아짐.「2」역사 발전의 합법칙성에 따라 사회의 변화나 발전을 추구함. ↔ ◎退步(퇴보):「1」뒤로 물러감.「2」정도나 수준이 이제까지의 상태보다 뒤떨어지거나 못하게 됨.

48. "꿩 먹고 알 먹기"와 같은 뜻의 성어는? (③)
①一致團結 ②亡子計齒 ③一石二鳥 ④君子三樂
[설명] ◎一石二鳥(일석이조): 돌 한 개를 던져 새 두 마리를 잡는다는 뜻으로, 동시에 두 가지 이득을 봄을 이르는 말.

49. 부모님이 부르실 때 취할 행동으로 가장 바른 것은? (③)
①못 들은 체 한다.
②하던 일을 다 끝내고 대답한다.
③빨리 대답하고 나가본다.
④대답만 하고 나가보지 않는다.

50. 대보름날의 풍속이 <u>아닌</u> 것은? (③)
①부럼깨기 ②쥐불놀이 ③부채선물 ④더위팔기
[설명] ◎대보름날: 음력 정월 보름날을 명절로 이르는 말. 새벽에 귀밝이술을 마시고 부럼을 깨물며 약밥, 오곡밥 따위를 먹는다. 부채선물은 단옷날의 풍속에 해당한다.

♣ 수고하셨습니다.

※四級漢字

실전대비문제

모|범|답|안 10회

■ 다음 물음에 맞는 답의 번호를 골라 답안지의 해당 답란에 표시하시오.

※ 한자의 훈음으로 바른 것을 고르시오.

1. 唱 (④) ①창문 창 ②낱 개 ③채울 충 ④부를 창
[설명] ◎窓(창문 창), 個(낱 개), 充(채울 충).

2. 久 (②) ①움직일 운 ②오랠 구 ③새 조 ④갈 왕
[설명] ◎運(움직일 운), 鳥(새 조), 往(갈 왕).

3. 卓 (③) ①아이 동 ②날쌜 용 ③높을 탁 ④아이 아
[설명] ◎童(아이 동), 勇(날쌜 용), 兒(아이 아).

4. 牧 (④) ①코 비 ②놓을 방 ③기다릴 대 ④칠 목
[설명] ◎鼻(코 비), 放(놓을 방), 待(기다릴 대).

5. 質 (③) ①종이 지 ②가난할 빈 ③바탕 질 ④푸를 록
[설명] ◎紙(종이 지), 貧(가난할 빈), 綠(푸를 록).

6. 願 (④) ①멀 원 ②동산 원 ③구름 운 ④원할 원
[설명] ◎遠(멀 원), 園(동산 원), 雲(구름 운).

7. 祭 (①) ①제사 제 ②찰 한 ③해칠 해 ④바를 단
[설명] ◎寒(찰 한), 害(해칠 해), 端(바를 단).

8. 船 (③) ①정사 정 ②헤아릴 료 ③배 선 ④글월 문
[설명] ◎政(정사 정), 料(헤아릴 료), 文(글월 문).

9. 到 (①) ①이를 도 ②법식 례 ③예도 례 ④호수 호
[설명] ◎例(법식 례), 禮(예도 례), 湖(호수 호).

10. 協 (②) ①합할 합 ②도울 협 ③사라질 소 ④지경 계
[설명] ◎合(합할 합), 消(사라질 소), 界(지경 계).

※ 훈음에 맞는 한자를 고르시오.

11. 칠 타 (③) ①眼 ②忠 ③打 ④調
[설명] ◎眼(눈 안), 忠(충성 충), 調(고를 조).

12. 뜻 정 (②) ①精 ②情 ③敵 ④族
[설명] ◎精(정기 정), 敵(원수 적), 族(겨레 족).

13. 도읍 도 (④) ①式 ②炭 ③始 ④都
[설명] ◎式(법 식), 炭(숯 탄), 始(처음 시).

14. 볼 감 (②) ①季 ②監 ③甘 ④感

[설명] ◎季(철 계), 甘(달 감), 感(느낄 감).

15. 해 세 (④) ①送 ②勢 ③效 ④歲
[설명] ◎送(보낼 송), 勢(권세 세), 效(본받을 효).

16. 다툴 쟁 (①) ①爭 ②災 ③責 ④基
[설명] ◎災(재앙 재), 責(꾸짖을 책), 基(터 기).

17. 빌 축 (④) ①晝 ②視 ③序 ④祝
[설명] ◎晝(낮 주), 視(볼 시), 序(차례 서).

18. 비 우 (③) ①早 ②臣 ③雨 ④雪
[설명] ◎早(이를 조), 臣(신하 신), 雪(눈 설).

19. 소리 성 (②) ①音 ②聲 ③聖 ④城
[설명] ◎音(소리 음), 聖(성스러울 성), 城(재 성).

20. 다리 교 (①) ①橋 ②根 ③校 ④樹
[설명] ◎根(뿌리 근), 校(학교 교), 樹(나무 수).

※ 물음에 알맞은 답을 고르시오.

21. 한자의 제자원리(六書) 중 '형성자'가 아닌 것은?
(③)
①曜 ②洋 ③角 ④關
[설명] ◎曜(빛날 요), 洋(큰바다 양), 關(관계할 관)은 모두 '형성자'이다. 角(뿔 각)은 '상형자'이다.

22. "선수들이 예상을 뛰어넘는 善戰을 펼치고 있다"에서 밑줄 친 '善'의 뜻으로 바른 것은? (②)
①착하다 ②잘하다 ③친하다 ④옳다
[설명] ◎善(선): 잘할, 착할, 선할, 좋을, 훌륭할, 옳게 여길, 아낄, 친할, 사이좋을, 착하고 정당하여 도덕적 기준에 맞는 것. ◎善戰(선전): 있는 힘을 다하여 잘 싸움.

23. 밑줄 친 '曲'의 뜻이 다른 것은? (②)
①曲目 ②曲線 ③作曲 ④歌曲
[설명] ◎曲(곡): 굽을, 굽힐, 도리에 맞지 않을, 바르지 않을, 불합리할, 정직하지 않을, 공정하지 않을, 그릇되게 할, 자세할, 구석, 가락, 악곡, 굽이, 누룩, 잠박, 재미있는 재주. ◎曲目(곡목):「1」연주할 곡명을 적어 놓은 목록.「2」곡명. 악곡의 이름. ◎作曲(작곡): 음악 작품을 창작하는 일. 또는 시(詩)나 가사에 가락을 붙이는 일. ◎歌曲(가곡):「1」우리나라 전통 성악곡의 하나. 시조의 시를 5장 형식으로, 피리·젓대·가야금·거문고·해금 따위의 관현악 반주에 맞추어 부른다. 평조와 계면조 두 음계에 남창과 여창의 구분이 있다.「2」서양 음악에서, 시에 곡을 붙인 성악곡. 이상은 모두 '악곡'의 뜻으로 쓰였다. ◎曲線(곡선): 모나지 아니하고 부드럽게 굽은 선. 이는 '굽다'의 뜻으로 쓰임.

24. '鐵'을(를) 자전에서 찾을 때의 방법으로 바른 것은?
(①)
①부수로 찾을 때는 '金'부수의 13획에서 찾는다.
②부수로 찾을 때는 '戈'부수의 17획에서 찾는다.
③총획으로 찾을 때는 '22획'에서 찾는다.
④자음으로 찾을 때는 '재'음에서 찾는다.
[설명] ◎鐵(쇠 철): 金(쇠 금, 8획)부수의 13획, 총21획.

25. '停'의 유의자는? (②)
①庭　　②止　　③再　　④習
[설명] ◎停(머무를 정) = 止(그칠 지).

26. '姉'의 반의자는? (③)
①性　　②姓　　③妹　　④兄
[설명] ◎姉(맏누이 자) ↔ 妹(아랫누이 매).

27. "韓□ → □上 → 上京"에서 □안에 공통으로 들어
갈 알맞은 한자는? (④)
①科　　②好　　③過　　④屋
[설명] ◎韓屋(한옥): 우리나라 고유의 형식으로 지은
집을 양식 건물에 상대하여 이르는 말. ◎屋上(옥상):
지붕의 위. 특히 현대식 양옥 건물에서 마당처럼 편
평하게 만든 지붕 위를 이른다. ◎上京(상경): 지방에
서 서울로 올라옴.

※ 어휘의 독음이 바른 것을 고르시오.

28. 省察 (③) ①생략 ②생시 ③성찰 ④성제
[설명] ◎省察(성찰): 자기의 마음을 반성하고 살핌.

29. 切實 (④) ①체신 ②절친 ③체실 ④절실
[설명] ◎切實(절실): 「1」느낌이나 생각이 뼈저리게 강
렬한 상태에 있다. 「2」매우 시급하고도 긴요한 상태
에 있다. 「3」적절하여 실제에 꼭 들어맞다.

30. 和順 (②) ①획순 ②화순 ③호순 ④후순
[설명] ◎和順(화순): 온화하고 양순함.

31. 神仙 (①) ①신선 ②선산 ③신산 ④선신
[설명] ◎神仙(신선): 도(道)를 닦아서 현실의 인간 세계
를 떠나 자연과 벗하며 산다는 상상의 사람.

32. 明朗 (④) ①아량 ②명양 ③낭랑 ④명랑
[설명] ◎明朗(명랑): 「1」흐린 데 없이 밝고 환함. 「2」
유쾌하고 활발함.

33. 支局 (②) ①기국 ②지국 ③지대 ④기대
[설명] ◎支局(지국): 본사나 본국에서 갈라져 나가 그
관할 아래 있으면서 사무를 맡아보는 곳.

34. 餘談 (③) ①식염 ②여염 ③여담 ④사담
[설명] ◎餘談(여담): 이야기하는 과정에서 본 줄거리와
관계없이 흥미로 하는 딴 이야기.

※ 어휘의 뜻으로 알맞은 것을 고르시오.

35. 廣野 (④)
①석양이 질 무렵　　②광물을 캐내는 곳
③버려두어 거친 논밭　　④텅 비고 아득히 넓은 들

36. 助言 (①)
①말로 깨우쳐 도와줌　　②말로 비아냥거림
③심하게 비난 하는 말　　④오래오래 도와줌

37. 是正 (③)
①정치를 시행함　　②바로 이것임
③잘못된 것을 바로잡음　　④옳은 생각

※ 낱말을 한자로 바르게 쓴 것을 고르시오.

38. 웅대: 웅장하고 큼. (④)
①雄志　　②意志　　③誠大　　④雄大

39. 사본: 원본을 베껴 놓은 문서나 책. (③)
①原本　　②寫眞　　③寫本　　④原文

※ 밑줄 친 어휘의 알맞은 독음을 고르시오.

40. 그녀는 每週 등산을 한다. (④)
①매시　　②매일　　③매조　　④매주
[설명] ◎每週(매주): 각각의 주마다.

41. 生鮮 망신은 꼴뚜기가 시킨다. (③)
①성선　　②생양　　③생선　　④성양
[설명] ◎生鮮(생선): 말리거나 절이지 아니한, 물에서
잡아낸 그대로의 물고기.

42. 선생님께서 宿題를 꼼꼼히 검사하셨다. (②)
①숙재　　②숙제　　③과제　　④과재
[설명] ◎宿題(숙제): 「1」복습이나 예습 따위를 위하여
방과 후에 학생들에게 내주는 과제. 「2」두고 생각해
보거나 해결해야 할 문제. 「3」모이기 며칠 전에 미
리 내어서 돌리는 시나 글의 제목.

※ 다음 면에 계속

※ 밑줄 친 부분을 한자로 바르게 쓴 것을 고르시오.

43. 축구 경기가 흥미진진했다. (②)
①景記　　②競技　　③競記　　④景技
[설명] ◎競技(경기): 일정한 규칙 아래 기량과 기술을
겨룸.

44. 학생들은 중간고사 대비에 힘을 쏟았다. (④)
①代備　　②代費　　③對費　　④對備
[설명] ◎對備(대비): 앞으로 일어날지도 모르는 어떠한
일에 대응하기 위하여 미리 준비함.

한 해 동안 부스럼이 생기지 않는다고 한다.

♣ 수고하셨습니다.

※ 물음에 알맞은 답을 고르시오.

45. 어휘의 짜임이 다른 것은?　　　　　(④)
　①青山　　②陽春　　③冷氣　　④求人
[설명] ◎青山(청산, 푸를 청·메 산): 풀과 나무가 무성
　한 푸른 산. ◎陽春(양춘, 볕 양·봄 춘): 따뜻한 봄.
　◎冷氣(냉기, 찰 랭·기운 기): 찬 기운. 이상은 모두
　앞에서 뒤를 꾸며주는 '수식관계'임. ◎求人(구인, 구
　할 구·사람 인): 일할 사람을 구함. 이는 '~을 ~하
　다'로 풀이되는 '술목관계'임.

46. '面目'의 유의어는?　　　　　　(③)
　①反面　　②洗面　　③體面　　④白面
[설명] ◎面目(면목):「1」얼굴의 생김새.「2」낯.「3」
　사람이나 사물의 겉모습. = ◎體面(체면): 남을 대하
　기에 떳떳한 도리나 얼굴.

47. '加速'의 반의어는?　　　　　　(④)
　①增速　　②低束　　③減束　　④減速
[설명] ◎加速(가속): 점점 속도를 더함. ↔ ◎減速(감
　속): 속도를 줄임.

48. 문장에서 밑줄 친 성어의 쓰임이 바르지 않은 것은?
　　　　　　　　　　　　　　(①)
　①獨不將軍이 제일 으뜸가는 장군이다.
　②우리는 한 몸처럼 一致團結하였다.
　③학생은 溫故知新하는 자세가 필요하다.
　④그녀는 事事件件 내가 하는 일에 간섭하였다.
[설명] ◎獨不將軍(독불장군):「1」무슨 일이든 자기 생
　각대로 혼자서 처리하는 사람.「2」다른 사람에게 따
　돌림을 받는 외로운 사람.「3」혼자서는 장군이 될
　수 없다는 뜻으로, 남과 의논하고 협조하여야 함을
　이르는 말. ◎一致團結(일치단결): 여럿이 마음을 합
　쳐 한 덩어리로 굳게 뭉침. ◎溫故知新(온고지신): 옛
　것을 익히고 그것을 미루어서 새것을 앎. ≪논어≫의
　<위정편(爲政篇)>에 나오는 공자의 말이다. ◎事事件
　件(사사건건): 해당되는 모든 일 또는 온갖 사건.

49. 선인들이 남긴 글을 대하는 태도로 바르지 않은 것
　은?　　　　　　　　　　(③)
　①선인들의 좋은 가르침을 실천한다.
　②글 속에 담긴 속뜻을 잘 헤아린다.
　③시대에 맞지 않으므로 무시한다.
　④오늘날에 적용할 수 있는 방법을 생각한다.

50. 단옷날 행해지는 민속이 아닌 것은?　(①)
　①부럼깨기　②씨름　　③그네뛰기　④부채선물
[설명] ◎端午(단오): 우리나라 명절의 하나. 음력 5월 5
　일로, 단오떡을 해 먹고 여자는 창포물에 머리를 감
　고 그네를 뛰며 남자는 씨름을 한다. 단옷날에 부채
　를 선물로 주고받는다. 부럼은 음력 정월 대보름날
　새벽에 깨물어 먹는 딱딱한 열매류인 땅콩, 호두, 잣,
　밤, 은행 따위를 통틀어 이르는 말. 이런 것을 깨물면

■ 다음 물음에 맞는 답의 번호를 골라 답안지의 해당
답란에 표시하시오.

※ 한자의 훈음으로 바른 것을 고르시오.

1. 貧 (①) ①가난할 빈 ②쓸 비
　　　　　　③성씨 씨 ④채울 충
[설명] ◎費(쓸 비), 氏(성씨 씨), 充(채울 충).

2. 效 (③) ①학교 교 ②가르칠 교
　　　　　　③본받을 효 ④사귈 교
[설명] ◎校(학교 교), 敎(가르칠 교), 交(사귈 교).

3. 許 (③) ①가르칠 훈 ②좋을 호
　　　　　　③허락할 허 ④한정 한
[설명] ◎訓(가르칠 훈), 好(좋을 호), 限(한정 한).

4. 是 (④) ①모일 사 ②놓을 방
　　　　　　③지탱할 지 ④옳을 시
[설명] ◎社(모일 사), 放(놓을 방), 支(지탱할 지).

5. 忠 (③) ①가운데 앙 ②아이 아
　　　　　　③충성 충 ④맏누이 자
[설명] ◎央(가운데 앙), 兒(아이 아), 姉(맏누이 자).

6. 局 (①) ①판 국 ②멀 원
　　　　　　③나라 국 ④겉 표
[설명] ◎遠(멀 원), 國(나라 국), 表(겉 표).

7. 貯 (①) ①쌓을 저 ②찰 한
　　　　　　③살 매 ④바를 단
[설명] ◎寒(찰 한), 買(살 매), 端(바를 단).

8. 給 (③) ①고칠 개 ②줄 수
　　　　　　③줄 급 ④더할 증
[설명] ◎改(고칠 개), 授(줄 수), 增(더할 증).

9. 爲 (②) ①클 위 ②할 위
　　　　　　③예도 례 ④베낄 사
[설명] ◎偉(클 위), 禮(예도 례), 寫(베낄 사).

10.致 (②) ①원수 적 ②이를 치
　　　　　　③도울 조 ④이를 조
[설명] ◎敵(원수 적), 助(도울·조), 早(이를 조).

※ 훈음에 맞는 한자를 고르시오.

11. 책상 안 (③) ①安 ②完 ③案 ④室
[설명] ◎安(편안할 안), 完(완전할 완), 室(집 실).

12. 재주 기 (②) ①打 ②技 ③使 ④待
[설명] ◎打(칠 타), 使(하여금 사), 待(기다릴 대).

13. 정기 정 (④) ①消 ②情 ③料 ④精
[설명] ◎消(사라질 소), 情(뜻 정), 料(헤아릴 료).

14. 전할 전 (②) ①全 ②傳 ③電 ④展

[설명] ◎全(온전할 전), 電(번개 전), 展(펼 전).

15. 이를 도 (④) ①送 ②去 ③至 ④到
[설명] ◎送(보낼 송), 去(갈 거), 至(이를 지).

16. 은혜 혜 (①) ①惠 ②香 ③責 ④和
[설명] ◎香(향기 향), 責(꾸짖을 책), 和(화할 화).

17. 달 감 (④) ①用 ②雨 ③序 ④甘
[설명] ◎用(쓸 용), 雨(비 우), 序(차례 서).

18. 옳을 의 (③) ①養 ②餘 ③義 ④意
[설명] ◎養(기를 양), 餘(남을 여), 意(뜻 의).

19. 부를 창 (②) ①眼 ②唱 ③聖 ④回
[설명] ◎眼(눈 안), 聖(성스러울 성), 回(돌 회).

20. 뭍 륙 (①) ①陸 ②場 ③類 ④樹
[설명] ◎場(마당 장), 類(무리 류), 樹(나무 수).

※ 물음에 알맞은 답을 고르시오.

21. 한자의 제자 원리(六書) 중 '형성자'가 아닌 것은?
　　　　　　　　　　　　　　(③)
①根　②城　③林　④放
[설명] ◎根(뿌리 근), 城(재 성), 放(놓을 방)은 모두
'형성자'이며, 林(수풀 림)은 '회의자'이다.

22. "선생님께 궁금한 점을 質問하였다"에서 밑줄 친
'質'의 훈음으로 알맞은 것은?　　(②)
①바탕 질 ②물을 질 ③폐백 지 ④볼모 질
[설명] ◎質(질·지): 물을, 바탕, 본질, 품질, 성질, 품성,
저당물, 저당품, 맹세, 모양, 소박할, 질박할, 대답할,
솔직할, 이룰, 정할, 저당잡힐 (질) / 폐백, 예물 (지).
◎質問(질문): 알고자 하는 바를 얻기 위해 물음.

23. 밑줄 친 '宿'의 독음이 다른 것은?　(①)
①星宿　②宿直　③合宿　④宿題
[설명] ◎宿(숙·수): (잠을)자다, 숙박하다, 묵다, 오래
되다, 나이가 많다, 한 해 묵다, 지키다, 숙위하다, 안
심시키다, 찾아 구하다, 재계하다, 크다, 숙직, 당직,
숙소, 여관, 잠든 새, 미리, 사전에, 본디, 평소, 전부
터, 여러해살이의, 크게 (숙) / 별자리, 성수 (수). ◎
星宿(성수):「1」이십팔수(二十八宿)의 스물다섯째 별
자리.「2」모든 별자리의 별들. 이는 '宿'의 음이 '수'
이다. ◎宿直(숙직): 관청, 회사, 학교 따위의 직장에
서 밤에 교대로 잠을 자면서 지키는 일. 또는 그런
사람. ◎合宿(합숙): 여러 사람이 한곳에서 집단적으
로 묵음. ◎宿題(숙제):「1」학생들에게 복습이나 예
습을 위하여 집에서 하도록 내 주는 과제.「2」두고
생각해 보거나 해결해야 할 문제.「3」모이기 며칠
전에 미리 내어서 돌리는 시나 글의 제목. 이상은 모

두 '宿'의 음이 '숙'이다.

24. '擧'을(를) 자전에서 찾을 때의 방법으로 바른 것은?
(①)
①부수로 찾을 때는 '手'부수의 14획에서 찾는다.
②부수로 찾을 때는 '白'부수의 11획에서 찾는다.
③총획으로 찾을 때는 '17획'에서 찾는다.
④자음으로 찾을 때는 '여'음에서 찾는다.
[설명] ◎擧(들 거): 手(손 수, 4획)부수의 14획, 총18획.

25. '話'의 유의자는?
(③)
①計　　②讀　　③說　　④詩
[설명] ◎話(말씀 화) = 說(말씀 설).

26. '存'의 반의자는?
(③)
①再　　②在　　③無　　④生
[설명] ◎存(있을 존) ↔ 無(없을 무).

27. "公□, 庭□, □藝"에서 □안에 공통으로 들어갈 알맞은 한자는?
(④)
①式　　②工　　③院　　④園
[설명] ◎公園(공원): 국가나 지방 공공 단체가 공중의 보건·휴양·놀이 따위를 위하여 마련한 정원, 유원지, 동산 등의 사회 시설. ◎庭園(정원): 집 안에 있는 뜰이나 꽃밭. ◎園藝(원예): 채소, 과일, 화초 따위를 심어서 가꾸는 일이나 기술.

※ 어휘의 독음이 바른 것을 고르시오.

28. 武勇 (③) ①사용 ②시각 ③무용 ④무각
[설명] ◎武勇(무용):「1」무예와 용맹을 아울러 이르는 말.「2」싸움 따위에서 날쌔고 용맹스러움.

29. 固着 (④) ①고수 ②고도 ③고목 ④고착
[설명] ◎固着(고착):「1」물건 같은 것이 굳게 들러붙어 있음.「2」어떤 상황이나 현상이 굳어져 변하지 않음.

30. 調定 (②) ①조절 ②조정 ③정가 ④정표
[설명] ◎調定(조정): 조사하여 확실하고 견고하게 함.

31. 競步 (①) ①경보 ②쟁보 ③경도 ④경쟁
[설명] ◎競步(경보): 일정한 거리를 규정에 따라 걸어 빠르기를 겨루는 경기. 한쪽 발이 땅에서 떨어지기 전에 다른 쪽 발이 땅에 닿게 하여 빨리 걷는다.

32. 謝罪 (④) ①범죄 ②사비 ③신벌 ④사죄
[설명] ◎謝罪(사죄): 지은 죄나 잘못에 대하여 용서를 빎.

33. 處理 (②) ①소리 ②처리 ③호리 ④처단
[설명] ◎處理(처리):「1」사무나 사건 따위를 절차에 따라 정리하여 치르거나 마무리를 지음.「2」일정한 결과를 얻기 위하여 화학적 또는 물리적 작용을 일으킴.

34. 備考 (③) ①비노 ②주노 ③비고 ④주고
[설명] ◎備考(비고): 참고하기 위하여 갖추어 둠.

※ 어휘의 뜻으로 알맞은 것을 고르시오.

35. 輕量 (③)
①가까운 거리　　②가볍고 무거움
③가벼운 무게　　④가깝게 다가감

36. 移送 (③)
①모두 버림　　②각자 떠남
③다른 데로 옮겨 보냄　　④자리를 바꿈

37. 宅地 (④)
①석탄이 많이 나는 지역　　②우리가 사는 집
③뛰어난 의견　　④집을 지을 땅

※ 낱말을 한자로 바르게 쓴 것을 고르시오.

38. 왕래: 가고 오고 함.
(④)
①往年　　②住來　　③住年　　④往來

39. 염두: 생각의 시초.
(③)
①念度　　②令頭　　③念頭　　④令度

※ 밑줄 친 어휘의 알맞은 독음을 고르시오.

40. 우리는 서로 筆談을(를) 주고받았다.
(②)
①농담　　②필담　　③잡담　　④율화
[설명] ◎筆談(필담): 말이 통하지 아니하거나 말을 할 수 없을 때에, 글로 써서 서로 묻고 대답함.

41. 監査 자료를 준비하느라 바쁘다.
(①)
①감사　　②감독　　③조사　　④성사
[설명] ◎監査(감사): 감독하고 검사함.

42. 양치는 牧童들은 넓은 초원에서 산다. (②)
①목중　　②목동　　③시동　　④시중
[설명] ◎牧童(목동): 풀을 뜯기며 가축을 치는 아이.

※ 다음 면에 계속

※ 밑줄 친 부분을 한자로 바르게 쓴 것을 고르시오.

43. 금강산은 경치가 수려하며 계절에 따라 부르는 이름도 각각 다르다.
(②)
①界節　　②季節　　③界切　　④節季
[설명] ◎季節(계절): 규칙적으로 되풀이되는 자연 현상에 따라서 일 년을 구분한 것. 일반적으로 온대 지방은 기온의 차이를 기준으로 하여 봄, 여름, 가을, 겨울의 네 계절로 나누고, 열대 지방에서는 강우량을 기준으로 하여 건기와 우기로 나눈다. 천문학적으로는 춘분, 하지, 추분, 동지로 나눈다.

44. 모기는 사람에게 유해한 곤충이다. (③)
①由害　　②有血　　③有害　　④油害

[설명] ◎有害(유해): 해로움이 있음.

♣ 수고하셨습니다.

※ 물음에 알맞은 답을 고르시오.

45. 어휘의 짜임이 <u>다른</u> 것은?　　　　(④)

①生水　　②赤色　　③人格　　④洗手

[설명] ◎生水(생수, 날 생·물 수): 샘구멍에서 솟아 나
오는 맑은 물. ◎赤色(적색, 붉을 적·빛 색): 짙은 붉
은색. ◎人格(인격, 사람 인·격식 격): 사람으로서의
품격. 이상은 모두 앞에서 뒤를 꾸며주는 '수식관계'
임. ◎洗手(세수, 씻을 세, 손 수): 손이나 얼굴을 씻
음. 이는 '～을 ～하다'로 풀이되는 '술목관계'임.

46. '志願'의 유의어는?　　　　　　(③)

①志士　　②志原　　③志望　　④幸運

[설명] ◎志願(지원): 어떤 일이나 조직에 뜻을 두어 한
구성원이 되기를 바람. = ◎志望(지망): 뜻을 두어 바
람. 또는 그 뜻.

47. '主觀'의 반의어는?　　　　　　(②)

①觀念　　②客觀　　③美觀　　④所關

[설명] ◎主觀(주관):「1」자기만의 견해나 관점.「2」
『철학』외부 세계·현실 따위를 인식, 체험, 평가하
는 의식과 의지를 가진 존재. ↔ ◎客觀(객관):「1」
자기와의 관계에서 벗어나 제삼자의 입장에서 사물
을 보거나 생각함.「2」『철학』주관 작용의 객체가
되는 것으로 정신적·육체적 자아에 대한 공간적 외
계. 또는 인식 주관에 대한 인식 내용.「3」『철학』
세계나 자연 따위가 주관의 작용과는 독립하여 존재
한다고 생각되는 것.

48. "많은 전투를 치른 노련한 장수라는 뜻으로, 세상풍
파를 많이 겪어 여러 가지로 능란한 사람"을 이르는
사자성어는?　　　　　　(④)

①百戰百勝　②能大能小　③山戰水戰　④百戰老將

[설명] ◎百戰老將(백전노장):「1」수많은 싸움을 치른
노련한 장수.「2」온갖 어려운 일을 많이 겪은 노련
한 사람.

49. 박물관에 見學갔을 때의 태도로 바르지 <u>않은</u> 것은?
　　　　　　(③)

①우리 것에 긍지를 가진다.
②잘 살펴보면서, 모르는 것은 기록한다.
③진열된 물건을 만지고 두드려본다.
④조상의 숨결을 느껴본다.

50. 우리나라 명절 중에서 '음력 8월 15일'에 해당하는
것은?　　　　　　(②)

①端午　　②秋夕　　③寒食　　④冬至

[설명] ◎秋夕(추석): 우리나라 명절의 하나. 음력 팔월
보름날이다. 신라의 가배(嘉俳)에서 유래하였다고 하
며, 햅쌀로 송편을 빚고 햇과일 따위의 음식을 장만
하여 차례를 지낸다.

실전대비문제

모|범|답|안 12회

■ 다음 물음에 맞는 답의 번호를 골라 답안지의 해당 답란에 표시하시오.

```
※ 한자의 훈음으로 바른 것을 고르시오.
```

1. 識 (①)　①알　식　②볼　감
　　　　　　　③값　가　④알　지
[설명] ◎監(볼 감), 價(값 가), 知(알 지).

2. 香 (②)　①향할　향　②향기　향
　　　　　　　③그림　화　④꽃　화
[설명] ◎向(향할 향), 畫(그림 화), 花(꽃 화).

3. 建 (③)　①사건　건　②가까울　근
　　　　　　　③세울　건　④건강할　건
[설명] ◎件(사건 건), 近(가까울 근), 健(건강할 건).

4. 聖 (④)　①이룰　성　②별　성
　　　　　　　③소리　성　④성스러울 성
[설명] ◎成(이룰 성), 星(별 성), 聲(소리 성).

5. 姉 (④)　①거느릴　부　②갚을　보
　　　　　　　③아랫누이 매　④맏누이 자
[설명] ◎部(거느릴 부), 報(갚을 보), 妹(아랫누이 매).

6. 旅 (③)　①기　기　②겨레　족
　　　　　　　③나그네　려　④놓을　방
[설명] ◎旗(기 기), 族(겨레 족), 放(놓을 방).

7. 鮮 (①)　①고울　선　②신선　선
　　　　　　　③가릴　선　④낳을　산
[설명] ◎仙(신선 선), 選(가릴 선), 産(낳을 산).

8. 賞 (④)　①자리　석　②항상　상
　　　　　　　③차례　서　④상줄　상
[설명] ◎席(자리 석), 常(항상 상), 序(차례 서).

9. 歲 (②)　①재　성　②해　세
　　　　　　　③씻을　세　④세상　세
[설명] ◎城(재 성), 洗(씻을 세), 世(세상 세).

10. 雄 (②)　①집　원　②수컷　웅
　　　　　　　③기다릴　대　④원할　원
[설명] ◎院(집 원), 待(기다릴 대), 願(원할 원).

```
※ 훈음에 맞는 한자를 고르시오.
```

11. 충성 충 (①)　①忠　②充　③祝　④志
[설명] ◎充(채울 충), 祝(빌 축), 志(뜻 지).

12. 클　위 (③)　①位　②備　③偉　④鼻
[설명] ◎位(자리 위), 備(갖출 비), 鼻(코 비).

13. 숯　탄 (②)　①打　②炭　③卓　④板
[설명] ◎打(칠 타), 卓(높을 탁), 板(널빤지 판).

14. 기를 양 (②)　①陽　②養　③洋　④藥

[설명] ◎陽(볕 양), 洋(큰바다 양), 藥(약 약).

15. 완전할 완 (④)　①原　②元　③全　④完
[설명] ◎原(언덕 원), 元(으뜸 원), 全(온전할 전).

16. 좋을 호 (①)　①好　②店　③訓　④和
[설명] ◎店(가게 점), 訓(가르칠 훈), 和(화할 화).

17. 오랠 구 (④)　①九　②具　③求　④久
[설명] ◎九(아홉 구), 具(갖출 구), 求(구할 구).

18. 헤아릴 료 (③)　①要　②浴　③料　④量
[설명] ◎要(구할 요), 浴(목욕할 욕), 量(헤아릴 량).

19. 익힐 련 (②)　①例　②練　③習　④歷
[설명] ◎例(법식 례), 習(익힐 습), 歷(지낼 력).

20. 스승 사 (①)　①師　②士　③思　④樹
[설명] ◎士(선비 사), 思(생각 사), 樹(나무 수).

```
※ 물음에 알맞은 답을 고르시오.
```

21. 한자의 제자 원리(六書) 중 '회의'에 해당하는 한자는?　　　　　　　　　　　　　　(③)
①根　　②韓　　③美　　④注
[설명] ◎根(뿌리 근), 韓(나라이름 한), 注(물댈 주)는 모두 '형성자'이고, 美(아름다울 미)는 '회의자'이다.

22. "節電을 생활화 하자"에서 밑줄 친 '節'의 훈음으로 가장 알맞은 것은?　　　　　　(④)
①절개 절　②마디 절　③계절 절　④절약할 절
[설명] ◎節(절): 절약하다, 절제하다, 마디, 관절, 예절, 절개, 절조, 철, 절기, 기념일, 축제일, 명절, 항목, 사항, 조항, 단락, 박자, 풍류 가락, 절도, 알맞은 정도, 높고 험하다, 우뚝하다, 요약하다, 초록하다, 제한하다. ◎節電(절전): 전기를 아껴 씀. 또는 전력을 절약함.

23. 밑줄 친 '則'의 독음이 다른 것은?　(①)
①然則　②社則　③定則　④規則
[설명] ◎則(칙·즉): 법칙, 준칙, 이치, 대부의 봉지, 본보기로 삼을, 본받을, 모범으로 삼을 (칙) / 곧, 만일 ~이라면, ~하면, ~할 때에는 (즉). ◎然則(연즉): '그러면', '그런즉'의 뜻을 나타내는 접속 부사. 이는 '즉'으로 읽는다. ◎社則(사칙): 회사나 결사 단체의 규칙. ◎定則(정칙): 바른 규칙이나 법칙. ◎規則(규칙): 여러 사람이 다 같이 지키기로 작정한 법칙. 이상은 모두 '칙'으로 읽는다.

24. '個'을(를) 자전에서 찾을 때의 방법으로 바른 것은?　　　　　　　　　　　　　　(④)
①자음으로 찾을 때는 '고'음에서 찾는다.
②총획으로 찾을 때는 '11획'에서 찾는다.
③부수로 찾을 때는 '固'부수의 2획에서 찾는다.

④부수로 찾을 때는 '人'부수의 8획에서 찾는다.

[설명] ◎個(낱 개): 人(사람 인, 2획)부수의 8획, 총10획.

25. '宅'의 유의자는?　　　　　　　　　　(①)

①家　　②可　　③野　　④區

[설명] ◎宅(집 택) = 家(집 가).

26. '初'의 반의자는?　　　　　　　　　　(②)

①未　　②終　　③始　　④章

[설명] ◎初(처음 초) ↔ 終(마칠 종).

27. "□字, 倍□, 度□"에서 □안에 공통으로 들어갈 알
맞은 한자는?　　　　　　　　　　　　(④)

①孫　　②書　　③展　　④數

[설명] ◎數字(숫자): 「1」수를 나타내는 글자. 1, 2, 3,
…… 또는 一, 二, 三, …… 따위이다. 「2」금전, 예산,
통계 따위에 숫자로 표시되는 사항. 또는 수량적인
사항. 「3」사물이나 사람의 수. ◎倍數(배수): 「1」어
떤 수의 갑절이 되는 수. 「2」『수학』어떤 정수의
몇 배가 되는 수. 정수 a가 정수 b로 나뉘어질 때, a
는 b의 배수이다. 「3」『출판』한 행에 들어가는 활
자의 수. ◎度數(도수): 「1」거듭하는 횟수 「2」각도,
온도, 광도 따위의 크기를 나타내는 수. 「3」일정한
정도나 한도. 「4」『수학』통계 자료의 각 계급에 해
당하는 변량의 수량.

※ 어휘의 독음이 바른 것을 고르시오.

28. 進出 (③) ①원출 ②신출 ③진출 ④진산

[설명] ◎進出(진출): 「1」어떤 방면으로 활동 범위나
세력을 넓혀 나아감. 「2」앞으로 나아감.

29. 過熱 (③) ①과중 ②적중 ③과열 ④적열

[설명] ◎過熱(과열): 「1」지나치게 뜨거워짐. 또는 그런
열. 「2」지나치게 활기를 띰. 「3」『경제』경기가 지
나치게 상승함.

30. 試圖 (②) ①식단 ②시도 ③시험 ④지도

[설명] ◎試圖(시도): 어떤 것을 이루어 보려고 계획하
거나 행동함.

31. 都市 (④) ①수도 ②도읍 ③수부 ④도시

[설명] ◎都市(도시): 일정한 지역의 정치·경제·문화
의 중심이 되는, 사람이 많이 사는 지역.

32. 鐵路 (④) ①철도 ②철오 ③철길 ④철로

[설명] ◎鐵路(철로): 철도(鐵道). 침목 위에 철제의 궤
도를 설치하고, 그 위로 차량을 운전하여 여객과 화
물을 운송하는 시설.

33. 種目 (②) ①이자 ②종목 ③이목 ④종자

[설명] ◎種目(종목): 여러 가지 종류에 따라 나눈 항목.

34. 上限 (③) ①상간 ②상함 ③상한 ④상퇴

[설명] ◎上限(상한): 위와 아래로 일정한 범위를 이루

고 있을 때, 위쪽의 한계.

※ 어휘의 뜻으로 알맞은 것을 고르시오.

35. 將來 (①)

①다가올 앞날　　②장군이 돌아감
③이미 지나간 날　　④장군과 병졸들

36. 許多 (②)

①말이 많음　　②수효가 매우 많음
③모두 다 허락함　　④절대 허락하지 않음

37. 政勢 (③)

①세금을 거두어들임　　②정치인의 자세
③정치상의 동향이나 형세　　④국가의 강력한 군사력

※ 낱말을 한자로 바르게 쓴 것을 고르시오.

38. 천재: 자연현상으로 일어난 재난.　　　(④)

①天材　　②天才　　③千災　　④天災

39. 개선: 잘못된 점을 고치어 잘 되게 함.　(③)

①改選　　②開善　　③改善　　④開選

※ 밑줄 친 어휘의 알맞은 독음을 고르시오.

40. 계약서 寫本을 제시했다.　　　　　　(④)

①정본　　②등본　　③원본　　④사본

[설명] ◎寫本(사본): 「1」원본을 그대로 베낌. 또는 베
낀 책이나 서류. 「2」원본을 사진으로 찍거나 복사하
여 만든 책이나 서류.

41. 도서관에서 위인들의 傳記을(를) 읽었다. (①)

①전기　　②전집　　③명언　　④명구

[설명] ◎傳記(전기): 「1」한 사람의 일생 동안의 행적
을 적은 기록. 「2」전하여 듣고 기록함.

42. 모든 병은 早期에 치료하는 것이 좋다. (③)

①초기　　②적기　　③조기　　④주기

[설명] ◎早期(조기): 이른 시기.

※ 다음 면에 계속

※ 밑줄 친 부분을 한자로 바르게 쓴 것을 고르시오.

43. 그는 매월 조금씩 저금을 하고 있다.　(②)

①給食　　②貯金　　③消金　　④急賣

[설명] ◎貯金(저금): 「1」돈을 모아 둠. 또는 그 돈.
「2」금융 기관에 돈을 맡김. 또는 그 돈.

44. 회의 안건들을 거수로 결정했다.　　　(①)

①擧手　　②去首　　③去手　　④擧首

[설명] ◎擧手(거수): 손을 위로 들어 올림. 찬성과 반

대, 경례 따위의 의사를 나타내는 경우에 쓰인다.

※ 물음에 알맞은 답을 고르시오.

45. 어휘의 짜임이 <u>다른</u> 것은? 　　　(①)

①曲線　②夫婦　③高低　④陸海

[설명] ◎曲線(곡선, 굽을 곡·줄 선): 「1」 모나지 아니하고 부드럽게 굽은 선. 「2」 『수학』점이 평면 위나 공간 안을 연속적으로 움직일 때 생기는 선. 좁은 뜻으로는 그 가운데에서 직선이 아닌 것을 이른다. 이는 앞 글자가 뒤 글자를 꾸며주는 '수식관계'이다. ◎夫婦(부부, 지아비 부·지어미 부): 남편과 아내를 아울러 이르는 말. ◎高低(고저, 높을 고·낮을 저): 높음과 낮음. ◎陸海(육해, 뭍 륙·바다 해): 육지와 바다를 아울러 이르는 말. 이상은 서로 상대(반대)되는 뜻의 한자로 이루어진 '병렬관계'이다.

46. '餘白'의 유의어는? 　　　(③)

①空氣　②明白　③空白　④黑白

[설명] ◎餘白(여백): 종이 따위에, 글씨를 쓰거나 그림을 그리고 남은 빈 자리. = ◎空白(공백): 「1」 종이나 책 따위에서 글씨나 그림이 없는 빈 곳. 「2」 아무것도 없이 비어 있음. 「3」 특정한 활동이나 업적이 없이 비어 있음. 「4」 어떤 일의 빈구석이나 빈틈.

47. '輕視'의 반의어는? 　　　(②)

①着視　②重視　③中視　④放待

[설명] ◎輕視(경시): 대수롭지 않게 보거나 업신여김. ↔ ◎重視(중시): 가볍게 여길 수 없을 만큼 매우 크고 중요하게 여김.

48. "미리 준비가 되어 있으면 걱정할 것이 없음"을 이르는 사자성어는? 　　　(④)

①十年知己　②天下無敵　③右往左往　④有備無患

[설명] ◎有備無患(유비무환): 미리 준비가 되어 있으면 걱정할 것이 없음. ≪서경≫의 <열명편>에 나오는 말이다.

49. 우리 조상들이 남긴 문화유산을 대하는 태도로 바르지 <u>않은</u> 것은? 　　　(②)

①자긍심을 가진다.　②대충 소홀히 관리한다.
③소중히 아끼고 보존한다.　④조상의 얼을 느껴본다.

50. 우리의 고유 명절로 바르지 <u>않은</u> 것은? (③)

①대보름　②설날　③성탄절　④추석

[설명] ◎성탄절: 12월 24일부터 1월 6일까지 예수의 성탄을 축하하는 명절. 우리나라에서는 12월 25일을 공휴일로 하고 있다.

♣ 수고하셨습니다.

실전대비문제 모|범|답|안 13회

■ 다음 물음에 맞는 답의 번호를 골라 답안지의 해당 답란에 표시하시오.

※ 한자의 훈음으로 바른 것을 고르시오.

1. 偉 (④) ①벼슬할 사 ②지을 작 ③높을 탁 ④클 위
[설명] ◎仕(벼슬할 사), 作(지을 작), 卓(높을 탁).

2. 島 (②) ①말 마 ②섬 도 ③새 조 ④무리 류
[설명] ◎馬(말 마), 鳥(새 조), 類(무리 류).

3. 葉 (②) ①약 약 ②잎 엽 ③풀 초 ④꽃부리 영
[설명] ◎藥(약 약), 草(풀 초), 英(꽃부리 영).

4. 政 (②) ①펼 전 ②정사 정 ③권세 세 ④제사 제
[설명] ◎展(펼 전), 勢(권세 세), 祭(제사 제).

5. 低 (①) ①낮을 저 ②신선 선 ③전할 전 ④성씨 씨
[설명] ◎仙(신선 선), 傳(전할 전), 氏(성씨 씨).

6. 序 (③) ①정성 성 ②셀 계 ③차례 서 ④도울 협
[설명] ◎誠(정성 성), 計(셀 계), 協(도울 협).

7. 停 (④) ①정기 정 ②쌓을 저 ③재물 재 ④머무를 정
[설명] ◎精(정기 정), 貯(쌓을 저), 財(재물 재).

8. 終 (④) ①푸를 록 ②가난할 빈 ③종이 지 ④마칠 종
[설명] ◎綠(푸를 록), 貧(가난할 빈), 紙(종이 지).

※ 훈음에 맞는 한자를 고르시오.

9. 기약할 기 (①) ①期 ②記 ③旗 ④其
[설명] ◎記(기록할 기), 旗(기 기), 其(그 기).

10. 널빤지 판 (④) ①反 ②材 ③波 ④板
[설명] ◎反(돌이킬 반), 材(재목 재), 波(물결 파).

11. 다를 타 (③) ①打 ②守 ③他 ④移
[설명] ◎打(칠 타), 守(지킬 수), 移(옮길 이).

12. 지탱할 지 (④) ①志 ②止 ③責 ④支
[설명] ◎志(뜻 지), 止(그칠 지), 責(꾸짖을 책).

13. 견줄 비 (④) ①鼻 ②備 ③費 ④比
[설명] ◎鼻(코 비), 備(갖출 비), 費(쓸 비).

14. 착할 선 (②) ①線 ②善 ③船 ④美
[설명] ◎線(줄 선), 船(배 선), 美(아름다울 미).

15. 근심 환 (③) ①凶 ②寒 ③患 ④惡
[설명] ◎凶(흉할 흉), 寒(찰 한), 惡(악할 악).

※ 물음에 알맞은 답을 고르시오.

16. 한자의 제자원리(六書) 중 '형성'에 해당하는 한자가 아닌 것은? (②)
①村 ②正 ③聞 ④課
[설명] ◎正(바를 정)은 '회의자'이다.

17. 밑줄 친 '家'의 뜻이 다른 것은? (③)
①本家 ②外家 ③畵家 ④家庭
[설명] ◎家(가·고): 집, 자기 집, 가족, 집안, 문벌, 지체, 조정, 도성, 전문가, 정통한 사람, 용한이, 학자, 학파, 남편, 마나님, 살림살이, 아내, 집을 장만하여 살 (가) / 계집 (고). 本家(본가):「1」따로 세간을 나기 이전의 집.「2」본래 살던 집. 잠시 따로 나와 사는 사람이, 가족들이 사는 중심이 되는 집을 가리키는 말. ◎外家(외가): 어머니의 친정. ◎家庭(가정):「1」한 가족이 생활하는 집.「2」가까운 혈연관계에 있는 사람들의 생활 공동체. 이상은 모두 '家'의 뜻이 '집'이다. ◎畵家(화가): 그림 그리는 것을 직업으로 하는 사람. 이는 '家'의 뜻이 '전문가'이다.

18. "그 문제는 數學 공식을 대입해 풀었다"에서 밑줄 친 '數'의 훈음으로 가장 알맞은 것은? (②)
①법도 도 ②셈 수 ③빽빽할 촉 ④자주 삭
[설명] ◎數(수·삭·촉): 셈, 산법, 역법, 일정한 수량이나 수효, 등급, 구분, 이치, 도리, 규칙, 예법, 정세, 되어가는 형편, 꾀, 책략, 기술, 재주, 솜씨, 운명, 운수, 수단, 방법, 몇, 두서너, 대여섯, 셀, 계산할, 셈할, 조사하여 볼, 책망할, 헤아릴, 생각할 (수) / 자주, 자주할, 여러 번 되풀이할, 빨리할, 빠를, 황급할, 바삐 서두를, 급히 서둘러 할, 다가설, 접근할 (삭) / 촘촘할 (촉). ◎數學(수학): 수량 및 공간의 성질에 관하여 연구하는 학문. 대수학, 기하학, 해석학 및 이를 응용하는 학문을 통틀어 이르는 말이다.

19. '增'을(를) 자전에서 찾을 때의 방법으로 바른 것은? (④)

①자음으로 찾을 때는 '승'음에서 찾는다.
②총획으로 찾을 때는 '16획'에서 찾는다.
③부수로 찾을 때는 '日'부수의 8획에서 찾는다.
④부수로 찾을 때는 '土'부수의 12획에서 찾는다.
[설명] ◎增(더할 증): 土(흙 토, 3획)부수의 12획, 총15획.

20. '知'의 유의자는? (④)

①告　　②食　　③短　　④識
[설명] ◎知(알 지) = 識(알 식).

21. '冷'의 반의자는? (②)
①活　　②溫　　③思　　④注
[설명] ◎冷(찰 랭) ↔ 溫(따뜻할 온).

22. "□器, □物店, 古□"에서 □안에 공통으로 들어갈 알맞은 한자는? (③)
①兵　　②舊　　③鐵　　④淸
[설명] ◎鐵器(철기): 쇠로 만든 그릇이나 기구. ◎鐵物店(철물점): 철물을 파는 가게. ◎古鐵(고철): 아주 낡고 오래된 쇠. 또는 그 조각.

※ 어휘의 독음이 바른 것을 고르시오.

23. 考試 (①) ①고시 ②고무 ③고식 ④효시
[설명] ◎考試(고시):「1」어떤 자격이나 면허를 주기 위하여 시행하는 여러 가지 시험. 주로 공무원의 임용 자격을 결정하는 시험을 이른다.「2」『역사』과거(科擧)의 성적을 살펴서 등수를 매기던 일.

24. 魚鮮 (③) ①어양 ②어주 ③어선 ④어군
[설명] ◎魚鮮(어선): 먹기 위해 잡은 신선한 물고기.

25. 退場 (④) ①태양 ②변장 ③진장 ④퇴장
[설명] ◎退場(퇴장):「1」어떤 장소에서 물러남.「2」회의장에서 회의를 마치기 전에 자리를 뜸.「3」연극 무대에서 등장인물이 무대 밖으로 나감.「4」경기 중에 선수가 반칙이나 부상 따위로 물러남.

26. 固體 (②) ①개체 ②고체 ③고레 ④개레
[설명] ◎固體(고체):『물리』일정한 모양과 부피가 있으며 쉽게 변형되지 않는 물질의 상태. 나무, 돌, 쇠, 얼음 따위의 상태이다.

27. 調節 (②) ①조약 ②조절 ③주절 ④주번
[설명] ◎調節(조절):「1」균형이 맞게 바로잡음. 또는 적당하게 맞추어 나감.「2」『의학』눈의 망막과 수정체의 거리를 알맞게 맞추거나 수정체의 모양을 바꾸어 외계(外界)의 상(像)을 망막 위에 맺도록 하는 작용.

28. 良質 (①) ①양질 ②식질 ③양실 ④앙질
[설명] ◎良質(양질): 좋은 바탕이나 품질.

29. 意味 (③) ①음미 ②음말 ③의미 ④입미
[설명] ◎意味(의미):「1」말이나 글의 뜻.「2」행위나 현상이 지닌 뜻.「3」사물이나 현상의 가치.

30. 無敵 (②) ①유적 ②무적 ③무대 ④무상
[설명] ◎無敵(무적): 매우 강하여 겨룰 만한 맞수가 없음. 또는 그런 사람.

31. 養老 (④) ①앙로 ②식노 ③식로 ④양로
[설명] ◎養老(양로):「1」노인을 위로하여 안락하게 지

내도록 받듦. 또는 그런 일.「2」『역사』나라에서 노인들을 대우하며 대접하던 행사. 음식과 포백(布帛) 따위를 베풀고 벼슬도 내렸다.「3」『한의학』수태양소장경에 속하는 혈(穴). 손등 쪽 사뼈, 노뼈 관절 부위이다.

※ 어휘의 뜻으로 알맞은 것을 고르시오.

32. 新進 (④)
①새로 발견되었거나 새로 개량된 생물의 종
②자리를 내어 줌　　③새것과 묵은 것
④어떤 분야에 새로 나아감

33. 談話 (④)
①큰소리로 말함　　②묻는 말에 대답함
③말보다 듣기를 잘함
④서로 이야기를 주고받음

34. 順次 (①)
①돌아오는 차례　　②순번을 맞바꿈
③마땅한 도리나 이치　　④아이를 순조롭게 낳음

※ 낱말을 한자로 바르게 쓴 것을 고르시오.

35. 소망: 어떤 일을 바람. (③)
①小望　　②所亡　　③所望　　④小亡

36. 완패: 완전하게 패함. (①)
①完敗　　②元貝　　③完貝　　④全敗

37. 영해: 영토에 인접한 해역으로서, 그 나라의 통치권이 미치는 범위. ( )
①領海　　②令海　　③令害　　④領害

※ 밑줄 친 어휘의 알맞은 독음을 고르시오.

38. 인터넷을 통해 많은 情報을(를) 얻고 있다.(③)
①청보　　②성격　　③정보　　④정답
[설명] ◎情報(정보):「1」관찰이나 측정을 통하여 수집한 자료를 실제 문제에 도움이 될 수 있도록 정리한 지식. 또는 그 자료.「2」『군사』일차적으로 수집한 첩보를 분석·평가하여 얻은, 적의 실정에 관한 구체적인 소식이나 자료.「3」『컴퓨터』어떤 자료나 소식을 통하여 얻는 지식이나 상태의 총량. 정보 원천에서 발생하며 구체적 양, 즉 정보량으로 측정할 수 있다. 자동화 부문이나 응용 언어학 분야에서도 쓰인다.

39. 전쟁이 끝나자 도시의 再建이(가) 이루어졌다. (①)
①재건　　②재개　　③공건　　④재발
[설명] ◎再建(재건):「1」허물어진 건물이나 조직 따위

를 다시 일으켜 세움. 「2」 없어지거나 쇠퇴한 이념이나 사상 따위를 다시 일으켜 세움.

40. 교실에서 학생들이 <u>授業</u>을(를) 듣고 있다.(②)
①점수　②수업　③평가　④과제
[설명] ◎授業(수업): 「1」교사가 학생에게 지식이나 기능을 가르쳐 줌. 또는 그런 일. 「2」학습을 촉진시키는 모든 활동.

41. 나는 지난 <u>週末</u>에 영화를 보았다. (②)
①주미　②주말　③매주　④주간
[설명] ◎週末(주말): 한 주일의 끝 무렵. 주로 토요일부터 일요일까지를 이른다.

※ 다음 면에 계속

※ 밑줄 친 부분을 한자로 바르게 쓴 것을 고르시오.

42. 설악산의 주변 경관이 수려하다. (①)
①景觀　②京觀　③京關　④景關
[설명] ◎景觀(경관): 산이나 들, 강, 바다 따위의 자연이나 지역의 풍경.

43. 그와 나는 <u>처지</u>가 같아 쉽게 친해졌다. (③)
①身世　②處身　③處地　④位地
[설명] ◎處地(처지): 처하여 있는 사정이나 형편.

44. 저의 <u>장래</u> 희망은 아픈 사람들의 병을 고쳐주는 의사가 되는 것입니다. (①)
①將來　②章來　③將未　④章未
[설명] ◎將來(장래): 「1」다가올 앞날. 「2」앞으로의 가능성이나 전망. 「3」앞으로 닥쳐옴.

※ 물음에 알맞은 답을 고르시오.

45. 어휘의 짜임이 <u>다른</u> 것은? (①)
①公約　②兒童　③集合　④法律
[설명] ◎公約(공약, 공변될 공·맺을 약): 정부, 정당, 입후보자 등이 어떤 일에 대하여 국민에게 실행할 것을 약속함. 또는 그런 약속. 이는 앞 글자가 뒤 글자를 꾸며주는 '수식관계'이다. ◎兒童(아동, 아이 아·아이 동): 나이가 적은 아이. 대개 유치원에 다니는 나이로부터 사춘기 전의 아이를 이른다. ◎集合(집합, 모을 집·합할 합): 「1」사람들을 한곳으로 모으거나 모임. 「2」『수학』특정 조건에 맞는 원소들의 모임. 임의의 한 원소가 그 모임에 속하는지를 알 수 있고, 그 모임에 속하는 임의의 두 원소가 다른가 같은가를 구별할 수 있는 명확한 표준이 있는 것을 이른다. ◎法律(법률, 법 법·법 률): 「1」국가의 강제력을 수반하는 사회 규범. 국가 및 공공 기관이 제정한 법률, 명령, 규칙, 조례 따위이다. 「2」『법률』국회의 의결을 거쳐 대통령이 서명하고 공포함으로써 성립하는 국법(國法). 헌법의 다음 단계에 놓이며, 행정부의 명령이나 입법부와 사법부의 규칙 따위와 구별되어 명령·규칙이 법률에 위반되면 법원에서 그 규칙이나 명령의 적용은 거부되고 법률이 헌법에 위반되면 법원은 그 법률의 적용을 거부한다. 이상은 서로 비슷한 뜻의 한자로 이루어진 '병렬관계'이다.

46. '人工'의 유의어는? (④)
①自然　②木工　③天然　④人爲
[설명] ◎人工(인공): 「1」사람이 하는 일. 「2」사람의 힘으로 자연에 대하여 가공하거나 작용을 하는 일. = ◎人爲(인위): 자연의 힘이 아닌 사람의 힘으로 이루어지는 일.

47. '寫本'의 반의어는? (④)
①根本　②原因　③寫眞　④原本
[설명] ◎寫本(사본): 「1」원본을 그대로 베낌. 또는 베낀 책이나 서류. 「2」원본을 사진으로 찍거나 복사하여 만든 책이나 서류. ↔ ◎原本(원본): 「1」원간본. 「2」베끼거나 고친 것에 대하여 근본이 되는 서류나 문건 따위. 「3」개정, 번역 따위를 하기 전 본디의 서류나 책. 「4」『법률』서류를 작성하는 사람이 그 내용을 확정적으로 표시한 것으로서 최초에 작성한 서류. 정본·등본·사본의 기본이 된다. 서류를 작성한 사람이 서명·날인하여야 하며, 공문서의 경우 일정한 장소에 보관하여야 한다.

48. "語不成説"의 속뜻으로 알맞은 것은? (④)
①말을 아주 잘함　②말수가 적음
③말속에 깊은 뜻이 있음
④말이 조금도 사리에 맞지 않음
[설명] ◎語不成説(어불성설): 말이 조금도 사리에 맞지 아니함.

49. 우리가 일상생활에서 할 수 있는 "예절 바른 행동"으로 바르지 <u>않은</u> 것은? (②)
①웃어른께는 항상 공손하게 인사를 드린다.
②공공장소에서는 큰 소리로 떠든다.
③친구, 형제간에 사이좋게 지낸다.
④노약자에게 자리를 양보한다.

50. '24절기'에 속하지 <u>않는</u> 것은? (②)
①立春　②秋夕　③冬至　④夏至
[설명] ◎二十四節氣(이십사절기): 태양의 황도(黃道) 상의 위치에 따라서 정한 절기. 평기(平氣)로는 오 일을 일후(一候), 삼후(三候)를 일기(一氣), 일 년을 이십사기(二十四氣)로 하며, 정기(定氣)로는 황도를 이십사 등분하여 각 등분점에 태양의 중심이 오는 시기를 가지고 이십사기라고 한다. 입춘, 우수, 경칩, 춘분, 청명, 곡우, 입하, 소만, 망종, 하지, 소서, 대서, 입추, 처서, 백로, 추분, 한로, 상강, 입동, 소설, 대설, 동지, 소한, 대한이다. ◎秋夕(추석): 우리나라 명절의 하나. 음력 팔월 보름날이다.

♣ 수고하셨습니다.

모|범|답|안 14회

■ 다음 물음에 맞는 답의 번호를 골라 답안지의 해당 답란에 표시하시오.

※ 한자의 훈음으로 바른 것을 고르시오.

1. 期 (③) ①볼 시 ②철 계
　　　　　③기약할 기 ④기록할 기
[설명] ◎視(볼 시), 季(철 계), 記(기록할 기).

2. 令 (④) ①생각 념 ②옷깃 령
　　　　　③이제 금 ④하여금 령
[설명] ◎念(생각 념), 領(옷깃 령), 今(이제 금).

3. 次 (①) ①버금 차 ②붙을 착
　　　　　③얼음 빙 ④살필 찰
[설명] ◎着(붙을 착), 冰(얼음 빙), 察(살필 찰).

4. 往 (②) ①본받을 효 ②갈 왕
　　　　　③다닐 행 ④완전할 완
[설명] ◎效(본받을 효), 行(다닐 행), 完(완전할 완).

5. 央 (③) ①성씨 씨 ②가운데 앙
　　　　　③재앙 재 ④재주 재
[설명] ◎氏(성씨 씨), 央(가운데 앙), 才(재주 재).

6. 存 (①) ①있을 존 ②있을 재
　　　　　③모일 사 ④벼슬할 사
[설명] ◎在(있을 재), 社(모일 사), 仕(벼슬할 사).

7. 炭 (②) ①더울 열 ②숯 탄
　　　　　③두 재 ④정기 정
[설명] ◎熱(더울 열), 再(두 재), 精(정기 정).

8. 景 (①) ①볕 경 ②잎 엽
　　　　　③약 약 ④볕 양
[설명] ◎葉(잎 엽), 藥(약 약), 陽(볕 양).

※ 훈음에 맞는 한자를 고르시오.

9. 머무를 정 (③) ①政 ②正 ③停 ④定
[설명] ◎政(정사 정), 正(바를 정), 定(정할 정).

10. 변할 변 (④) ①歷 ②勞 ③陸 ④變
[설명] ◎歷(지낼 력), 勞(수고로울 로), 陸(물 륙).

11. 사건 건 (③) ①建 ②洋 ③件 ④任
[설명] ◎建(세울 건), 洋(큰바다 양), 任(맡길 임).

12. 베낄 사 (①) ①寫 ②雲 ③島 ④雪
[설명] ◎雲(구름 운), 島(섬 도), 雪(눈 설).

13. 마칠 종 (②) ①公 ②終 ③共 ④卒
[설명] ◎公(공변될 공), 共(함께 공), 卒(군사 졸).

14. 뼈 골 (④) ①賣 ②買 ③類 ④骨
[설명] ◎賣(팔 매), 買(살 매), 類(무리 류).

15. 목욕할 욕 (①) ①浴 ②害 ③油 ④決
[설명] ◎害(해칠 해), 油(기름 유), 決(결단할 결).

※ 물음에 알맞은 답을 고르시오.

16. '根'의 제자원리(육서)로 알맞은 것은? (③)
①상형 ②지사 ③형성 ④회의
[설명] ◎根(뿌리 근)은 '형성자'이다. ◎형성(形聲): 한자 육서(六書)의 하나. 두 글자를 합하여 새 글자를 만드는 방법으로, 한쪽은 뜻을 나타내고 다른 쪽은 음을 나타낸다.

17. 밑줄 친 '樹'의 뜻이 다른 것은? (②)
①樹木 ②樹立 ③植樹 ④果樹
[설명] ◎樹(수): 나무, 세울, 심을, 막을. ◎樹木(수목): 「1」 살아 있는 나무.「2」『식물』목본 식물을 통틀어 이르는 말. ◎植樹(식수): 나무를 심음. 또는 심은 나무. ◎果樹(과수): 과실나무. 이상은 모두 '나무'의 뜻으로 쓰임. ◎樹立(수립): 국가나 정부, 제도, 계획 따위를 이룩하여 세움. 여기서는 '세우다'의 뜻으로 쓰임.

18. "그의 사전에 敗北은(는) 없다"에서 밑줄 친 '北'의 훈음으로 가장 알맞은 것은? (①)
①달아날 배 ②달아날 북 ③북녘 배 ④북녘 북
[설명] ◎北(북·배): 북녘, 북쪽, 북쪽으로 가다 (북) / 달아나다, 도망치다, 패하다, 등지다, 저버리다, 나누다, 분리하다 (배). ◎敗北(패배):「1」겨루어서 짐.「2」싸움에 져서 달아남.

19. '鐵'을(를) 자전에서 찾을 때의 방법으로 바른 것은? (①)
①부수로 찾을 때는 '金'부수의 13획에서 찾는다.
②부수로 찾을 때는 '戈'부수의 17획에서 찾는다.
③총획으로 찾을 때는 '22획'에서 찾는다.
④자음으로 찾을 때는 '재'음에서 찾는다.
[설명] ◎鐵(쇠 철): 金(쇠 금, 8획)부수의 13획, 총21획.

20. 유의자의 연결이 바르지 않은 것은? (④)
①規=則 ②番=序 ③法=式 ④苦=甘
[설명] ◎苦(괴로울,쓸 고) ↔ 甘(달 감).

21. 반의자의 연결이 바르지 않은 것은? (③)
①貧↔富 ②減↔加 ③校↔敎 ④輕↔重
[설명] ◎校(학교 교), 敎(가르칠 교).

22. "生□, □地, 財□"에서 □안에 공통으로 들어갈 알맞은 한자는? (②)
①林 ②産 ③展 ④命
[설명] ◎生産(생산):「1」인간이 생활하는 데 필요한 각종 물건을 만들어 냄.「2」아이나 새끼를 낳는 일

을 예스럽게 이르는 말. ◎産地(산지):「1」생산되어 나오는 곳.「2」사람이 출생한 땅. ◎財産(재산):「1」재화와 자산을 통틀어 이르는 말. 개인, 단체, 국가가 소유하는 토지, 가옥, 가구, 금전, 귀금속 따위의 금전적 가치가 있는 것을 이른다.「2」소중한 것을 비유적으로 이르는 말.

※ 어휘의 독음이 바른 것을 고르시오.

23. 冷戰 (④) ①냉시 ②영시 ③영단 ④냉전
[설명] ◎冷戰(냉전):「1」직접적으로 무력을 사용하지 않고, 경제・외교・정보 따위를 수단으로 하는 국제적 대립.「2」두 대상의 대립이나 갈등 구조를 비유적으로 이르는 말.

24. 藝術 (③) ①원술 ②운행 ③예술 ④학술
[설명] ◎藝術(예술):「1」기예와 학술을 아울러 이르는 말.「2」특별한 재료, 기교, 양식 따위로 감상의 대상이 되는 아름다움을 표현하려는 인간의 활동 및 그 작품. 공간 예술, 시간 예술, 종합 예술 따위로 나눌 수 있다.「3」아름답고 높은 경지에 이른 숙련된 기술을 비유적으로 이르는 말.

25. 明朗 (①) ①명랑 ②월양 ③낭랑 ④양랑
[설명] ◎明朗(명랑):「1」흐린 데 없이 밝고 환함.「2」유쾌하고 활발함.

26. 便所 (②) ①변근 ②변소 ③편주 ④편근
[설명] ◎便所(변소): 대소변을 보도록 만들어 놓은 곳.

27. 住宅 (④) ①귀택 ②왕댁 ③저택 ④주택
[설명] ◎住宅(주택): 사람이 들어가 살 수 있게 지은 건물.

28. 支局 (③) ①기국 ②지대 ③지국 ④우국
[설명] ◎支局(지국): 본사나 본국에서 갈라져 나가 그 관할 아래 있으면서 사무를 맡아보는 곳.

29. 牧童 (④) ①특종 ②목경 ③복종 ④목동
[설명] ◎牧童(목동): 풀을 뜯기며 가축을 치는 아이.

30. 切實 (①) ①절실 ②체실 ③절친 ④체신
[설명] ◎切實(절실):「1」느낌이나 생각이 뼈저리게 강렬한 상태에 있다.「2」매우 시급하고도 긴요한 상태에 있다.「3」적절하여 실제에 꼭 들어맞다.

31. 救助 (②) ①구력 ②구조 ③구휼 ④구차
[설명] ◎救助(구조): 재난 따위를 당하여 어려운 처지에 빠진 사람을 구하여 줌.

※ 어휘의 뜻으로 알맞은 것을 고르시오.

32. 花開 (①)
①꽃이 핌 ②밤이 옴 ③피가 남 ④높은 산

33. 宿願 (④)

①별자리 ②오래된 원칙
③오래 전부터의 원수
④오래전부터 품어 온 염원

34. 發說 (③)
①물체가 열을 냄 ②생물이 차차 자라남
③입 밖으로 말을 냄 ④병이 남

※ 낱말을 한자로 바르게 쓴 것을 고르시오.

35. 암향: 그윽이 풍기는 향기. (④)
①暗色 ②音色 ③音香 ④暗香

36. 신의: 믿음과 의리. (②)
①身義 ②信義 ③身意 ④信意

37. 퇴장: 어떤 장소에서 물러남. (③)
①退步 ②登場 ③退場 ④廣場

※ 밑줄 친 어휘의 알맞은 독음을 고르시오.

38. 할머니의 病勢이(가) 호전되고 있다. (④)
①병실 ②기세 ③병력 ④병세
[설명] ◎病勢(병세): 병의 상태나 형세.

39. 근해에서 漁船들이 조업을 하고 있다. (①)
①어선 ②만선 ③연안 ④어부
[설명] ◎漁船(어선): 고기잡이를 하는 배.

40. 사람을 웃기는 特技(이)가 있다. (②)
①대처 ②특기 ③특지 ④대지
[설명] ◎特技(특기): 남이 가지지 못한 특별한 기술이나 기능.

41. 상을 받기 위해 壇上에 올랐다. (③)
①단위 ②탁상 ③단상 ④정상
[설명] ◎壇上(단상): 교단이나 강단 따위의 위.

※ 다음 면에 계속

※ 밑줄 친 부분을 한자로 바르게 쓴 것을 고르시오.

42. 삼촌은 아르바이트를 해서 용돈과 학비를 벌었다. (①)
①學費 ②學比 ③學備 ④學米
[설명] ◎學費(학비): 공부하며 학문을 닦는 데에 드는 비용.

43. 갈수록 가족 간의 대화가 부족해지고 있다. (④)
①待談 ②對談 ③待話 ④對話
[설명] ◎對話(대화): 마주 대하여 이야기를 주고받음.

44. 사고 원인을 정확하게 밝혔다. (③)
①院因 ②元因 ③原因 ④園因

※ 물음에 알맞은 답을 고르시오.

45. '授賞'와(과) 같이 '술목관계'로 이루어진 것은?
(①)

①報恩　　②長橋　　③民心　　④兩方

[설명] ◎授賞(수상, 줄 수·상줄 상): 상을 줌. ◎報恩(보은, 갚을 보·은혜 은): 은혜를 갚음. 이상은 "~을 ~하다"로 풀이되는 '술목관계'이다. ◎長橋(장교, 긴장·다리 교): 긴 다리. ◎民心(민심, 백성 민·마음 심): 백성의 마음. ◎兩方(양방, 두 량·모 방): 이쪽과 저쪽 또는 이편과 저편을 아울러 이르는 말. 이상은 앞 글자가 뒤 글자를 꾸며주는 '수식관계'이다.

46. '洗面'의 유의어는?
(③)

①前面　　②洗車　　③洗手　　④面刀

[설명] ◎洗面·洗手(세면·세수): 손이나 얼굴을 씻음.

47. 반의어가 잘못 연결된 것은?
(②)

①吉日↔凶日　　　　②代金↔代價

③好材↔惡材　　　　④高溫↔低溫

[설명] ◎代金·代價(대금·대가): 물건의 값으로 치르는 돈.

48. "一石二鳥"의 속뜻으로 바른 것은?
(③)

①군자의 세 가지 즐거움

②여럿이 마음을 합쳐 한 덩어리로 굳게 뭉침

③동시에 두 가지 이득을 봄

④이미 그릇된 일은 생각하여도 아무 소용이 없음

[설명] ◎一石二鳥(일석이조): 돌 한 개를 던져 새 두 마리를 잡는다는 뜻으로, 동시에 두 가지 이득을 봄을 이르는 말.

49. 父母님께 행하는 孝의 방법으로 바르지 않은 것은?
(④)

①飮食은 투정부리지 않고 먹는다.

②父母님이 들어오시면 일어나 人事를 한다.

③밖에 나갈 때는 父母님께 갈 곳을 알린다.

④父母님께서 잘못이 있으시면 성내며 忠告한다.

50. '단옷날'에 행해지는 풍속이 아닌 것은? (②)

①부채선물　②부럼깨기　③씨름　　④그네뛰기

[설명] ◎端午(단오): 우리나라 명절의 하나. 음력 5월 5일로, 단오떡을 해 먹고 여자는 창포물에 머리를 감고 그네를 뛰며 남자는 씨름을 한다. ◎'부럼깨기'는 음력 정월 대보름날에 행해지는 풍습이다.

♣ 수고하셨습니다.

■ 다음 물음에 맞는 답의 번호를 골라 답안지의 해당 답란에 표시하시오.

※ 한자의 훈음으로 바른 것을 고르시오.

1. 監 (③) ①덜 감 ②역사 사
           ③볼 감 ④나타날 현
[설명] ◎減(덜 감), 史(역사 사), 現(나타날 현).

2. 唱 (④) ①나눌 구 ②창문 창
           ③성스러울 성 ④부를 창
[설명] ◎區(나눌 구), 窓(창문 창), 聖(성스러울 성).

3. 固 (①) ①굳을 고 ②예 고
           ③그림 도 ④공변될 공
[설명] ◎古(예 고), 圖(그림 도), 公(공변될 공).

4. 直 (②) ①곧을 직 ②쓸 비
           ③제단 단 ④앉을 좌
[설명] ◎直(곧을 직), 壇(제단 단), 坐(앉을 좌).

5. 協 (①) ①도울 협 ②사라질 소
           ③지경 계 ④합할 합
[설명] ◎消(사라질 소), 界(지경 계), 合(합할 합).

6. 恩 (③) ①굽을 곡 ②펼 전
           ③은혜 은 ④완전할 완
[설명] ◎曲(굽을 곡), 展(펼 전), 完(완전할 완).

7. 處 (④) ①바 소 ②온전할 전
           ③구할 구 ④곳 처
[설명] ◎所(바 소), 全(온전할 전), 求(구할 구).

8. 무 (②) ①풀 초 ②이를 조
           ③높을 탁 ④말미암을 유
[설명] ◎草(풀 초), 卓(높을 탁), 由(말미암을 유).

※ 훈음에 맞는 한자를 고르시오.

9. 굳셀 무 (③) ①强 ②式 ③武 ④試
[설명] ◎强(강할 강), 式(법 식), 試(시험 시).

10. 나그네 려 (②) ①方 ②旅 ③令 ④族
[설명] ◎方(모 방), 令(하여금 령), 族(겨레 족).

11. 갖출 비 (①) ①備 ②質 ③湖 ④城
[설명] ◎質(바탕 질), 湖(호수 호), 城(재 성).

12. 주일 주 (④) ①送 ②州 ③紙 ④週
[설명] ◎送(보낼 송), 州(고을 주), 紙(종이 지).

13. 재주 예 (③) ①術 ②技 ③藝 ④典
[설명] ◎術(재주 술), 技(재주 기), 典(법 전).

14. 맏누이 자 (②) ①味 ②姉 ③妹 ④如
[설명] ◎味(맛 미), 妹(아랫누이 매), 如(같을 여).

15. 허락할 허 (④) ①可 ②洞 ③河 ④許

[설명] ◎可(옳을 가), 洞(고을 동), 河(물 하).

※ 물음에 알맞은 답을 고르시오.

16. '角'의 제자원리(육서)로 알맞은 것은? (①)
①상형 ②지사 ③형성 ④회의
[설명] ◎角(뿔 각)은 '상형자'이다.

17. 밑줄 친 '失'의 뜻이 <u>다른</u> 것은? (②)
①<u>失</u>望 ②過<u>失</u> ③<u>失</u>業 ④<u>失</u>格
[설명] ◎失(실·일): 잃다, 잃어버리다, 달아나다, 도망(逃亡)치다, 남기다, 빠뜨리다, 잘못 보다, 오인하다, 틀어지다, 가다, 떠나다, 잘못하다, 그르치다, 어긋나다, (마음을)상하다, 바꾸다, 잘못, 허물, 지나침 (실) / 놓다, 놓아주다, 풀어놓다, 달아나다, 벗어나다, 즐기다, 좋아하다 (일). ◎失望(실망, 잃을 실·바랄 망): 희망이나 명망을 잃음. ◎失業(실업, 잃을 실·일 업): 생업을 잃음. ◎失格(실격, 잃을 실·격식 격): 「1」 격식에 맞지 아니함. 「2」 기준 미달이나 기준 초과, 규칙 위반 따위로 자격을 잃음. 이상은 모두 '失'의 의미가 '잃다, 잃어버리다'이다. ◎過失(과실, 허물 과·잘못 실): 부주의나 태만 따위에서 비롯된 잘못이나 허물. 이는 '失'의 뜻이 '허물, 잘못'이다.

18. "그는 재산 一切을(를) 학교에 기부하였다"에서 밑줄 친 '切'의 훈음으로 가장 알맞은 것은? (③)
①끊을 절 ②모두 절 ③모두 체 ④간절할 절
[설명] ◎切(절·체): 끊다, 베다, 정성스럽다, 적절하다, 중요하다, 절박하다, 진맥하다, 문지방, 반절(反切): 한자의 음을 나타낼 때 다른 두 한자의 음을 반씩 따서 합치는 방법), 간절히 (절) / 모두, 온통 (체). ◎一切(일체): 「1」 모든 것. 「2」 '전부' 또는 '완전히'의 뜻을 나타내는 말.

19. '宅'을(를) 자전에서 찾을 때의 방법으로 바르지 <u>않은</u> 것은? (④)
①총획으로 찾을 때는 '6획'에서 찾는다.
②자음으로 찾을 때는 '택'음에서 찾는다.
③부수로 찾을 때는 '宀'부수의 3획에서 찾는다.
④부수로 찾을 때는 '宀'부수의 4획에서 찾는다.
[설명] ◎宅(집 택) 宀(집 면, 3획)부수의 3획, 총6획.

20. 유의자의 연결이 바르지 <u>않은</u> 것은? (①)
①順=最 ②爭=戰 ③寒=冷 ④陸=地
[설명] ◎順(순할 순), 最(가장 최).

21. '師'의 반의자는? (③)
①第 ②孫 ③弟 ④兄
[설명] ◎師(스승 사) ↔ 弟(아우, 제자 제).

모|범|답|안 15회

22. "韓□ → □上 → 上京"에서 □안에 공통으로 들어
갈 알맞은 한자는?　　　　　　　(①)

①屋　　②好　　③在　　④生

[설명] ◎韓屋(한옥): 우리나라 고유의 형식으로 지은
집을 양식 건물에 상대하여 이르는 말. ◎屋上(옥상):
지붕의 위. 특히 현대식 양옥 건물에서 마당처럼 편
평하게 만든 지붕 위를 이른다. ◎上京(상경): 지방에
서 서울로 올라옴.

※ 어휘의 독음이 바른 것을 고르시오.

23. 祭器 (②) ①찰구 ②제기 ③혈기 ④제구
[설명] ◎祭器(제기): 제사에 쓰는 그릇. 놋그릇, 사기그
릇, 나무 그릇이 있다.

24. 熱氣 (④) ①집세 ②열세 ③숙기 ④열기
[설명] ◎熱氣(열기): 「1」 뜨거운 기운. 「2」 몸에 열이
있는 기운. 「3」 뜨겁게 가열된 기체. 「4」 흥분된 분위
기.

25. 餘談 (②) ①식담 ②여담 ③여염 ④식염
[설명] ◎餘談(여담): 이야기하는 과정에서 본 줄거리와
관계없이 흥미로 하는 딴 이야기.

26. 增便 (④) ①증경 ②가변 ③단편 ④증편
[설명] ◎增便(증편): 정기적인 교통편의 횟수를 늘림.

27. 獨身 (③) ①단체 ②독체 ③독신 ④단신
[설명] ◎獨身(독신): 「1」 형제자매가 없는 사람. 「2」 배
우자가 없는 사람.

28. 要領 (①) ①요령 ②요녕 ③구금 ④구령
[설명] ◎要領(요령): 「1」 가장 긴요하고 으뜸이 되는
골자나 줄거리. 「2」 일을 하는 데 꼭 필요한 묘한 이
치. 「3」 적당히 해 넘기는 잔꾀.

29. 省察 (③) ①성제 ②생략 ③성찰 ④생시
[설명] ◎省察(성찰): 자기의 마음을 반성하고 살핌.

30. 基本 (②) ①기미 ②기본 ③기말 ④근본
[설명] ◎基本(기본): 사물이나 현상, 이론, 시설 따위의
기초와 근본.

31. 意志 (①) ①의지 ②의심 ③음의 ④의사
[설명] ◎意志(의지): 어떠한 일을 이루고자 하는 마음.

※ 어휘의 뜻으로 알맞은 것을 고르시오.

32. 移植 (①)
①옮겨 심음　　　②곧게 자람
③충분히 멀어짐　　④몹시 저조함
[설명] ◎移植(이식).

33. 偉大 (④)
①큰일을 할 사람　　②일이 점점 커짐
③맡은 일을 훌륭히 해냄　④뛰어나고 훌륭함

[설명] ◎偉大(위대).

34. 敬待 (②)
①음식을 차려 접대함　　②공경하여 대접함
③공손하게 스승을 높임　　④날씨가 매우 추움
[설명] ◎敬待(경대).

※ 낱말을 한자로 바르게 쓴 것을 고르시오.

35. 국한: 범위를 일정한 부분에 한정함.　　(③)
①局良　　②國限　　③局限　　④國良

36. 상품: 사고파는 물품.　　(②)
①常品　　②商品　　③相品　　④賞品

37. 타산: 자신에게 도움이 되는지를 따져 헤아림.
　　　　　　　　　　　　　　　　(①)
①打算　　②他算　　③打産　　④他山

※ 밑줄 친 어휘의 알맞은 독음을 고르시오.

38. 이 사건이 있은 후 그는 英雄이 되었다. (④)
①성웅　　②용맹　　③회장　　④영웅
[설명] ◎英雄(영웅): 지혜와 재능이 뛰어나고 용맹하여
보통 사람이 하기 어려운 일을 해내는 사람.

39. 졸업식장에서 환송사가 朗讀되었다. (③)
①낭속　　②양독　　③낭독　　④양속
[설명] ◎朗讀(낭독): 글을 소리 내어 읽음.

40. 설악산의 주변 景觀이(가) 수려하다. (②)
①관광　　②경관　　③경치　　④관객
[설명] ◎景觀(경관): 「1」 산이나 들, 강, 바다 따위의
자연이나 지역의 풍경. 「2」 기후, 지형, 토양 따위의
자연적 요소에 대하여 인간의 활동이 작용하여 만들
어 낸 지역의 통일된 특성. 자연 경관과 문화 경관으
로 구분한다.

41. 진리란 永久 불변한 것이다.　　(①)
①영구　　②영장　　③수구　　④장구
[설명] ◎永久(영구): 어떤 상태가 시간상으로 무한히
이어짐.

※ 다음 면에 계속

※ 밑줄 친 부분을 한자로 바르게 쓴 것을 고르시오.

42. 시험기간에는 도서관이 늘 붐빈다.　　(④)
①其間　　②己間　　③記間　　④期間
[설명] ◎期間(기간): 어느 일정한 시기부터 다른 어느
일정한 시기까지의 사이.

43. 방금 뉴스 속보가 보도되었다.　　(①)
①速報　　②束步　　③速步　　④束報
[설명] ◎速報(속보): 빨리 알림. 또는 그런 보도.

44. 우리말 왜곡과 은어, 비속어 등의 사용 실태를 <u>조사</u>
하여 대책을 마련해야 한다.　　　　　(②)
①助思　　②調査　　③調思　　④助査
[설명] ◎調査(조사): 사물의 내용을 명확히 알기 위하
여 자세히 살펴보거나 찾아봄.

※ 물음에 알맞은 답을 고르시오.

45. 어휘의 짜임이 <u>다른</u> 것은?　　　　　(④)
①吉凶　　②善惡　　③遠近　　④弱勢
[설명] ◎吉凶(길흉, 길할 길·흉할 흉): 운이 좋고 나
쁨. ◎善惡(선악, 착할 선·악할 악): 착한 것과 악한
것을 아울러 이르는 말. ◎遠近(원근, 멀 원·가까울
근): 자기와 남을 아울러 이르는 말. 이상은 서로 상
대되는 뜻의 한자로 이루어진 '병렬 관계'이다. ◎弱
勢(약세, 약할 약·권세 세): 약한 세력이나 기세. 이
는 앞 글자가 뒤 글자를 꾸며주는 '수식 관계'이다.

46. '同種'의 유의어는?　　　　　(③)
①入場　　②富力　　③同類　　④登用
[설명] ◎同種(동종): 같은 종류. = ◎同類(동류):「1」같
은 종류나 부류.「2」같은 무리.

47. '都市'의 반의어는?　　　　　(②)
①都邑　　②農村　　③農民　　④市内
[설명] ◎都市(도시): 일정한 지역의 정치·경제·문화의
중심이 되는, 사람이 많이 사는 지역. ↔ ◎農村(농촌):
주민의 대부분이 농업에 종사하는 마을이나 지역.

48. "몸을 움직여서 하는 모든 짓"을 뜻하는 성어는?
　　　　　(①)
①行動擧止　②自給自足　③一進一退　④言行一致
[설명] ◎行動擧止(행동거지): 몸을 움직여 하는 모든 짓.

49. 우리의 문화유산을 이해하고 발전시키는 방법으로
바르지 <u>않은</u> 것은?　　　　　(③)
①우리의 것을 아끼고 사랑하는 마음을 가져야 한다.
②조상의 지혜와 슬기가 담겨 있는 곳을 찾아가 본다.
③우리의 문화유산을 세계에 알릴 필요는 없다.
④후대에게 물려줄 소중한 유산을 아끼고 보존한다.

50. 우리 고유의 세시풍속이 행해지는 '음력 8월 15일'
의 명칭은?　　　　　(①)
①秋夕　　②端午　　③冬至　　④夏至
[설명] ◎秋夕(추석): 우리나라 명절의 하나. 음력 팔월
보름날이다. 신라의 가배(嘉俳)에서 유래하였다고 하
며, 햅쌀로 송편을 빚고 햇과일 따위의 음식을 장만하
여 차례를 지낸다.

♣ 수고하셨습니다.

한자급수시험 ○ 한문경시대회 전국한문 실력경시대회 겸용임

제□□회 ○한자급수자격검정시험 ○경시대회 답안지 (앞면) 01

[제ㅇ-4호 서식]

시단법인 대한민국한자교육연구회 / 경시대회 답안지

(주)한국검정 KTA
Korea Test Association

성 명 (한글)

수험번호

※ 정확하게 기재하고 해당란에 ● 처럼 칠할 것.

한자급수시험 한문경시대회 응급표기란 부분 표기란

6 A
준5 B
5 C
준4 D
4 E
준3 F
3 G
준2
2

주민번호 앞6자리 (생년월일)

성별 남 / 여

※ 예: 2001. 11. 22 ⇒ 01 11 22

※ 참고사항

▶ 한격자별표 : 시험 4주후 발표
- 홈페이지 및 ARS(060-700-2130)

등급	시험시간	합격기준
6급~준3급	14:00~14:40(40분)	70점이상
3급~2급	14:00~15:00(60분)	

▶ 자격증 교부방법
- 방문접수자는 접수처에서 교부
- 인터넷접수자는 개별발송

※ 주 의 사 항

이 답안지는 한자급수 자격시험 및 전국한문 실력경시대회 겸용입니다.

1. 답안지가 구겨지거나 더럽혀지지 않도록 할 것. 모든 기록은 □안의 첫부분부터 한 자씩 붙여 쓸 것.

2. 답안지의 모든기재 사항은 검정색 볼펜을 사용하여 기재하고 해당번호에 한개의 답안만 ●처럼 칠할 것.

3. 수험번호외 생년월일을 정확하게 기재하여 주십시오.

4. ※ 표시가 있는 란은 절대 기입하지 말 것.

5. 기재오류로 인한 책임은 모두 응시자 여러분에게 있습니다.

성 명 (한글)

객 관 식 답 안 란

1	① ② ③ ④	14	① ② ③ ④	27	① ② ③ ④	40	① ② ③ ④		
2	① ② ③ ④	15	① ② ③ ④	28	① ② ③ ④	41	① ② ③ ④		
3	① ② ③ ④	16	① ② ③ ④	29	① ② ③ ④	42	① ② ③ ④		
4	① ② ③ ④	17	① ② ③ ④	30	① ② ③ ④	43	① ② ③ ④		
5	① ② ③ ④	18	① ② ③ ④	31	① ② ③ ④	44	① ② ③ ④		
6	① ② ③ ④	19	① ② ③ ④	32	① ② ③ ④	45	① ② ③ ④		
7	① ② ③ ④	20	① ② ③ ④	33	① ② ③ ④	46	① ② ③ ④		
8	① ② ③ ④	21	① ② ③ ④	34	① ② ③ ④	47	① ② ③ ④		
9	① ② ③ ④	22	① ② ③ ④	35	① ② ③ ④	48	① ② ③ ④		
10	① ② ③ ④	23	① ② ③ ④	36	① ② ③ ④	49	① ② ③ ④		
11	① ② ③ ④	24	① ② ③ ④	37	① ② ③ ④	50	① ② ③ ④		
12	① ② ③ ④	25	① ② ③ ④	38	① ② ③ ④				
13	① ② ③ ④	26	① ② ③ ④	39	① ② ③ ④				

※ 주관식 답안란은 뒷면에 있습니다.

감독확인	
채점	정
	부

※ 모든 기록은 □안의 첫부분부터 한 자씩 붙여 쓰시오.

제□□□회 한자급수자격검정시험 경시대회 답안지 [앞면] 01

[제10~4호 서식]

사단법인 대한민국한자교육연구회 / 대한검정회

KTA 대한검정회
Korea Test Association

수험번호

※ 정확하게 기재하고 해당란에 ●처럼 칠할 것.

수험번호

형별

※ 예 : 2001. 11. 22 ⇒ 01 11 22

한자급수시험 한문경시대회
일련표기란 분류표기란

존5
6
5
4
존4
3
존3
2
존2

A B C D E F G

주민번호 앞6자리 (생년월일)

성별
남 여

※ 참고사항

※ 시험준비물을 제외한 모든 물품은 가방에 넣어 지정된 장소에 보관할 것.

※ 시험기간 및 합격기준

등급	시험시간	합격기준
3급~2급	14:00~15:00(60분)	70점이상
6급~준3급	14:00~14:40(40분)	

※ 합격자발표 : 시험 4주후 발표
- 홈페이지 및 ARS(060-700-2130)
※ 자격증 교부방법
- 방문접수자는 접수처에서 교부
- 인터넷접수자는 개별발송
- 여러분에게 있습니다.

재응시하십시오.

※ 주의사항

성명 (한글)

객관식 답안란

이 답안지는 한자급수 자격시험 및 전국한문 실력경시대회 겸용입니다.

1. 답안지가 구겨지거나 더럽혀지지 않도록 할 것. 모든 기록은 첫부터 한 자씩 붙여 쓸것.
2. 답안지의 모든기재 사항은 검정색 볼펜을 사용하여 기재하고 해당번호에 한개의 답에만 ●처럼 칠할 것.
3. 수험번호와 생년월일을 정확하게 기재하여 주십시오.
4. ※ 표기가 있는 란은 절대 기입하지 말 것.
5. 기재오류로 인한 책임은 모두 응시자 여러분에게 있습니다.

성명	(한글)				

1	① ② ③ ④	14	① ② ③ ④	27	① ② ③ ④	40	① ② ③ ④		
2	① ② ③ ④	15	① ② ③ ④	28	① ② ③ ④	41	① ② ③ ④		
3	① ② ③ ④	16	① ② ③ ④	29	① ② ③ ④	42	① ② ③ ④		
4	① ② ③ ④	17	① ② ③ ④	30	① ② ③ ④	43	① ② ③ ④		
5	① ② ③ ④	18	① ② ③ ④	31	① ② ③ ④	44	① ② ③ ④		
6	① ② ③ ④	19	① ② ③ ④	32	① ② ③ ④	45	① ② ③ ④		
7	① ② ③ ④	20	① ② ③ ④	33	① ② ③ ④	46	① ② ③ ④		
8	① ② ③ ④	21	① ② ③ ④	34	① ② ③ ④	47	① ② ③ ④		
9	① ② ③ ④	22	① ② ③ ④	35	① ② ③ ④	48	① ② ③ ④		
10	① ② ③ ④	23	① ② ③ ④	36	① ② ③ ④	49	① ② ③ ④		
11	① ② ③ ④	24	① ② ③ ④	37	① ② ③ ④	50	① ② ③ ④		
12	① ② ③ ④	25	① ② ③ ④	38	① ② ③ ④				
13	① ② ③ ④	26	① ② ③ ④	39	① ② ③ ④				

※ 주관식 답안란은 뒷면에 있습니다.

감독확인

감독확인	정	부